ZWARTE
KAT

Van Virginia Andrews® zijn de volgende boeken verschenen:

De Dollanganger-serie
Bloemen op zolder
Bloemen in de wind
Als er doornen zijn
Het zaad van gisteren
Schaduwen in de tuin

De 'losse' titel
M'n lieve Audrina

De Casteel-serie
Hemel zonder engelen
De duistere engel
De gevallen engel
Een engel voor het paradijs
De droom van een engel

De Dawn-serie
Het geheim
Mysteries van de morgen
Het kind van de schemering
Gefluister in de nacht
Zwart is de nacht

De Ruby-serie
Ruby
Parel in de mist
Alles wat schittert
Verborgen juweel
Het gouden web

De Melody-serie
Melody
Lied van verlangen
Onvoltooide symfonie
Middernachtmuziek
Verstilde stemmen

De Weeskinderen-serie
Butterfly
Crystal
Brooke
Raven
Vlucht uit het weeshuis

De Wilde bloemen-serie
Misty
Star
Jade
Cat
Het geheim van de wilde
bloemen

De Hudson-serie
Als een regenbui
Een bliksemflits
Het oog van de storm
Voorbij de regenboog

De Stralende sterren-serie
Cinnamon
Ice
Rose
Honey
Vallende sterren

De Willow-serie
De inleiding: Duister zaad
Willow
Verdorven woud
Verwrongen wortels
Diep in het woud
Verborgen blad

De Gebroken vleugels-serie
Gebroken vleugels
Vlucht in de nacht

De Celeste-serie
Celeste

ZWARTE
KAT

DE KERN

Sinds de dood van Virginia Andrews werkt haar familie met een zorgvuldig uit-
gekozen auteur aan de voltooiing van haar nagelaten verhalen en ideeën en aan
het schrijven van nieuwe romans, waartoe ook deze behoort, die zijn geïnspireerd op haar vertelkunst.

Alle namen, personen, plaatsen en gebeurtenissen in dit boek zijn bedacht door
de auteur. Elke gelijkenis met feitelijke gebeurtenissen of bestaande personen,
nog in leven of overleden, berust op puur toeval.

Oorspronkelijke titel: *Black Cat*
Original English language edition © 2004 by The Vanda General Partnership
All rights reserved including the right of reproduction in whole or in part in any
form
This edition published by arrangement with the original publisher, Pocket Books,
a Division of Simon & Schuster, Inc., New York
V.C. ANDREWS and VIRGINIA ANDREWS are registered trademarks of The Vanda
General Partnership
Copyright © 2006 voor deze uitgave:
Uitgeverij De Kern, De Fontein bv, Postbus 1, 3740 AA Baarn
Vertaling: Parma van Loon
Omslagontwerp: Mesika Design, Hilversum
Zetwerk: Scriptura, Westbroek
ISBN 90 325 1039 8
NUR 335

www.virginia-andrews.nl

Proloog
Onze familiegeschiedenis

Ik heb er nooit aan getwijfeld dat op de dag dat mijn vader stierf, mijn moeder het allang wist voordat zijn zakelijke partner, meneer Calhoun, met het afschuwelijke nieuws bij ons thuis kwam. Eerder die dag was ze flauwgevallen en lang genoeg bewusteloos gebleven om mijn broer Noble en mij doodsbang te maken. Later zou ze me vertellen dat de geest van een kat zo zwart als de dood zelf recht door haar hart was gegaan.

Als ze over die dingen sprak, sperde ze haar ogen vol verbijstering open, een verbijstering die mijn hart bijna deed stilstaan. Ik weet dat ik mijn adem inhield als ze praatte. Mijn borst dreigde te exploderen, maar ik durfde zelfs geen adem te halen uit angst haar te onderbreken.

'Ik zag hem uit een schaduw komen in de hoek van het plafond waar hij zich in gespannen verwachting had genesteld. Ik sloeg naar het dier toen hij omlaag sprong en op me afkwam, maar mijn hand duwde hem niet opzij, en in enkele seconden had hij zijn boze daad verricht,' zei ze, en ze kneep haar ogen samen toen ze me vertelde over een soortgelijk incident dat haar grootmoeder was overkomen ten tijde van het dodelijke ongeluk van haar broer. Hij was van een paard gevallen en met zijn hoofd op een steen terechtgekomen.

'Het geluid van paardenhoeven dreunde door haar hoofd, en toen ze opkeek, sprong een zwarte kat door de lucht, zijn poten gestrekt om door haar borst te klauwen. Ze viel ter plekke flauw, en toen ze bijkwam, waren haar eerste woorden: "Warren is weg". Niemand had zijn lichaam nog gevonden, maar iedereen wist dat het niet lang zou duren voor iemand dat deed,' voegde mama er zacht fluisterend aan toe, het soort gefluister dat door je hart dringt als de zwarte kat die ze beschreef.

Onze familiegeschiedenis van moeders kant wemelde van de voorbeelden van iemand die de toekomst kon zien, een tragische gebeurtenis kon voorvoelen, of tekenen ontwaren in de natuur die iemands ziekte of dood voorspelden. Het was een profetische gave waarvan ze geloofde dat deze via haar op Noble en mij zou overgaan, maar hoogstwaarschijnlijk op Noble. Waarom ze daar zo heilig in geloofde, weet ik niet, maar ik weet wél dat het de voornaamste reden was waarom hij nooit mocht sterven.

Na de geboorte van Baby Celeste zat mama vaak met haar in grootvader Jordans oude schommelstoel en wiegde haar in slaap terwijl ze die familieverhalen vertelde. Ik had het gevoel dat ze de spinnenwebben wegveegde en het verleden afstofte dat zich in elke hoek en spleet, onder elke schaduw bevond. Ze staarde naar de duisternis die zich als een satijnen sluier over ons huis drapeerde, en praatte over die vreselijke dag waarop mijn vader was gestorven en over alle dagen uit haar verleden. Haar herinneringen waren zo levendig dat het leek of ze in staat was door een microscoop in de tijd terug te kijken en de kleinste details te zien. Ze sprak niet zozeer tegen mij dan wel tegen zichzelf en tegen de geesten waarvan ze zei dat ze naast ons zaten, ooms, tantes, nichten en neven, en ons gezelschap hielden in wat mij nu voorkomt als een eeuwige dodenwake.

Er viel inderdaad zoveel te betreuren.

Ik hoefde geen profetische gave te hebben om te weten dat er nog zoveel meer op onze weg zou komen voordat die donkere sluier die over ons huis en ons leven hing, zou worden opgeheven.

1. Nobles smeekbeden

'Noble,' riep mama met een dringende klank in haar stem.

Ik draaide me om zag haar naar me zwaaien op de bovenste treden van de veranda. Haar roodbruine, schouderlange haar viel steil langs haar wangen. Ze had een paarsrode hoofddoek om haar voorhoofd gebonden, die, zoals ze zei, alle vervloekingen zou afwenden die op haar afgevuurd zouden worden, dus ik wist dat iets haar die dag had doen schrikken.

Ze stond met Baby Celeste naast zich, wat heel ongewoon was. Mama nam haar overdag nooit mee naar buiten, uit angst dat iemand haar, al was het maar uit de verte, in een passerende auto, zou zien en haar bestaan te weten zou komen. Die geheimzinnigheid bestond al vanaf het moment dat Baby Celeste geboren was, iets meer dan tweeënhalf jaar geleden.

Vandaag was een van die mooie zomerse dagen in juli. De wolken leken aan de horizon vastgeschroefd en niet één flard ervan verduisterde de oranje schijf van de zon, die sierlijk door de blauwe lucht naar de bergen in het westen gleed. Ik zat op handen en voeten onkruid te wieden in de groentetuin. Het welriekende aroma van vruchtbare, vochtige aarde drong in mijn neusgaten. Wormen, glanzend van de nachtelijke regen, glipten door mijn modderige vingers. Een vleugje wind plaagde me met de belofte van een verademing, een belofte die nog vervuld moest worden. Ik was al behoorlijk bruin, boerenbruin noemde mijn vader dat altijd, omdat mijn armen tot aan de rand van mijn mouwen, en mijn hals tot aan mijn kraag, donkerbruin verbrand waren. Het was alleen te zien als ik naakt was.

Mama deed een stap in mijn richting, weg van het huis, om me nogmaals te roepen. Door de hete, trillende lucht tussen ons in, leek het huis te glinsteren en zich rond haar en Baby Celeste te sluiten, alsof het vastbesloten was hen aan het gezicht te onttrekken van de paar mensen die op de snelweg voorbijreden. Het huis zou hen, ons, altijd beschermen. Mama geloofde dat. Ze geloofde dat het huis even gewijd was als een kerk.

Iedereen die het huis zag zou bereid zijn te geloven dat het een speciale kracht bevatte. Het was groot en uniek in deze streek van de staat New York, in Queen Anne-stijl gebouwd met een steil dak van graatbalken en twee lagere dwarsgevels en een torentje op de westelijke hoek van de voorgevel. De torenkamer was een vrij grote ronde kamer met twee ramen aan de voorkant. Mama vertelde me dat haar grootvader die kamer vaak gebruikt had om zich in terug te trekken. Hij bracht er uren en uren in zijn eentje door, lezend of slechts zijn pijp rokend en uit het raam starend naar de bergen. Misschien door dat verhaal, of gewoon omdat de kamer zo besloten was en boven aan een smalle trap verscholen lag, gebruikte ik hem ook als een toevluchtsoord, een geheime plaats.

Soms, als Baby Celeste 's avonds sliep en mama met iets bezig was en werd afgeleid, kon ik stiekem naar de torenkamer glippen, waar mama al onze spiegels had opgeborgen, behalve die aan de muren van de badkamer boven de wasbakken. In de torenkamer waren veel antieke spullen en dozen met heel oude dingen opgeslagen. Ze had de spiegels daarnaartoe gebracht omdat ze zei dat onze goede familiegeesten ze vermeden, vooral de lange spiegels zoals de ovale spiegel in vergulde lijst met een uitgesneden roos aan de bovenkant.

'Ondanks de eeuwige vreugde die ze delen in de andere wereld, willen ze er niet aan herinnerd worden dat ze uit hun lichaam getreden zijn, dat hun lichaam allang vergaan is tot stof. Wat ze van zichzelf zien is meer een beeld dat gevangenzit in een wervelende spiraal van rook,' legde ze uit.

Ik vond dat heel logisch. Zolang we in deze wereld vertoefden, hield niets onze aandacht vast of was zo belangrijk als ons lichaam. Wie keek overdag niet vaak naar zijn of haar lichaam, in een etalageruit, een spiegel, op foto's, of zelfs in de ogen van een ander. Wat was intrigerender dan je eigen ik?

Omdat de normale gelegenheden om dat te doen me waren ontzegd, ging ik voor de ovale spiegel in de torenkamer staan, kleedde me uit en staarde naar mijn onbedekte en nu onvermomde vrouwelijke lichaam, draaide rond om me van alle kanten te bekijken, als iemand die een nieuwe jurk aanpast. Vaak had ik het gevoel dat ik door een etalageruit naar een ander keek en niet in een spiegel naar mezelf. Dat leek de spiegel magisch te maken, en dat alleen al veranderde de torenkamer in een heel speciale ruimte. Niet alleen bevatte hij in oude kastladen en kartonnen dozen geheimen van ons verleden, hij verschafte me een vluchtweg, een plaats waar ik onbeperkt kon dromen, en per slot kon ik alleen in dromen zijn wie ik was.

Nu al bijna tien jaar lang had ik het bestaan moeten ontkennen van wie en wat ik voor me zag staan. Ik wist zeker dat geen avond in mijn leven ooit zo traumatisch zou zijn als de nacht waarin mama me meenam naar het kleine, oude familiekerkhof om afscheid te nemen van mijzelf in een begrafenis die zo besloten was dat zelfs de sterren verscholen bleven achter wolken.

In het open, pas gegraven graf, met zijn handen op zijn borst gevouwen, lag mijn tweelingbroertje Noble, die mijn jurk droeg en zelfs mijn amulet, de Mystic Star met zijn zeven punten. Ik had me zelfs niet gerealiseerd dat ze me die ster gedurende de nacht had afgenomen. Nobles ogen waren zo hermetisch gesloten dat ze dichtgestikt leken. Ik had mama in de steek gelaten, haar zo diep teleurgesteld, dat haar ziel ineenkromp. Ik had mijn tweelingbroertje niet beschermd en daarom moest ik degene zijn die dood en begraven was. Ze veranderde me in Noble als een tovenaar die met een toverstok zwaait, en verkondigde toen aan de wereld dat ik ontvoerd was. De mensen uit het dorp hadden medelijden met haar, medelijden met ons, toen een opsporingsteam een van mijn schoenen vond in het bos en tot de conclusie kwam dat ze gelijk had: iemand had me meegenomen.

Tientallen mensen liepen rond op ons land en wandelden naar onze buurman, een oudere man, Gerson Baer genaamd, die alleen woonde. Niets wees hem aan als de dader, maar omdat hij eenzaam was en onze buurman, werd hij een tijdlang verdacht. Hij was verstandig genoeg om toe te staan dat zijn huis en grond van boven tot onder werden doorzocht. Ten slotte liet de politie hem met rust, maar mama voorspelde dat gemene, stomme mensen hem altijd zouden blijven verdenken. Ze klonk alsof ze echt medelijden met hem had, maar voegde eraan toe dat het voor ons van nut zou zijn.

Er ging een week voorbij en er werd niets meer over gepubliceerd. Nu en dan verscheen een van de agenten van de sheriff. De rechercheur kwam terug en ging het hele verhaal nog eens na. Mama zag er vreselijk uit. Ze at niet. Ze deed niets om zichzelf aantrekkelijk te maken. Sommige mensen, oude vrienden van papa, en zijn vroegere partner, meneer Calhoun, stuurden bloemen en bonbons met hun beste wensen. De rechercheur bood aan contact op te nemen met eventuele familie van ons, om ons te helpen, maar mama bedankte hem en zei dat we ons goed konden redden. Hij beloofde ons op de hoogte te houden van mogelijke nieuwe ontwikkelingen.

In het begin, als ik mensen met trieste stem over me hoorde praten, leek het werkelijk of ik onzichtbaar was, een geest die luisterde naar mensen die over haar praatten en vertelden hoe ze was toen ze nog leefde. Mama zei lieve dingen over me, dingen die een pijnlijk verlangen bij me wekten om weer dat betrouwbare, intelligente en vrolijke meisje te zijn. Bezoekers die hun medeleven kwamen betuigen schudden hun hoofd en keken me bedroefd aan.

'Je zult je zusje wel heel erg missen,' zeiden ze, Of: 'Wat zul je je eenzaam voelen, zo helemaal alleen nu.'

Ik moest knikken of een opgetrommelde traan wegpinken, want Noble was een jongen en zou zijn droefheid niet zo gemakkelijk tonen. Hij zou zich beheersen. Langzamerhand, beginnend met kleine details, liet mama me Noble imiteren, zelfs zijn slechte gewoontes overnemen. Niets maakte haar zo kwaad als mijn verzet of mijn falen in dat bedrog. Ik wilde haar zo graag een plezier doen, maar voor mij was elk klein gebaar, elke eigenschap, elke gewoonte, die ik met succes wist na te bootsen, als een zoveelste schep aarde op mijn eigen graf. Soms werd ik 's nachts wakker met het gevoel dat ik stikte, met een bezweet lichaam en het welriekende aroma van koele, donkere aarde om me heen. Ik meende die zelfs op mijn gezicht te voelen en veegde fanatiek mijn wangen af voor ik weer ging liggen en probeerde in slaap te vallen.

Elke avond sliep ik in met de gedachte dat ik misschien nooit meer wakker zou worden, of wakker zou worden in een graf. Er was maar één manier om me staande te houden, en dat was: in leven te blijven.

Mama had altijd meer van Noble gehouden dan van mij, en nu

kon ik als Noble al die liefde voor mijzelf krijgen, dus deed ik erg mijn best om mijn broer te worden. Ik deed karweitjes die meisjes van mijn leeftijd nooit zouden doen, zoals hout hakken, banden wisselen en grasmaaiers en andere apparatuur invetten. Ik repareerde het dak van een schuur, timmerde en zaagde, schilderde en verniste. Ik kreeg eelt op mijn handen. Mijn dikker wordende onderarmen leken meer op die van een jongen dan van een meisje, en ik liep met een mannelijke tred die zelfs mij verbaasde als ik me ervan bewust werd. Het waren mama's tevreden glimlachjes die me erop attent maakten. Haar goedkeurende glimlach won het van elke aarzeling, elke mogelijke verlegenheid van mijn kant.

Met mijn hard en mager geworden lijf, mijn thuisonderwijs, mijn gebrek aan contact met meisjes van mijn leeftijd, slaagde ik er zo goed in dat ik zelfs Nobles dromen droomde, de geesten zag die ik meende dat hij zou zien, zoals neven en nichten van zijn leeftijd, die ook een tragische dood waren gestorven, ondeugende kleine jongetjes die hun zusjes plaagden en net als hij gillend en schreeuwend over gefantaseerde slagvelden en door jungles renden, of ik zag sterke ooms met spieren die zich ontwikkeld hadden door zware arbeid als boer of timmerman. Onze bevallige, vrouwelijke familiegeesten leken mij te vermijden zoals ze Noble zouden vermijden. Het leek of ze werkelijk deel uitmaakten van mama's plan of op z'n minst bang waren het tegen te werken.

Zo lang ik me kon herinneren had mama gecommuniceerd met haar spirituele familie. Ze had zowel Noble als mij beloofd dat wij dat later ook zouden kunnen, en al schudde papa zijn hoofd en geloofde hij niets van dat alles, hij deed niet echt zijn best om haar van dat geloof af te brengen. Ik was er trouwens van overtuigd dat hem dat toch niet gelukt zou zijn. Het was een onverbrekelijk deel van wie en wat ze was. Ze zei tegen papa dat hij niet van haar kon houden zonder ook daarvan te houden. Zelfs toen ik nog klein was kon ik merken dat hij dat wist en het accepteerde. Wat hield hij veel van haar, dacht ik, en net als alle kleine meisjes droomde ik ervan iemand tegen te komen die net zo geweldig was als papa en net zoveel van me zou houden. Maar ik was erg bang dat ik niet zo goed en mooi was als mama en nooit iemand als papa zou vinden.

Mama dacht altijd dat Noble eerder dan ik de oversteek zou maken, zoals zij het noemde, maar Noble had nooit zo'n hartstochtelijke belangstelling voor onze spirituele familie en de andere wereld als ik. Het frustreerde mama. Ze probeerde van alles, inclusief mediteren, maar niets hielp, dus trok ze de conclusie dat iets boosaardigs Noble in de weg stond. Dat was de reden waarom ze me daadwerkelijk tot mijn broeders hoeder maakte en waarom ze zo verschrikkelijk van streek raakte toen hij verongelukte in de beek. Hij viel van de grote kei waarop hij stond te vissen. Ik wilde dat hij naar huis zou gaan, maar hij wilde niet, dus stonden we te touwtrekken aan zijn hengel. Had mama gelijk? Was het echt mijn schuld?

Hij kon niet doodgaan; hij zou niet doodgaan. Zijn geest zou in mij overgaan, en zo zou het voor eeuwig en altijd blijven.

Maar mama noch ik besefte hoe machtig de vrouw in mij zou worden. Jaren later kon ik haar in mijn eenzaamheid niet langer de kop in drukken. Ik kon niet beletten dat ze weer tevoorschijn kwam. Op mijn heimelijke plekje in het bos ontblootte ik mezelf, zodat ik vrij kon ademen als Celeste, en het was bij een van die gelegenheden dat de zoon van onze nieuwe buurman, Elliot Fletcher, de waarheid ontdekte en me chanteerde om seks met hem te hebben.

Als ik daar nu aan terugdenk, als ik mezelf toesta me die heimelijke afspraakjes weer voor de geest te halen, hoor ik een innerlijke stem die me vertelt dat ik minder gechanteerd werd dan ik graag wilde geloven. Ik wilde dat zou gebeuren wat er met me gebeurde. Het was een manier om te ontkennen wat ik geworden was en om terug te keren naar wie en wat ik was.

Baby Celeste werd geboren als gevolg van dat alles, maar ik moest mijn zwangerschap zo lang mogelijk geheimhouden, want ik wist hoe vreselijk mama dat zou vinden. Ik kon zelfs niemand vertellen dat ik Elliot had zien verdrinken op die dag toen hij zijn zelfbeheersing verloor terwijl hij de beek overstak om naar huis te gaan. Ik had medelijden met zijn vader, een apotheker in een naburig dorp, die Elliot en zijn zus Betsy moest grootbrengen nadat zijn vrouw hem had verlaten. Betsy was een voortdurende bron van moeilijkheden, promiscue en wild, en nu had hij zijn zoon verloren en zou hij waarschijnlijk nooit weten dat hij een kleindochter had.

Ik hield mijn zwangerschap zo lang mogelijk verborgen, en toen dat onmogelijk werd, was ik doodsbang. Mama's reactie was ontkennen dat het ooit gebeurd was. Ze hield het geheim en haar manier om de geboorte van mijn dochter te begroeten was tegen mij en zichzelf te verklaren dat de baby een miraculeuze creatie was, een spirituele creatie, de terugkeer van Celeste. Zo noemde ze haar, en toen, tot mijn grote schrik, verfde ze het haar van de baby, zodat ze op mij zou lijken en niet Elliots haar zou hebben, nu niet en wellicht nooit.

Maar als ik naar mijn baby keek, als ik haar, zelfs op deze afstand, hand in hand naast mama zag staan, en ze haar ogen op mij richtte, zag ik mijzelf in dat klein meisje. Onwillekeurig geloofde ik soms dat mama gelijk had. Celeste was mijn opstanding, mijn terugkeer, mijn wedergeboorte, een waar wonder. Ze had mijn gebaren, mijn lach, mijn manier van slapen met getuite lippen en mijn linkerhand plat tegen mijn wang.

Al die gedachten, die herinneringen, die gevoelens, stroomden door me heen als de beek door ons landgoed, alleen niet stijgend en dalend met de regen en de smeltende sneeuw zoals de beek, maar met de stormen en veranderingen die onze heel besloten wereld beïnvloedden.

Zoals vandaag.

'Schiet op,' beval mama, toen ik het tuingereedschap weglegde en naar het huis liep.

Ze draaide zich om, tilde Celeste op in haar armen, en liep snel naar binnen, vluchtend met het kind alsof het zonlicht een dodelijke kracht had. Ik draafde naar de deur en trok mijn bemodderde schoenen uit. Ze stond in de gang te wachten.

'Wat is er?' vroeg ik, toen ik de spanning in haar gezicht zag.

Had ze een vervloeking om ons, om mij, heen zien zweven? Wilde ze me daarom zo snel binnen hebben? Het zou niet de eerste keer zijn. Te vaak, toen ik opgroeide op de farm, en zelfs toen Noble nog leefde, klonk mama's roep als een alarmbel, een waarschuwing om haastig terug te komen naar ons veilige huis, en niet gevangen te raken in een koude, donkere windvlaag, die ze 'de ijzige adem van de Dood' noemde. Wat konden we anders doen dan haastig en huiverend in haar wachtende, warme armen te vluchten?

Baby Celeste stond met haar duim in haar mond naar mij te kijken. Meestal, als ze een tijdje bij mama was, weerspiegelde ze mama's stemmingen en leek ze meer op haar dan op mij.

'Mevrouw Paris kan elk moment komen om wat Nufem te halen,' antwoordde mama.

'O,' zei ik opgelucht.

Nufem was de naam die mama had gegeven aan haar geheime kruidensupplement om vrouwen te verlossen van het ongemak van de menopauze. Ik wist alleen dat ze dingen combineerde als rode framboos, passiebloem, zwarte cohosh, wilde yam en hartgespan om haar remedie te bereiden. Ik geloof dat ze er ook wat vitaminesupplementen aan toevoegde. Ze had het middel aan de vrouw van de burgemeester gegeven, die erover gehoord had van mevrouw Zalkin, de vrouw van de eierboer, die enkele kilometers oostelijk van ons woonde, en nu had mevrouw Paris, de vrouw van een van de grootste landeigenaren in het nabijgelegen Sandhurst, blijkbaar de vrouw van de burgemeester gesproken.

In het afgelopen jaar had mama een aantal klanten verzameld voor haar geneeskrachtige kruiden, en was zelfs begonnen kruiden en producten te leveren aan een distributiebedrijf van reformartikelen in de grotere stad Middletown. Ze was met die kleine handel begonnen via haar vriend, meneer Bogart, eigenaar van een juwelierszaak en handel in spirituele sieraden, waar ze een amulet had gekocht voor Noble en voor mij. Het planten en verzorgen van haar kruiden en het fijnmaken en mengen van ingrediënten hield ons, en vooral mij, aan het werk.

Maar mama verkocht niet alleen die kruidenmengsels. Ze gaf de klanten, de mensen die ze haar cliënten noemde, instructies over mediteren en het afstemmen op een vredige coëxistentie met de spirituele wereld van de natuur. Meer en meer mensen leken geïnteresseerd in die dingen, en mama en ik, die meestal excentriek, of zelfs zonder meer vreemd werden gevonden, werden nu in ieder geval in de ogen van sommigen positief beoordeeld. Ik weet dat het mama gelukkiger maakte.

'Ik wil dat je met Baby Celeste naar de torenkamer gaat en haar stilhoudt,' zei ze.

Dat moest ik altijd als er iemand bij ons thuis kwam – Baby Celeste verbergen, haar bezighouden, zodat ze geen lawaai maakte en de aandacht trok. Niets was belangrijker dan haar bestaan geheim te houden.

Alsof ze zelf begreep hoe belangrijk het was, huilde of klaagde Baby Celeste nooit als ik haar moest verstoppen. Dat ik haar meenam naar de torenkamer leek haar zelfs te amuseren en ze was al-

14

tijd redelijk stil. Ze staarde naar de oude meubels en het antiek met de blik van iemand die liefdevol kijkt naar religieuze iconen in een kerk. Ik wist zeker dat ieder ander kind verveeld zou raken, maar niet Baby Celeste. Haar geduld verblufte me. Mama was natuurlijk totaal niet verbaasd over Baby Celestes gedrag. Ze geloofde dat Baby Celeste de ware erfgename was van alle spirituele krachten van de familie.

'Ze zal op een dag zelfs meer kunnen dan ik,' had mama me verteld.

'Blijf daar niet zo stom staan kijken, Noble,' snauwde ze tegen me. 'Ik heb je gezegd dat die vrouw op weg hiernaartoe is. Ze kan elk moment op de oprijlaan verschijnen. Haast je!'

'Oké, mama.' Ik tilde Baby Celeste op.

De intense ernst en strengheid van mama zodra ze wilde dat Baby Celeste verstopt werd, beangstigden me. Ik had nachtmerries dat ze ontdekt zou worden en om de een of andere reden bij ons vandaan gehaald. Per slot, wat voor mensen houden een baby voor de wereld verborgen? Waar kwam die baby eigenlijk vandaan? zouden ze zich afvragen. Waarom was haar haar geverfd? Als ik uiting gaf aan die angst, schudde mama haar hoofd naar me alsof ik te stom was om het te begrijpen.

'Besef je dan niet dat zij zoiets nooit zouden laten gebeuren, Noble?' vroeg ze. 'Ik dacht dat je dat nu langzamerhand wel zou weten.'

De *zij* in ons leven waren de spirituele familieleden die rond onze farm en ons huis zweefden, en altijd over ons waakten. Ik twijfelde niet aan haar woorden. Ik had gezien hoe ze naar ons keken en over ons waakten, mama van tijd tot tijd voor iets waarschuwden. De manier waarop Baby Celeste in de richting van een familielid keek en ze haar ogen geïnteresseerd samenkneep, overtuigde me ervan dat ze de oversteek al gemaakt had. Misschien had mama gelijk wat haar betrof. Misschien kwam ze rechtstreeks van hen vandaan en hoefde ze die oversteek niet te maken. Ze was altijd bij hen. Haar geboorte was voor haar niet meer dan een andere deur in de spirituele wereld, en niet, zoals voor de rest van ons, een deur naar de gewone wereld, zodat we genoodzaakt waren zelf onze weg terug te vinden.

'Hup, naar boven,' riep ik zangerig, en liep de trap op.

Baby Celeste glimlachte naar me en legde haar hoofdje op mijn schouder. Ik kuste haar op haar voorhoofd en streek haar haar naar achteren. Hoe kon iemand die ons samen zag niet onmiddellijk doorhebben dat ze mijn kind was? Misschien was mama juist daar zo bang voor en trok ze daarom een lelijk gezicht zodra ik Baby Celeste iets te veel genegenheid toonde.

'Je mag van haar houden, maar zoals een broer van zijn zusje,' vermaande ze me voortdurend. Baby Celeste was opgesloten in de wereld die mama voor ons in petto had.

Ik vroeg me af welk effect de opsluiting, het isolement, op Baby Celeste zou hebben. Hoe lang kon dit doorgaan? Wanneer zou het eindigen? Of zou het nooit eindigen? Zo zelden het zonlicht op je gezicht voelen, zo zelden de geur opsnuiven van voorjaarsbloemen, vrijwel nooit genieten van de streling van een zachte bries, dat alles moest op Baby Celeste een invloed hebben die ik me nauwelijks kon voorstellen.

Maar als ik met haar in de torenkamer zat en luisterde naar de gedempte stemmen beneden van mama en haar klant, realiseerde ik me hoezeer mijn benarde toestand leek op die van mijn dochtertje. Zat ik niet net zo gevangen en opgesloten in de gevangenis van Nobles identiteit? Zelden keek ik naar de wereld zoals ik zou doen als ik mijzelf mocht zijn. De wereld van een vrouw was mij even vreemd als spelen en het daglicht zien voor Baby Celeste.

'We lijken in zoveel opzichten op elkaar, Celeste,' fluisterde ik tegen haar, terwijl we zaten te wachten in de torenkamer.

Ze keek me aan, het kuiltje in haar wang leek even te flitsen als een kerstlichtje toen ze haar lipjes tuitte. Vaak, als ze naar me keek of naar me luisterde, leek ze veel ouder. Ze had het gezicht van iemand die dingen begreep die haar jaren ver te boven gingen. En dan, een ogenblik later, was ze weer Baby Celeste, lachend en giechelend om de kleinste, onbelangrijkste dingen.

Een zonnestraal hield het ronddwarrelende stof gevangen, en ze verwonderde zich over de glinsterende stofdeeltjes. Ze strekte haar handje uit om ze aan te raken en lachte toen en keek naar me om te zien of ik dezelfde verbazing voelde.

Ik glimlachte.

Langgeleden verwonderde ik me over zoveel dingen. Nu zat ik vast in donkere plaatsen, sloot mijn ogen, boog mijn hoofd, en sjokte voort, bang om een stap te ver naar links of naar rechts te doen. Niets beangstigde me meer dan mama teleur te stellen. Meer dan ooit gaf ze me tegenwoordig het gevoel dat we alleen waren met ons drieën, drijvend op een vlot in een kolkende zee. We hadden elkaar nodig. We moesten onze wereld streng bewaken, achter hoge, dikke verdedigingsmuren. Alleen dan zouden we veilig zijn.

Baby Celeste speelde rustig met een van haar poppen terwijl we wachtten. Kort na de geboorte van Baby Celeste had mama de poppen tevoorschijn gehaald die Taylor Kotes, de eigenaar van de grootste houthandel in de omgeving, me had gegeven. Hij had mama het hof gemaakt na papa's overlijden, en er was een tijd geweest waarin ik dacht dat hij onze nieuwe vader zou worden, maar hij kwam om het leven bij een verschrikkelijk auto-ongeluk, toen een dronken tiener in een truck tegen hem opbotste terwijl hij van ons huis op weg was naar zijn eigen huis. Ik was hem echt heel aardig gaan vinden. Zelfs Noble, die opstandig en kwaad was over papa's overlijden, was begonnen hem te accepteren.

Zijn dood wakkerde een van de geruchten over mama aan, vooral omdat de zuster van Kotes die verspreidde. Ze bracht mensen in de waan dat iedereen die te close met ons werd in gevaar verkeerde. Mama was mooi en nog steeds heel aantrekkelijk. Ze had de ene man na de andere aan haar voeten kunnen krijgen, maar ons isolement scheen haar niet te deren. Ze was er zelfs blij mee, vooral na mijn veronderstelde ontvoering. Als oud-lerares ging ze verder met me thuis les te geven. In die tijd kon ik op de vingers van één hand natellen hoeveel bezoekers we kregen in een maand, afgezien van onze spirituele bezoekers natuurlijk.

Ze speelde 's avonds piano, kweekte haar kruiden en groenten, en wandelde over ons grondgebied met haar voorouders naast zich. Voordat ik de oversteek had gemaakt en de geesten, zij het incidenteel, zelf echt kon zien, zag ik haar met enigszins gebogen hoofd lopen, stilstaan, en gebaren naar iemand naast haar. Ik herinner me dat ik me inspande, de lucht bestudeerde, wanhopig zoekend naar een visioen. Ik wilde zo graag op haar lijken, zien wat zij zag, horen wat zij hoorde.

Aan tafel vertelde ze me dingen die haar waren verteld, verhalen uit ons verleden, episodes van ziekten, ongelukken, liefdesaffaires, gevechten, een anthologie van ons erfgoed. Er waren jonge vrouwen wier hart gebroken was door de liefde, en vrouwen die jong waren gestorven, en mannen die waren gesneuveld in een oorlog of een fataal ongeluk hadden gehad. Er waren veel verhalen over mijn betovergrootvader en betovergrootmoeder, die op onze grond begraven lagen, samen met hun ongeboren kind. Op een kleine vierkante plek veldsteen stonden drie grafstenen en natuurlijk bevond zich daar ook het anonieme graf van Noble of van mij, al lang geleden met gras overwoekerd. Niemand anders dan mama en ik wisten dat het daar lag.

Soms zat ik op het gras op het kleine kerkhof en dacht aan Noble die onder de aarde lag, en aan onze tijd samen vóór de tragedie. Hij had een geweldige fantasie gehad, en net als mama leek hij zich nooit alleen te voelen. Zijn draken en ridders vulden zijn dagen. Daar was ik altijd jaloers op. Ik was ervan overtuigd dat het betekende dat hij lang vóór mij de oversteek zou maken, wat mama altijd verwacht had, maar de gedaanten die hij zag werden geproduceerd door zijn eigen geest en kwamen niet uit de andere wereld.

Ik vermoedde dat mama niet graag zou willen dat ik het anonieme graf bezocht, dus deed ik het als ik zeker wist dat ze te druk bezig was om het te zien of als ze op een van haar winkeltochtjes was. Ik vond het altijd vreselijk dat hij op zo'n manier begraven en vergeten was. De laatste tijd heb ik hem soms horen pleiten vanuit de andere wereld, smekend om erkend te worden. Totdat het zover is doolt hij rond in een soort gevangenis. Hij kan niet bij zijn vader zijn en kan niet terug naar ons.

Maar alleen al de gedachte dat ik mama dat zou vertellen joeg me de schrik op het lijf. Ik wist dat ze het zou zien als verraad, en altijd als ze dat dacht nam ze aan dat er iets kwaadaardigs in het huis of mij was binnengedrongen. Dan sloot ze me op, liet me vasten en gaf me een geheim kruidenmengsel dat me kotsmisselijk maakte. Dat vond ze niet belangrijk. In haar gedachten reinigde ze me van het kwaad.

Mijn enige hoop was dat ze op een goede dag zelf Nobles smeekbeden zou horen, maar dat is nog niet gebeurd, nog niet.

Een van de eerste woorden die mama Baby Celeste leerde was Noble. Baby Celeste noemt me nooit anders dan Noble. Als ik met haar alleen ben, ligt het op het puntje van mijn tong om me mammie te laten noemen, maar ik ben bang voor wat mama met haar zou doen als ze ooit naar me keek en dat zei waar zij bij was. Ze zou ongetwijfeld denken dat ze besmet was door het kwaad en waarschijnlijk zou ze haar ook opsluiten en haar een kruidenmengsel geven om de duisternis te verdrijven. Ze zou eronder lijden, en dat zou ik niet kunnen verdragen, dus waag ik het niet om Baby Celeste op dat idee te brengen.

En toch, vooral als we alleen zijn, zoals nu in de torenkamer, betrap ik haar erop dat ze me anders aankijkt. Misschien is de wens de vader van de gedachte, maar het lijkt me dat ze naar me staart zoals een kind liefdevol naar haar moeder kijkt. Ze slaat graag haar armpjes om me heen en drukt zich tegen me aan. Ze kan urenlang naast me liggen zonder onrustig te worden, en ze vindt het heerlijk om bij me in bed in slaap te vallen, als mama dat toestaat.

De Noble in me doet wanhopig zijn best om enige afstand te bewaren, maar hij wordt snel opzijgeschoven. Ik streel haar haar. Ik zoen haar wangetjes en haar voorhoofd. Ik neurie een slaapliedje. Ik houd haar stevig vast, wieg haar en sluit mijn ogen. En ik hoor Noble smeken. 'Je kunt toch zien dat je moet ophouden om mij te zijn. Het is niet eerlijk tegenover de baby. Haal mama over je ermee te laten stoppen. Ik heb het koud en het is donker en ik ben bang. Alsjeblieft, Celeste. Help me.'

Ik moet al huilen als ik er alleen maar aan denk.

De tranen rollen over mijn wangen en druipen langs mijn kin, maar ik geef geen kik. Ik houd mijn adem in en bijt op mijn lip. Een pijnlijke plek in mijn hart wordt elke dag groter en duurt langer, maar wat kan ik doen om daar een eind aan te maken? Wat dúrf ik te doen?

Beneden gaat de voordeur open en dicht. Ik hoor de motor van een auto starten en sta op en tuur uit het raam en zie mevrouw Paris wegrijden met haar bundel kruiden en haar pas opgedane wijsheid. Ze zal het nieuws verspreiden en er zullen meer klanten komen. Ik zal me steeds weer, steeds vaker, hierboven moeten verbergen met Baby Celeste.

Kort nadat de auto van mevrouw Paris is gekeerd en verdwenen, komt mama de trap op en doet de deur van de torenkamer open.

'Hoe gaat het met mijn kinderen?' roept ze.

Baby Celeste kijkt lachend naar haar op. Ik bedwing mijn laatste tranen en haal diep adem.

'Goed, mama,' antwoord ik.

Ze pakt Baby Celeste op en we dalen de trap af terwijl ik naar mama luister, die praat over mevrouw Paris, hoe de vrouw gehypnotiseerd was door de dingen die mama haar vertelde. Mama benadrukt en bevestigt wat ik al vermoedde.

'Ze zal heel blij zijn en ze zal het aan anderen vertellen en we zullen beslist meer klanten krijgen, Noble. We zullen veel te doen krijgen. Ze beginnen me te waarderen hier in de buurt,' zegt mama trots. 'Je vader heeft nooit gedacht dat dat zou gebeuren,' voegt ze eraan toe, uit het raam kijkend. Dan lacht ze.

Ik weet zeker dat ze in alle opzichten gelijk heeft, en ik ben blij voor haar. Maar toch kan ik nog steeds niet zeggen dat ik blij ben voor ons. Misschien zal ik dat nooit kunnen. Er zijn momenten waarop ik me verschrikkelijk verloren voel, maar ik kan het niet hardop zeggen. Ze zou het niet begrijpen. Ze zou er zelfs kwaad om worden.

Ik ga terug naar mijn werk in de tuin. De zon is nu gezakt tot aan de toppen van het gebergte, en zijn stralen slingeren zich door het bos om ons heen, verlichten de groene bladeren, veranderen ze in smaragden aan de takken. Ik kan bijna de schaduwen horen bewegen en zich tot in de donkerste hoeken ontplooien als zwartgrijs cellofaan.

Iets begint vorm te krijgen, en even later weet ik zeker dat ik een paar nichten die bijna tweehonderd jaar geleden leefden, uit het bos zie komen en naar het huis lopen. Ze zijn blootsvoets, maar dat geeft niet, want hun voeten raken niet helemaal de grond. Ik zie dat ze opgewonden met elkaar praten. Ze willen mama iets vertellen, iets nieuws, of misschien iets dat ze vergeten zijn haar te vertellen toen ze haar het laatst spraken. Ik weet zeker dat ik het vanavond tijdens het eten te horen zal krijgen. Ze kijken niet mijn richting uit, tot ze vlak bij huis zijn. Dan draaien ze zich om en zwaaien. Ik zwaai terug.

'Zeg haar dat ze Noble moet bevrijden,' fluister ik. 'Alsjeblieft. Als jullie het haar vertellen, zal ze luisteren.'

Ze horen me niet, of als ze het doen, jaagt het idee hen zelfs angst aan. Ze gaan naar binnen, en een paar ogenblikken is het doodstil. Dan draai ik met een ruk mijn hoofd om bij het gekras van een grote kraai. Hij vliegt op uit het bos alsof hij achterna wordt gezeten en zwenkt dan richting de ondergaande zon en verdwijnt in de gloed. Ik bescherm mijn ogen snel tegen het felle licht voordat ze erdoor verbrand worden. Te vaak verwelkom ik tegenwoordig de duisternis.

Mijn hersens zijn verward, beelden dwarrelen dooreen als visuele ruis; Noble, die achterover van de kei valt; Elliot die als een gek naar me zwaait terwijl het water hem meevoert en zijn lach wegsterft; papa die thuiskomt van zijn werk en ons optilt in zijn armen, en roept: 'Mijn tweeling, mijn rechter- en mijn linkerarm'; meneer Calhoun voor onze voordeur, hoed in de hand, gebogen hoofd; mama die naar buiten loopt, het donker in, om met haar geesten te praten; en Noble die zijn tranen, zijn woede, smoort in zijn kussen.

Iets heeft ons hier gebracht, iets, zoals mama vaak zegt, dat veel groter is dan wij. We kunnen het niet tarten of ons ertegen verzetten. We moeten zijn wie we zijn. Het is onze bestemming. Die stroomt door, net als de beek. Ik droom ervan, van ons stromende bloed, van onze gezichten die als afgedankte foto's drijven op de oppervlakte van het water.

De klanken van mama's piano zweven uit het huis, uit een geopend raam, en wekken me uit mijn mijmerij. Ik sluit mijn ogen en luister naar de melodieën. Meestal zijn ze droevig en somber, maar soms speelt ze lichte, vrolijke wijsjes. Soms zingt ze zelfs. Dat doet ze vanavond. Ze heeft een prachtige stem, die papa vroeger de stem van een engel noemde. Een stem die me kon vervullen van blijdschap en hoop en ons gelukkig en tevreden maken met elkaar, met onszelf.

Die nichten, denk ik, moeten haar iets goeds, iets heel moois hebben verteld. Ze zal vrolijk zijn vanavond. Ze zal tijdens het eten aan één stuk door babbelen en lachen om alles wat Baby Celeste doet of zegt. Alle donkere schaduwen zullen worden weggevaagd. Het zal lijken of alles daadwerkelijk in orde is.

Deze avonden, deze momenten, zijn bijzondere geschenken, ja toch? Hoor je niet dankbaar te zijn voor elke dag, voor elk uur en elke minuut? vraag ik mijn onwillige ik.

Ik geef geen antwoord. Er heerst slechts stilte om me heen. Zelfs de vogels zwijgen en de zachte bries is gaan liggen. De hele wereld staat even stil.

Ik houd mijn adem in en werk door tot het tijd is om naar bin-

21

nen te gaan en me op te knappen voor het eten en mama te helpen met Baby Celeste. Nobles smeekbeden verstommen achter me en worden door de wind weggevoerd naar de schaduwen in het bos.

Ik kan hem niet helpen, al doet het mijn hart pijn. Opnieuw laat ik hem weer een avond begraven liggen in zijn anonieme graf, met mijn naam op zijn lippen en zijn naam onzichtbaar op mijn voorhoofd gebrand.

2. Mama's stem

Ik kan merken aan de manier waarop mama het eten voor vanavond heeft klaargemaakt dat ze iets belangrijks gaat zeggen. De geesten hebben gesproken, zoals ik al had vermoed. Ze is kalm aan het werk, zegt nauwelijks iets, en van tijd tot tijd kijkt ze even naar een lege stoel of naar een deur en knikt bijna onmerkbaar. Ik zie niets, maar dat vind ik niet verwonderlijk.

Mama heeft me eens uitgelegd dat er vele bestaansniveaus zijn in de spirituele wereld en dat er jaren van toewijding en geloof voor nodig waren om die allemaal te bereiken. Het was haar manier om te verklaren waarom ik nog steeds geen geesten kon zien en horen die zij wél kon zien en horen, en waarom ik niet alles wist wat zij wist.

Zelfs toen ik nog heel klein was, besefte ik al dat mama andere wegen bereisde. Als ze pianospeelt wordt ze meegesleept door de muziek. Ik kan het aan haar gezicht zien. Ze kan haar ogen op mij gericht houden, maar ze ziet me niet. Ze speelt, maar ze is als iemand in trance, en als ze ophoudt met spelen, heeft ze me vaak iets nieuws te vertellen. Ze keert terug van een reis naar plaatsen die bewoond worden door wijze zielen.

Vaak gaat het net zo als ze in diep zwijgen aan het werk is, zoals nu. Ze is bij me in de kamer, maar ik heb niet het gevoel dat ze er ook echt is. Ze is zo afstandelijk dat het lijkt of ze haar lichaam heeft achtergelaten en ergens anders naartoe is gegaan. Ik stoor haar niet en probeer niet haar aandacht te trekken. Ik wacht en houd Baby Celeste bezig, zodat ze mama niet afleidt.

Baby Celeste helpt me met tafel dekken. Ik sla haar gade en zie hoe serieus ze haar taak opvat, hoe zorgvuldig en vastberaden ze de servetten vouwt, de vorken en lepels neerlegt. Het is of ik terugblik in de tijd en mijzelf zie, en onwillekeurig moet ik glimlachen. Ik was precies zo, intens, gespannen om alles zo perfect mogelijk te doen. Ik herinner me nog hoe Noble zich daaraan ergerde, die weigerde om huishoudelijke karweitjes serieus te nemen. Hij zou het best vinden om gewoon van de tafel te eten. Hoe vaak was hij niet aan tafel gekomen zonder zijn handen te wassen en was hij weer teruggestuurd? Tientallen keren. Mama probeerde ook hem zonder eten naar bed te sturen, maar hij was onuitstaanbaar en koppig.

Nu probeer ik natuurlijk niet zoveel belangstelling te hebben voor wat Noble slap, meisjesachtig gedoe noemde, maar ik vind het nu eenmaal heerlijk om ons oude porselein te hanteren en mijn vingers over de vergulde reliëfversiering langs de randen van de borden, schalen en kommen te laten gaan. Het was het servies van mama's overgrootmoeder Jordan en het oude, zware zilveren bestek dat van mama's betovergrootmoeder was geweest. Erfstukken zijn belangrijk in ons huis omdat mama gelooft dat zulke bezittingen nog steeds verbonden zijn met de geest van de vroegere eigenaren. Als we ze gebruikten, als we in haar overgrootvaders schommelstoel zaten of in de bedden sliepen waarin onze voorouders hadden geslapen, hadden we een hechtere band met hen.

'Alles is spiritueel belangrijk,' vertelde mama me. 'Vergelijk het maar met onuitwisbare inkt. Als iemand van onze familie iets aanraakte, werden zijn of haar vingerafdrukken voor eeuwig deel ervan, en we kunnen ze nu gemakkelijker voelen, zien.'

Ze vertelde me die dingen toen ik heel jong was. Het liet een diepe indruk op me achter en voedde het geloof dat ons huis een levend wezen was. Alles erin voelde en zag en hoorde. Alles ademde en was heilig. De muren waren sponzen die alles opzogen: het gelach, de woorden, de kreten van iedereen die hier woonde of op bezoek kwam. Niets ging verloren en werd vergeten.

'Als je je oor tegen de muur legt,' zei mama eens tegen mij en Noble, 'dan kun je ze horen.'

Noble deed het een paar keer en hoorde niets, en vond het een maf verhaal. Ik deed het en ik hoorde inderdaad stemmen, heel gedempt, maar toch stemmen. Soms werd ik wakker door het geluid van een lach of zelfs een gil, en dan begon mijn hart te bonzen. Ik keek opzij om te zien of Noble ook iets had gehoord, maar hij lag rustig, ongestoord te slapen. Ik wachtte en luisterde en legde dan langzaam mijn hoofd weer op het kussen, maar het viel niet mee om weer in slaap te vallen. Als ik de volgende ochtend aan mama vertelde dat ik meende iets gehoord te hebben, knikte ze en zei: 'Natuurlijk heb je dat.'

Voetstappen boven ons, schaduwen die over muren gleden, gefluisterde woorden die als kleine vogels uit kamers zweefden, werden verwacht en nooit gevreesd.

'We zijn geliefd,' zei mama altijd. 'We zijn omringd door heel veel liefde.'

Soms hield Baby Celeste op met het spelen met een pop of haar theeserviesje op de grond van de zitkamer, en keek ze om zich heen in de kamer, meestal naar een stoel of de bank. Mama nam haar dan aandachtig op en glimlachte.

'Wat is er, Celeste?' vroeg ze. 'Heb je iemand gezien, iemand gehoord?'

Baby Celeste glimlachte slechts en ging verder met haar spel. Mama keek naar me met een alwetende blik, en knikte, en ik staarde naar mijn kind en vroeg me af of ze werkelijk dat visioen had, en zo ja, of dat alles ons werkelijk veiliger, gelukkiger zou maken? Wat is de bestemming van ons drieën? Wat hebben de geesten werkelijk met ons voor? Misschien zou ik dat vanavond te horen krijgen en zou ik leren begrijpen wie we waren.

We zaten aan tafel en begonnen te eten. Baby Celeste zat op een stoelverhoger en at met de kalme concentratie van iemand die veel ouder is. Ik was zenuwachtig, maar probeerde het te verbergen. In de gang sloeg de staande klok. Het briesje was een felle wind geworden en het huis begon te kraken, vooral vlak boven ons. Het klonk meer als die voetstappen op het dak die ik vaak hoorde. Ik keek naar Baby Celeste en zag dat ze haar ogen opsloeg naar het plafond en toen weer naar haar bord. Was ik vroeger net zo, toen ik zo oud was als zij, zo vol aanvaarding?

Mama at rustig door, zag er weer uit of ze in trance was.

Tegen het eind van de maaltijd legde ze haar mes en vork neer en leunde iets naar voren. Ik voelde dat haar ogen op mij gericht waren. Als ze in zo'n stemming was, mocht ik niet terugstaren of eruit flappen: 'Wat is er?' Het was beter om gewoon af te wachten. Ik at mijn bord leeg en legde mijn vork neer. Baby Celeste klapte in haar handen en ik moest glimlachen om haar verwachtingsvolle blik.

'Zoals je weet, Noble,' begon mama, 'kunnen we Baby Celeste niet eeuwig voor de wereld verborgen houden. Het zet ons allemaal onder druk, en ik waardeer het hoe goed jij jouw deel van de verantwoordelijkheid op je hebt genomen. Ik weet hoe moeilijk het voor je is om nooit ergens met me naartoe te kunnen omdat je thuis moet blijven om voor Baby Celeste te zorgen.

'Onze uitgebreide familie,' ging ze verder, wat een manier was om onze spirituele voorouders erbij te betrekken, 'gelooft dat de tijd snel nadert dat we haar niet langer van de buitenwereld kunnen en mogen afsluiten.'

Ze glimlachte naar Baby Celeste, die knikte alsof ze commentaar gaf op mama's woorden. Mama stond op, tilde haar op uit haar stoel en zette haar neer. Onmiddellijk holde ze om de tafel heen en kroop op mijn schoot. Ik sloeg mijn armen om haar heen en wachtte tot mama verder zou gaan.

Mama ging weer zitten.

'Natuurlijk zullen de mensen verbaasd opkijken en zich afvragen waar ze ineens vandaan komt. Er zijn zoveel bemoeials, zoveel mensen die overal hun neus insteken. Dat zou ongewenste aandacht opleveren.

'Daarom moeten we ons voorbereiden op die dag, ons voorbereiden op alle vragen en nieuwsgierigheid, vooral als de mensen haar zien en beseffen hoe bijzonder ze is.'

Baby Celeste leunde tegen me aan en luisterde aandachtig naar mama.

'Aanvankelijk zullen de roddelaars, de mensen uit het dorp, mensen zonder eigen leven, de voor de hand liggende conclusie trekken dat ze mijn kind is, het product van een onwettige relatie. Er zullen beschuldigende ogen gericht worden op elke man die mogelijkerwijs haar vader zou kunnen zijn. Er zal hevig over ons geroddeld worden. Vrouwen zouden zelfs hun man kunnen verdenken, vooral degenen die om de een of andere reden wel eens hier zijn geweest. Je zult wel inzien dat dat voor niemand van ons erg aangenaam zou zijn.'

'Wat wil je doen, mama?' vroeg ik. Ik verlangde uit het diepst van mijn hart dat ze zou antwoorden: 'Ze vertellen dat ze van jou is natuurlijk, je ontmaskeren, je toe te staan te zijn wie je bent, terug te keren naar je eigen ik.'

Maar dan zou ze moeten toegeven dat Noble dood is en zou ze hem deze keer echt moeten begraven.

'Er is me verteld wat ik moet doen. Ik wil dat je begrijpt dat alles wat ik nu doe, voor ons aller welzijn is, en ik moet je vragen om je medewerking,' antwoordde ze.

Ik knikte en wachtte met ingehouden adem. Wat verwachtte ze dat ik zou doen?

Glimlachend stond ze op.

'Neem Baby Celeste mee naar de zitkamer, Noble. Ik ruim vanavond zelf af.'

Ik wilde mijn hoofd schudden, maar bedwong me. Ik kon niet geloven dat ze me verder niets zou vertellen.

'Wanneer gaat dat allemaal gebeuren?' flapte ik eruit.

'Dat zul je wel zien.' Ze liep naar de keuken.

'Maar...'

Ze draaide zich om en keek me met haar priemende donkere ogen aan. Ik had al langgeleden geleerd dat als ik haar ooit tegensprak of uitdaagde, haar eerste veronderstelling zou zijn dat het kwaad bezit van me had genomen, dat de muur die ons beschermde ergens was afgebrokkeld en het mijn schuld was. Ik wilde dat betwisten, maar ik was bang, nóg banger nu ik niet alleen voor mijzelf, maar ook voor Baby Celeste moest zorgen.

Ik pakte Baby Celeste snel op en verliet de eetkamer. Het volgende uur bleef ik rustig naar haar zitten kijken terwijl ze aan het spelen was. Toen hoorde ik mama naar boven gaan. Ze bleef zo lang weg, dat ik me onwillekeurig afvroeg wat ze deed. Het was trouwens toch bijna tijd voor Baby Celeste om naar bed te gaan, dus liet ik haar het speelgoed opruimen en nam haar mee naar boven. Ik hoorde mama in haar slaapkamer en liep naar de deur.

Ze was bezig dozen en tassen uit te pakken, haalde een paar van haar mooiste jurken en schoenen eruit, dingen die ze, zoals ik had gedacht, voor eeuwig en altijd had afgezworen. Ik merkte ook dat haar toilettafel, waarop meestal slechts haar kruidencrèmes stonden, vol stond met make-up en kwastjes, lippenstiften, eyeliners en kleenex.

Ze had ook de lange spiegel uit de torenkamer gehaald.

'Wat doe je, mama?' vroeg ik.

Ze stopte en knipperde met haar ogen, alsof ze zich ons nu pas herinnerde. 'O, is het al zo laat?' Ze keek op de klok. 'Ja, ga haar wassen en trek haar pyjama aan. Ik kom direct om haar naar bed te brengen.'

'Maar waarom heb je al die dozen tevoorschijn gehaald? Wat doe je daarmee?'

'Ik zoek uit wat nog mooi genoeg is.'

'En de make-up en de spiegel?'

'Sta me niet te ondervragen, Noble. Doe wat ik zeg.'

'Ik ondervraag je niet, mama. Ik vroeg het me alleen maar af.'

Ik dacht dat grote spiegels onze geesten onrustig stemden. Waarom had ze die spiegel tevoorschijn gehaald en juist in háár kamer geplaatst, een kamer die vaker door onze spirituele familie werd bezocht dan enige andere kamer in huis. 'Ik zal je laten weten wanneer je het je af mag vragen,' antwoordde ze, en ging verder met de inspectie van haar garderobe. Sommige kleren had ze niet meer gedragen sinds papa's dood. Ze had ze zelfs niet voor Taylor Kotes gedragen.

Ze hield een jurk op en keek ernaar alsof er iemand in zat.

'De uitdrukking "Het is zo oud dat het weer nieuw is", is beslist van toepassing op mijn garderobe,' mompelde ze, terwijl ze de jurk van alle kanten bekeek. 'Bovendien maakt een vrouw die klassieke kleding draagt indruk in deze wereld. Ze zal de blikken weten te vangen die ze wil, zoals een visser de vissen vangt die hij wil.'

Sprak ze tegen mij of tegen zichzelf of misschien tegen iemand die ik niet kon zien?

Ze hield op met praten, dus verdween ik snel en ging voor Baby Celeste zorgen. Later kwam ze naar de kamer en stopte haar in bed. Ik wachtte, hoopte een verdere verklaring te horen met details over wat er zou moeten gebeuren.

Ze glimlachte naar me, gaf me een zoen op mijn voorhoofd en wenste me welterusten. Onwillekeurig maakte ik me bezorgd. Wat ze op het punt stond te gaan doen zou van enorme invloed zijn op Baby Celeste. Wat kon het zijn en waarom werd het mij niet verteld? Als het eens een grote fout was en tot gevolg zou hebben dat we Baby Celeste kwijtraakten? Ik had de troost nodig van spirituele stemmen. Het was zo lang geleden dat ik papa in onze nabijheid had gevoeld en gezien. Had dat te maken met de situatie waarin Noble zich bevond?

Mama gedroeg zich geheimzinnig, dacht ik, en ik was bang voor geheimen. Geheimen konden leiden tot verraad. Het was altijd moeilijk iets voor mama geheim te houden, en zelfs als het me lukte, had ik geen zelfvertrouwen. Ik geloofde dat ze werkelijk het vermogen had in mijn hart te kijken. Het enige wat ik haar de laatste tijd niet had verteld was wat ik geloofde over Noble, over zijn leed en zijn behoefte om zijn naam terug te krijgen, maar ik wist ook dat naar hem luisteren, hem helpen, alles zou veranderen. Voornamelijk betekende het dat mama zou moeten accepteren dat hij weg was.

Zouden we ooit zijn graf openleggen en mijn jurk en amulet van hem afnemen?

In nachtmerries zag ik ons allebei 's nachts op het kerkhof. Ik was bezig te graven en mama huilde heel hard. Toen we hem hadden opgegraven en hem konden zien, opende hij zijn ogen en strekte zijn handen naar ons uit. Mama gilde en ik viel voorover in het graf.

De steeds terugkerende nachtmerrie maakte me altijd wakker. Ik kwam bezweet overeind en probeerde mijn bonzende hart tot bedaren te brengen terwijl ik mijn oor te luisteren legde in het huis. Ik verlangde naar papa's stem en de aanraking van zijn hand. Als ik maar hevig genoeg verlangde, zou hij komen en me vertellen dat alles in orde was. Alles komt goed. Ga slapen.

Zou hij vannacht komen? vroeg ik me af. Was hij op de hoogte van mama's heimelijke plan?

Beneden sloeg de staande klok. Het leek of hij de uren tot de ondergang aftelde. Ik legde mijn hoofd op het kussen en wachtte en luisterde.

Maar ik hoorde alleen de stilte. Zelfs het huis hield zijn adem in.

Morgen, dacht ik, morgen komen er antwoorden en hopelijk niet alleen maar meer vragen.

Maar de volgende dag zei mama niets. We volgden allemaal onze dagelijkse routine. Ze vertrok laat op de ochtend naar het dorp, zodat ik naar binnen moest om bij Baby Celeste te blijven tot ze terugkwam. Toen ze kwam, had ze deze keer meer bij zich dan alleen levensmiddelen. Ze was naar een warenhuis gegaan en had meer kleren gekocht, en ook nieuwe schoenen. Ze pakte ze niet uit waar ik bij was, maar nam ze mee naar haar kamer en deed de deur dicht.

Het maakte me nog zenuwachtiger en ik kon nauwelijks mijn werk in de tuin doen zonder om de paar minuten te stoppen en naar het huis te kijken en me af te vragen wat er gebeurde.

Tegen het eind van de middag als ze me meestal riep om binnen te komen en me op te knappen voor het eten, hoorde ik de voordeur open- en dichtgaan en zag ik haar de trap afkomen. Ze droeg een lichtblauwe strapless jurk en ze had haar haar naar achteren geborsteld en in een paardenstaart gebonden met een wit-en-roze lint. Het verbaasde me hoeveel jonger ze er kon uitzien als ze dat wilde. Ze keek mijn richting uit, dus pakte ik mijn gereedschap op en liep haastig terug naar huis.

Toen ik dichterbij kwam zag ik dat ze ook oorbellen droeg en een parelketting die ik nog nooit had gezien. Ze had make-up en lippenstift op.

'Ik ga een wandeling maken,' zei ze. 'Baby Celeste slaapt nog. Als ze wakker wordt, kun je verder tafel dekken. Ik heb gehakt gemaakt.'

'Waar ga je naartoe?'

'Dat zei ik je, Noble. Ik ga een eindje wandelen.'

'Maar…'

'Maar wat?' vroeg ze, terwijl ze me onderzoekend aankeek.

'Het is al laat. Straks wordt het donker.'

'En? Dacht je dat ik dat niet wist?'

'Ja, maar…'

'Maar wat? Wát?' gilde ze.

Ik slikte mijn vraag in. Waarom zou ze zich zo optutten om een eindje te gaan wandelen? Ze maakte zich niet op om naar het dorp te gaan of boodschappen te doen.

'Oké,' zei ik.

Ze knikte en liep onze lange oprijlaan af. Ik keek haar na op de veranda tot ze bij de weg kwam en links afsloeg.

Waar zou ze naartoe gaan? En waarom?

Een beweging links van me trok mijn aandacht. Ik draaide me om en zag een gedaante die op papa leek het bos ingaan. Ik wilde hem roepen, maar hij was even snel verdwenen als hij gekomen was.

Iets had hem in de schaduw teruggeroepen. Had het iets te maken met mama, met haar plan? Op een lage dikke tak van de boom waar hij net langs was gegaan zat de grote zwarte kraai die ik vaak zag. Hij staarde me aan en bleef zo stil zitten dat het een opgezette vogel leek. Een intens gevoel van verwachting hing over alles. Het gaf me het gevoel of ik me in het oog bevond van een orkaan. Haastig liep ik naar binnen om naar Baby Celeste te gaan kijken en te wachten op mama's terugkomst.

Tot mijn verbazing duurde het heel lang voor ze terugkwam, zodat ik me ongerust begon te maken en me afvroeg of er iets gebeurd kon zijn. Wat kon ik doen? Ik kon Baby Celeste niet alleen laten om haar te gaan zoeken. We dekten de tafel, en ten slotte moest ik het gehakt en de groenten en aardappelpuree opdienen. Hoewel we nog nooit gegeten hadden zonder dat mama aan tafel zat, at Baby Celeste goed en leek ze niet zo nerveus en verward als ik. Ik bleef mijn oren gespitst houden, luisterde of ik mama's voetstappen hoorde op de veranda of de voordeur hoorde opengaan. Ik prikte wat rond op mijn bord. Ik was zo gespannen dat ik nauwelijks aan hap door mijn keel kon krijgen.

Waar was ze?

Het werd donker, precies zoals ik haar voorspeld had.

Ik keek naar Baby Celeste. Ze lachte en tikte met haar vork. Ik schudde mijn hoofd en ze stopte. Waarom trok ze zich er zo weinig van aan dat mama er niet was?

'Eet nou maar, Celeste,' zei ik.

Eindelijk hoorde ik het geluid van een auto die naar het huis reed. Waarom kwam er een auto? vroeg ik me af. Niemand kwam hier ooit zonder eerst te bellen, en mama had niet gezegd dat ze een klant verwachtte. Ik kon niet opendoen, niet als zij er niet bij was. Waar bleef ze toch?

Haastig stond ik op en liep naar de voordeur. Ik opende hem op een kier en tuurde naar buiten. Tot mijn grote verbazing zag ik mama uit een auto stappen. Toen ze buiten stond, draaide ze zich om en lachte naar iets. Het was een ander soort lach, anders dan haar pret over iets wat Baby Celeste had gedaan of gezegd. Dit was de luchtige, flirtende lach van een jong meisje. Ik spande mijn ogen in om te zien wie er achter het stuur zat, maar omdat er geen maan scheen vanavond, waren de schaduwen te zwart en compact om de identiteit van de man te achterhalen. Zijn silhouet was zelfs zo donker dat hij bijna een van onze geesten leek. Zou dat mogelijk zijn?

Ik zag dat mama naar binnen leunde voor ze het portier dicht-deed. Hoewel ik het niet kon horen, wist ik dat er iets gezegd werd, iets dat gevolgd werd door weer een lach en toen het dichtvallen van het portier. Ze bleef staan terwijl de bestuurder achteruitreed, keerde en naar de oprijlaan reed. Ze zwaaide, boog haar hoofd en liep naar het huis.

Ik deed de deur zacht maar snel dicht en tilde Baby Celeste op die me gevolgd was en naast me stond.

'We gaan verder met eten,' zei ik tegen haar en zette haar weer in haar kinderstoel toen mama binnenkwam.

Ik keek achterom toen ze bij de deur van de eetkamer was.

'Alles in orde?' vroeg ze. 'Eet de baby goed?'

'Ja, mama. Maar waar was je?'

'Ik kom zo beneden,' zei ze, in plaats van mijn vraag te beant-woorden, en liep naar de trap.

Ik ging weer zitten en wachtte. Baby Celeste was klaar met eten, klauterde uit haar stoel en kroop naar me toe. Mama kwam de trap af in haar ochtendjas en ging haar eten opscheppen. Baby Celeste en ik sloegen haar kalm en afwachtend gade.

'Ik denk dat het inmiddels koud geworden is, mama. Wil je dat ik het voor je opwarm?'

'Waarom zou ik dat willen? Sinds wanneer warm jij eten voor me op?'

'Ik dacht alleen…'

'Het is prima,' zei ze.

Ze at even zwijgend door en keek naar ons. Baby Celeste zat zo stil en rustig op mijn schoot dat het leek of ze veranderd was in een levensgrote pop.

'Moet je dat zien,' zei mama, 'zoals jullie me zitten aan te sta-ren. Je zou denken dat ik dagen, weken, zelfs maanden was weg-gebleven.'

'Ik maakte me ongerust over je, mama. Het was al donker en je slaat nooit het eten over. Ik wist niet wat ik moest doen,' zei ik, niet in staat de paniek uit mijn stem te weren.

Ze trok een lelijk gezicht. 'Ik wil graag weten dat je meer lef in je lijf hebt dan dat. Je moet het hart en de moed van een man heb-ben. Ik wil niet dat je opgroeit tot een van die watjes over wie ik de mensen hoor klagen als ze hier komen om hun remedies te kopen. Van nu af aan zal ik misschien vaker weg zijn en zul jij meer en meer de verantwoordelijkheid dragen. Ik wil graag weten of je daartegen bestand bent.'

'Ik begrijp je niet. Waarom zou je vaker weg zijn, mama?'

'O...' Ze maakte een gebaar met haar hand. Ze keek opzij en schudde haar hoofd tegen iemand die stond te luisteren naar ons gesprek. Baby Celeste draaide zich om en streek met haar rechterwijsvinger over mijn oor.

'Zet haar neer,' beval mama nors.

Ik tilde haar van mijn schoot en zette haar op de grond. Ze bleef even verward staan en ging toen aan mijn voeten zitten. Mama haalde diep adem en blies de lucht uit tussen haar getuite lippen. Ze was kennelijk geërgerd, maar ik had geen idee waarom en wat ik had gedaan om haar te irriteren.

Ze at nog wat gehakt en aardappelpuree, stopte toen even, en plotseling, alsof ze geen ergernis had laten blijken, glimlachte ze.

'Je raadt nooit wie ik tegenkwam tijdens mijn wandeling vandaag,' begon ze.

'Wie?' vroeg ik snel.

'Meneer Fletcher,' antwoordde ze.

Even dacht ik dat ik het me verbeeldde. Die naam, die familie, hun hele bestaan, waren uit mijn geheugen gewist. Eén keer – nou ja, meer dan twee jaar geleden – had ik de opmerking gemaakt dat ik Betsy Fletcher met een jongen in een geparkeerde auto had zien zitten bij het begin van onze oprijlaan. Mama werd woedend en verbood me zelfs maar te dénken aan de familie Fletcher. Ik mocht nooit tot aan de grens van hun grondgebied komen.

Ik zei niets. Ik staarde haar aan en wachtte met ingehouden adem.

'Hij zat op de veranda zijn krant te lezen toen ik aan de grens van zijn land kwam,' ging mama verder. 'Ik hoorde dat hij me groette en ik bleef even staan en keek zijn richting uit. Zodra ik dat deed, stond hij op en sprong de veranda af als iemand die in tientallen jaren geen levende ziel meer had gezien. Ik moest lachen om zijn jongensachtige enthousiasme.'

'Wat wilde hij?' vroeg ik fluisterend, met hese stem.

'O, hij was heel aardig. Hij wilde weten hoe het met me ging, hoe het met jou ging. Hij praatte zo snel dat ik geen tijd had om een vraag te beantwoorden voor hij alweer een volgende stelde. Hij zei dat hij goede dingen had gehoord over mijn geneesmiddelen en wilde me verzekeren dat hij, ook al was hij apotheker en verstrekte hij chemische medicijnen, veel vertrouwen had in wat hij oude panaceeën noemde. Hij vertelde me dat zijn moeder een middel had tegen verkoudheid dat van generatie op generatie was overgegaan. De ingrediënten bevatten nootmuskaat en honing, melk en oude bourbon.'

'Maar waarom was hij zo vriendelijk? Was hij niet kwaad meer omdat ik de politie niet had verteld wanneer ik Elliot voor het laatst gezien had? Je weet toch nog hoe kwaad de politie toen op me was?'

'Nee, nee, er is geen onaangenaam woord gevallen, behalve natuurlijk over zijn problemen met dat afschuwelijke kind.'

'Hoe bedoel je?'

'Zijn dochter, Betsy. Je weet wel wat ik bedoel, Noble. Je weet hoe ze geworden is en dat ze haar vader alleen maar verdriet heeft gedaan. Ik had werkelijk medelijden met hem. Een man heeft behoefte aan het meelevende oor van een vrouw als hij iemand in vertrouwen wil nemen over de moeilijkheden die hij heeft met zijn kinderen. Als hij geen vrouw heeft, en die heeft meneer Fletcher niet, gaat hij op zoek naar de eerste de beste vrouw die sympathie toont.

'Bovendien,' ging ze verder, 'kunnen we elkaar troosten want we hebben allebei een kind verloren.'

Maar ze had het over David Fletcher, Elliots vader, wilde ik eruit flappen. Dit waren de man en de familie van wie je me zo vaak vertelde dat ze omringd waren door het kwaad. Dit waren de mensen met wie je me verboden had te praten, weet je nog? Dit was de man die, zoals je de politie vertelde, zelf verantwoordelijk was voor de problemen van zijn kinderen. Hoe kon ze zo lang iets zeggen en geloven en dan plotseling van idee veranderen?

Belangrijker nog, waarom?

'Kijk me niet zo aan, Noble. Het is slecht om geen medelijden te tonen met mensen die verdriet hebben. Bovendien had ik die man nog nooit echt ontmoet, nog nooit lang genoeg met hem gesproken om zijn gevatheid en intelligentie te appreciëren.'

Ik keek even naar Baby Celeste. En zij dan? Hoe zat het met het feit dat ze Dave Fletchers kleindochter was, een kleindochter van wie hij het bestaan niet vermoedde, een kleindochter die we voor hem verborgen hielden?

'Hij is ook erg beleefd. Hij maakte zich zo bezorgd dat ik in het donker terug zou moeten lopen, dat hij erop stond me naar huis te rijden, ondanks mijn protest. Hij smeekte me bijna het hem toe te staan.

'Ik begrijp niet waarom zijn vrouw hem in de steek heeft gelaten. En je zou toch denken dat hij inmiddels wel een andere vrouw zou hebben gevonden, niet?'

Ik probeerde te slikken, maar kon het niet. Ik schudde mijn hoofd. 'Ik weet het niet, mama.'

Ze knikte, glimlachte en leunde achterover. 'Ik wel. Ik wel.'

'Wat bedoel je, mama?'

'Wat bedoel je, mama?' bootste ze me na. 'De eerste Celeste was heel wat slimmer dan jij, Noble. Ze liet me altijd verbaasd staan met haar inzicht, en hoeveel sneller ze de dingen doorhad dan jij, maar het verbaast me niet langer. Je concentreert je niet voldoende. Je vraagt te veel.'

De tranen sprongen in mijn ogen, verwarde tranen die niet wisten in welke richting ze over mijn wangen moesten rollen. Huilde ik als Noble, wiens gevoelens gekwetst waren door de vergelijking, of huilde ik om mezelf, voor eeuwig teloorgegaan in mama's geest, voor eeuwig begraven in dat graf?

'Het is niet mijn bedoeling te veel te vragen, mama. Ik... ik begrijp het alleen niet.'

'Je hoeft het niet te begrijpen. Doe gewoon wat ik zeg, en accepteer wat ik wil dat je accepteert,' snauwde ze en stond op. 'Breng het kind naar de zitkamer. Ik wil alleen zijn.' Ze begon de tafel af te ruimen.

Langzaam kwam ik overeind, tilde Baby Celeste op en droeg haar snel de kamer uit. Terwijl ze zat te spelen, luisterde ik en hoorde mama mompelen. Op een gegeven moment hoorde ik haar lachen en daarna werd het stil. Toen ze klaar was in de keuken, ging ze naar boven, zonder zelfs even bij ons te komen kijken. Het was heel ongewoon allemaal. Zelfs Baby Celeste besefte dat er iets veranderd was. Ze hield op met spelen en kwam naar me toe, legde haar hoofd op mijn schoot en hief het toen weer op om me in de ogen te kijken.

Ik luisterde of ik mama hoorde terugkomen, maar ze kwam niet meer de trap af, dus pakte ik Baby Celeste op en ging naar boven. Mama was weer in haar slaapkamer. Deze keer was de deur gesloten. Ik bleef staan luisteren. Ze praatte zachtjes. Ik klopte en het werd stil.

'Wat is er?'

'Moet ik Baby Celeste naar bed brengen?'

'Ja, ja. Denk eraan haar gezicht te wassen,' zei ze ongeduldig. Ze repte met geen woord erover dat ze haar zou komen instoppen, zoals ze elke avond deed.

Ik kleedde Baby Celeste uit, waste haar en legde haar in bed, stopte haar toen zelf in en gaf haar een nachtzoen. Ze klemde een van haar poppen – haar lievelingspop – in haar armen en lachte naar me.

'Celeste,' zei ze.

'Wat?' vroeg ik. Mijn hart stond even stil en begon toen weer te kloppen. 'Wat zei je?'

'Celeste.'

Ik dacht dat ze mij bedoelde. Ik dacht dat ze door een wolk heen brak die zo dik en donker was dat niemand die kon doorboren. Wat een verrukking! Dit was echt een boodschap uit de andere wereld. Ik was intens blij, maar toen hief ze de pop op en zei: 'Celeste.'

Ze bedoelde mij helemaal niet. Ze had haar pop haar eigen naam gegeven.

'O,' zei ik teleurgesteld, maar met een glimlach voegde ik eraan toe: 'Ja, Celeste.'

Ik raakte de pop liefdevol aan en ze omhelsde hem en lachte naar me. Ik gaf haar een zoen op haar voorhoofd, trok haar deken recht, zei haar welterusten en ging weg.

Even bleef ik in de gang staan, aarzelend waar ik naartoe zou gaan en wat ik moest doen. Toen liep ik terug naar de deur van mama's kamer en klopte aan. Ze deed open.

'Wat is er?'

Ik was sprakeloos. Ze droeg een blauwgroen getailleerd truitje en een bijpassende rok, maar de rok was veel korter dan ze sinds papa's dood had aangetrokken. Het viel me ook op dat ze geen beha droeg en de v-hals van haar trui meer onthulde dan ooit tevoren. Ze had haar haar naar achteren gekamd, waardoor de lange gouden oorbellen met een kleine robijn in het midden goed zichtbaar waren. Ze waren van haar moeder. Ze had zich opgemaakt met rouge, eyeliner en helrode lippenstift.

'Wat wil je?' vroeg ze. 'Blijf me daar niet staan aanstaren als ik je iets vraag, Noble. Nou?'

'Baby Celeste ligt in bed,' zei ik.

'O, goed. Heel goed, Noble.' Ze wilde de deur dichtdoen.

'Waarom ben je zo mooi aangekleed?' vroeg ik.

Ze zweeg even en keek alsof ze overwoog of ze wel antwoord zou geven.

'Ik ga uit,' zei ze.

'O? Waar naartoe? Nu?' vroeg ik. Ik voelde me niet op mijn gemak onder haar indringende blik, maar ik wilde niet zomaar weglopen.

Haar gezicht verzachtte wat. 'Ik heb besloten een uitnodiging te accepteren. Hij wil met me naar The Lodge, een klein hotel aan een meer in Greenfield Park. Ik ben daar jaren en jaren geleden een keer met je vader geweest, en ik herinner me dat het restaurant en de bar ramen hadden die uitkeken op het meer. Op een avond als deze moet dat heel aangenaam zijn. Ik heb hem net gebeld.'

'Hem?'

De gedachten tolden door mijn hoofd. Bedoelde ze papa? Wie had dat haar gevraagd?

'Meneer Fletcher. Dave. Hij voelt zich vanavond erg depressief. Die lastige dochter van hem, Betsy, is weer weggelopen. Het beste zou natuurlijk zijn als ze voorgoed wegbleef, maar dat doet ze niet. Ze gaat er vandoor met een of andere waardeloze man en komt terug als haar belangstelling voor hem verdwenen is of hij geen geld meer heeft.' Ze zweeg even en glimlachte. 'Ik wist natuurlijk dat dat vandaag zou gebeuren. Ik noem het een gouden kans.'

Ik was zo sprakeloos als iemand die net een klap op zijn hoofd heeft gekregen met een steen.

'Kans waarop?' bracht ik er eindelijk uit.

Ze schudde haar hoofd. 'Ga slapen, Noble,' was haar enige antwoord, en voor ik verder nog iets kon zeggen sloeg ze de deur voor mijn neus dicht.

Ik liep naar mijn kamer en ging op de rand van het bed zitten, verdwaasd en verward. Ongeveer tien minuten later hoorde ik haar uit haar kamer komen en de trap aflopen. In plaats van haar te volgen, keek ik uit het raam. En ja, hoor, ik zag een auto over onze oprijlaan rijden. Beneden ging de voordeur open en dicht en ik kreeg mama in het oog. Zodra ze in de buurt van de auto kwam, stapte Dave Fletcher uit en liep haastig naar de andere kant om het portier voor haar open te houden. Zij stapte in en hij stapte in en ze reden weg; de achterlichten verdwenen rond de bocht bij de ingang van ons grondbezit.

Ik had geen idee waarom, maar ik had het gevoel dat mijn ribben in een ijzige kooi waren veranderd.

Ik hoorde luide stemmen binnen in me, waarvan vooral één luid klaagde.

Ik dacht dat het Noble was.

'Ze denkt zelfs niet meer aan me. Absoluut niet,' zei hij.

Of was dat mijn eigen stem?

Per slot waren we allebei dood en begraven. Hij lag buiten in een graf.

En ik bevond me in een lichaam dat niet langer dat van mijzelf mocht zijn.

Ze dacht niet langer aan een van ons beiden.

3. Baby Celestes gave

Ik bleef zo lang mogelijk op mama wachten, maar ik dommelde steeds weer in en viel ten slotte in zo'n diepe slaap dat ik haar niet thuis hoorde komen. Ik opende mijn ogen voordat het licht werd en ging rechtop in bed zitten, beseffend dat ik met mijn kleren aan in slaap was gevallen. Het verbaasde me dat mama niet even bij me binnen had gekeken en me wakker had gemaakt om naar de reden ervan te vragen. Was het mogelijk dat ze nog niet thuis was?

Op mijn tenen liep ik mijn kamer uit en zag dat de deur van mama's kamer openstond. Meestal liet ze de deur open, zodat ze Baby Celeste kon horen als ze 's nachts om de een of andere reden zou roepen, wat ze overigens zelden deed. Feitelijk zag ik haar nooit huilen of klagen. Ze was tevreden geboren, zoals mama zegt.

Ik liep zo stil mogelijk naar mama's kamer, keek naar binnen en zag tot mijn opluchting dat ze in bed lag. Maar haar kleren waren slordig over een stoel gegooid en het leek of ze haar schoenen achteloos had uitgeschopt zonder zich erom te bekommeren waar ze terechtkwamen, wat heel ongewoon was. Ze vond het vreselijk als iets in huis niet op zijn plaats lag omdat het het evenwicht van de energie zou verstoren. Ze leek diep in slaap, dus ging ik terug naar mijn eigen kamer en probeerde zelf ook te slapen. Ik lag te woelen en te draaien en had de ene droom na de andere, vol mensen die ik nog nooit ontmoet had. Was ons huis een toevluchtsoord voor alle zwervende geesten? Mama sprak nooit over andere geesten dan die van onze eigen familieleden, en alle anderen die zich aan mij wilden vertonen, had ik al eerder gezien op een schilderij in ons huis.

Het ochtendlicht deed me opschrikken alsof er een wekker naast mijn hoofd afging. Ik stond op toen Baby Celeste riep. Tot mijn verbazing was mama niet opgestaan en toen ik met Baby Celeste in mijn armen bij haar binnenkeek, zag ik dat mama nog steeds sliep.

Baby Celeste vond het grappig en lachte. Mama bewoog zich, maar werd niet wakker. Ze was zelfs nog niet op toen ik Baby Celeste had gewassen en aangekleed. Ik nam haar mee naar beneden en maakte een ontbijt voor ons beiden klaar. Mama kwam beneden toen we aan tafel zaten te eten.

'Ik kan gewoon niet geloven dat ik zo lang heb geslapen,' zei ze. 'Het is langgeleden dat ik met iemand uit ben geweest. Dave wilde dat ik zijn lievelingscocktail zou proeven. Een cosmopolitan. Ik werd er een beetje duizelig van. Ik herinner me niet in jaren zo gelachen te hebben, in ieder geval niet sinds ik met je vader was.'

Ze gaf Baby Celeste een zoen en keek me aan. Mama dronk nooit alcohol, behalve vlierbessenwijn. Waarom had ze dat nu wél gedaan en waarom praatte ze er zo nonchalant over? Stel je voor dat *ik* zoiets had gedaan, dacht ik. Ze zou me dagenlang opsluiten in de torenkamer.

'Lieve help, Noble, over je vader gesproken, je trekt vanmorgen net zo'n kwaad gezicht als hij kon doen. Het lijkt wel een masker dat je op zolder tussen zijn oude spullen hebt gevonden.'

Ik boog mijn hoofd en sloeg toen langzaam mijn ogen naar haar op.

'Waarom doe je dat, mama? Waarom nu en waarom met deze man?' vroeg ik verlegen.

Ze zuchtte diep, dacht even na, keek toen naar de rechterhoek van de kamer en knikte.

'Hoe vaak heb ik je niet verteld dat er niets gebeurt zonder dat het een reden heeft, Noble?'

'Ja, maar wat heeft dat met ons te maken?'

'Soms duurt het even voordat we het begrijpen, maar ten slotte dringt het tot ons door. Soms met behulp van onze familie, zoals in dit geval.'

'Wat hebben ze je verteld?' vroeg ik op de man af, alsof ik haar een politieverhoor afnam.

'Ze hebben me verteld, zoals je het zo kernachtig uitdrukt, dat de Fletchers hiernaartoe zijn gebracht met een doel.'

'De Fletchers? Wat voor doel?' Bedoelde ze de geboorte van Baby Celeste?

Ze staarde me zo strak aan, dat ik even dacht dat ze geen antwoord zou geven.

'Om ons te beschermen.'

'Ons te beschermen?' Ik schudde mijn hoofd. Hoe kon ze zoiets zelfs maar denken, gezien alles wat er tussen mij en Elliot Fletcher was gebeurd? 'Dat begrijp ik niet, mama.'

'Dat komt wel,' beloofde ze. 'Heb geduld en werk mee en je zult het begrijpen. Nu ga ik een paar zachtgekookte eieren maken voor mezelf en dan ga ik een rabarbertaart bakken. Dat is Daves lievelingstaart. Je herinnert je waarschijnlijk niet meer dat ik je wel eens verteld heb dat mijn grootvader ook zo dol was op rabarbertaart, hè?'

'Nee.' Ik wist zeker dat ze het me nooit verteld had en ik wilde me niet van het onderwerp laten afleiden.

'Nou, het was zo. Dus je ziet, alles heeft een betekenis, Noble. Niets gebeurt bij toeval. Dat heb ik je al geleerd sinds je me kon verstaan, denk ik. Wat je je moet voorstellen,' ging ze verder, de stem en houding aannemend van de lerares die ze was geweest (die ze als een jas kon aan- en uittrekken), 'is dat de wereld vol onzichtbare draden is, die elkaar kruisen, met elkaar verbonden zijn, een tijdlang evenwijdig lopen en elkaar dan raken. Elke daad, elk gesproken woord, elke geboorte en elke dood, zelfs elke gedachte, is een andere draad, en als je dat kunt begrijpen, als je het vermogen hebt dat te zien, zul je, net zoals ik, weten waarnaar je op zoek moet gaan. Je moet gewoon meer vertrouwen hebben in mij en in jezelf en meer je best doen. Dan zal het tot jou doordringen, zoals het tot mij is doorgedrongen. Ik kan me het exacte moment nog herinneren.'

Ze zweeg even, sloot haar ogen, sloeg haar handen over elkaar, drukte die tegen haar borst en ademde diep in, zoals ze kon doen boven een veld wilde bloemen. Toen ze zag hoe ik naar haar staarde, verstarde ze, als iemand die betrapt wordt op een ongeoorloofde daad of gedachte.

'Het ziet ernaar uit dat het vanmiddag gaat regenen, Noble, dus ga zo gauw mogelijk aan je werk,' beval ze, en liep naar de keuken.

Ik stond op, tilde Baby Celeste uit haar stoel en keek toe terwijl ze haastig naar mama liep. Toen ging ik naar de tuin.

Ik was de hele ochtend onrustig, ervan overtuigd dat wat mama nu deed uiteindelijk tot een ramp zou leiden waar Baby Celeste meer dan wie ook onder te lijden zou hebben. Nu en dan hield ik op met werken en keek onderzoekend naar de donkere paden van het bos, in de hoop een visioen te zien, een boodschap te krijgen van papa, of zijn stem te horen die me een oplossing bood of iets wat mijn gespannen zenuwen zou ontspannen.

Alles wat ik deed, elke beweging die ik maakte, deed me van-binnen trillen alsof een onzichtbare hand op die zenuwen tokkel-de. Ik besefte dat ik mijn adem zo lang had ingehouden, dat mijn longen pijn deden.

'O, papa, waar ben je?' fluisterde ik en zocht hem in de donkere hoeken van ons bos, maar ik zag niets, voelde niemands aanwezig-heid.

Ten slotte, vlak voor de lunch, hoorde ik de voordeur opengaan en de hordeur dichtklappen. Mama liep haastig de trap af naar haar auto. Ze hield haar taart in de hand. Toen ze het portier van de auto opende om hem voorzichtig op de voorbank te leggen, draaide ze zich naar me om.

'Ik moet een tijdje weg, Noble. Ik moet meneer Fletcher die taart brengen voordat hij zijn winkel opent in de apotheek. Ga naar bin-nen en zorg voor Baby Celeste. Ze is in de zitkamer. Maak haar lunch klaar. Alles wat je nodig hebt staat op het aanrecht, en maak niet te veel rotzooi die ik moet opruimen als ik terugkom,' ver-maande ze.

Ze stapte in haar auto en reed weg.

Donkere wolken hadden zich samengetrokken en voorspelden regen, precies zoals mama had gezegd. Een onverwachte koude windvlaag streek langs mijn nek, als een hand die eerst in ijskoud water was gedompeld. Ik draaide me met een ruk om.

Nu de zon niet meer scheen, werden de donkere hoeken in het bos rond ons grondbezit nog ondoordringbaarder. Zelfs de zang-vogels leken verstomd als haviken met een kap op. Een griezelige stilte daalde neer. Het was zo doodstil dat ik het kloppen van mijn hart kon horen. Mijn zicht vervaagde en toen meende ik Fletchers gezicht te zien verschijnen onder de takken van een jonge boom. Het was een gezicht dat ik in de afgelopen twee jaar vaak in mijn dromen had gezien. Het vormde zich, vervaagde en vormde zich opnieuw als een gezicht dat stijgt en zinkt in het water, net zoals ik het me die afgrijselijke middag had voorgesteld.

42

Aanvankelijk kon ik hem nauwelijks horen, maar zijn gefluister liep synchroon met het bonzen dat door mijn lichaam dreunde en zich ten slotte vastzette in mijn hoofd. Zijn stem klonk luider, krachtiger. Hij riep naar me. Ik wilde me omdraaien en naar binnen vluchten, maar ik was gehypnotiseerd door de klank van zijn stem, door die golvende kreten die stegen en daalden met de wind.

'Je hebt haar nooit de waarheid verteld,' zei hij. 'Je hebt nooit iemand de waarheid verteld over wat je gezien had en wat je wist dat er met me gebeurd was.'

Hoofdschuddend deed ik een stap achteruit.

Sprak hij tegen me of was het de stem van mijn eigen geweten die als een grote bubbel uit de inktzwarte diepte van mijn ziel omhoogkwam?

'Je zult verdrinken in de leugens zoals ik verdronken ben in de beek. Het bedrog is te zwaar. Het zal je omlaag duwen. Ik zal ervoor zorgen. Ik zal... ik zal...'

'Nee!' schreeuwde ik, of dacht dat ik dat deed. Het geluid weergalmde door mijn botten als een bedwongen explosie.

Mama is te machtig, dacht ik vol vertrouwen. Onze familie is te machtig. Zijn geest kan niet hier komen en ons kwaad doen. Hij zal ons nooit kunnen raken. We zullen hem die kans niet geven. We zullen ons fort van vertrouwen niet laten verzwakken.

'Je vergeet de leugens,' fluisterde hij alsof hij mijn gedachten had afgeluisterd. 'De leugens zijn als scheuren in jullie dikke verdedigingsmuur. Als ze mijn vader niet met rust laat, kom ik. Ik zal komen. Dat zal ik,' dreigde hij. Vanaf het eerste moment dat mama de naam van meneer Fletcher had genoemd, was ik daar bang voor geweest.

Ik draaide me om en holde naar huis, de verandatrap op. Bij de deur bleef ik staan en keek achterom. De eerste regendruppels vielen, een bijna onzichtbare druilregen, die elk moment heviger werd. Fletchers gedaante onder de tak van de jonge boom was verdwenen. Het moest allemaal mijn overactieve verbeelding zijn geweest. Ik hield mijn adem in en schaamde me nu voor mijn angst en lafheid.

Mama was te slim om toe te staan dat er iets serieus zou gebeuren tussen haar en Dave Fletcher, dacht ik. Ze deed slechts wat ze zei dat ze deed, medelijden tonen, meeleven met iemand die een soortgelijk verlies had geleden in zijn leven en iemand nodig had die sympathie toonde. Meer was het niet. Meer kon het niet zijn. Onze spirituele beschermers zouden haar beslist waarschuwen, haar ervan weerhouden te ver te gaan. Mijn angst was dwaas en egoïstisch.

Haastig liep ik naar binnen en ontdekte dat Baby Celeste op grootvader Jordans stoel was geklommen. Ze zat er met haar pop Celeste in de armen en keek me aan met een gezicht dat voor mijn ogen leek te verouderen tot dat van een oude vrouw, een van de oude tantes op een sepia foto in een familiealbum.

Even snel als het visioen verscheen, verdween het ook weer. Ik gaf mezelf een standje dat ik mijn verbeelding toestond weer zulke idiote spelletjes met me uit te halen.

'Kom, Celeste,' zei ik, 'we gaan de lunch klaarmaken.'

Ze liet zich snel van de stoel glijden en schoot als een puppy op me af, reikte met haar ene handje omhoog, terwijl ze met het andere haar pop vasthield. De gedachte aan een puppy wekte herinneringen op aan Cleo, de golden retriever, die ik had gehad. Een mooi, trouw dier, dat me overal volgde. Mama gaf hem uiteindelijk weg omdat ze was gaan geloven dat het kwaad via hem, net als het paard van Troje, onze wereld binnendrong. Het brak mijn hart, maar ik kon er niets aan doen. Als mama iets zei met spiritueel gezag, kon je je er op geen enkele manier tegen verzetten of het tegenspreken.

'Op een dag zal ik je over mijn hond vertellen, Celeste. Wat zou hij van je gehouden hebben, je beschermd hebben. Als hij nu hier was, zou hij je geen seconde alleen laten, dat weet ik zeker.'

'Hond,' zei ze.

'Ja, mijn hond, Cleo,' bevestigde ik.

'Cleo,' herhaalde ze. Ze liet mijn hand los en rende voor me uit de gang door.

'Wat doe je?' riep ik.

Ze bleef staan bij de gangkast en probeerde de deur open te maken.

'Wat is er?' vroeg ik, en hielp haar.

Zodra ik de deur had geopend, liet ze zich op handen en voeten vallen en schoof een kartonnen doos opzij op de grond van de kast. Daarachter stond Cleo's witporseleinen etensbak. Ze haalde hem tevoorschijn om hem aan mij te laten zien, en ik bleef met open mond staan. Aan beide kanten van de kom stond Cleo geschreven. Ik herinnerde me de dag waarop mama die gekocht had.

'Hoe wist je...' Ik bukte me en pakte het bakje uit haar handen. Ik hield het vast alsof het een breekbaar sieraad was. Baby Celeste keek glimlachend naar me op. 'Dat bakje was ik helemaal vergeten. Ik neem aan dat je het gezien hebt toen mama de kast opruimde en je vertelde wat het was.'

Het verbaasde me niet dat Baby Celeste het zich herinnerde. Ze had een fotografisch geheugen. Mama en ik hoefden haar maar één keer iets te vertellen en ze vergat het nooit meer, al maakten we er maar een vluchtige opmerking over.

'Misschien mogen we op een goede dag weer een hond hebben van mama,' zei ik en streelde even teder over het bakje zoals ik Cleo zou aaien. Toen zette ik het terug achter de doos en deed de kastdeur dicht.

Ik maakte onze lunch klaar. Mama kwam pas laat in de middag terug. Op gezette tijden stroomde het van de regen, zodat er buiten niet veel voor me te doen viel. Ik bracht de tijd door met Baby Celeste. Mama was de mening toegedaan dat ze zo'n vroegwijs kind was, dat het zonde van de tijd zou zijn als we alleen maar met haar speelden.

Dus had ze voor haar gekocht wat ze als geschikte opvoedkundige kinderboeken beschouwde en was ze uren bezig die met Baby Celeste te bestuderen. Tot mijn verrassing had mama haar zelfs de eerste beginselen van het lezen weten bij te brengen. Mama, die vroeger lerares was geweest en Noble en mij altijd thuis onderricht had gegeven, had een opmerkelijk geduld en concentratievermogen. Noble was nooit een erg goede leerling geweest, maar de examens die we op school moesten afleggen, waren altijd goed genoeg om te voldoen aan de eisen die de staat stelde aan het onderricht thuis. Mama bereidde Baby Celeste kennelijk voor op hetzelfde leven en dezelfde ontwikkeling.

Ik veronderstel dat ik me niet had hoeven te verwonderen over Baby Celestes leercapaciteiten. Ik was altijd een uitzonderlijk goede leerling geweest en had het equivalent van mijn highschooldiploma gehaald toen ik veertien was. Ik was dol op lezen en had praktisch elk boek uitgelezen dat we in huis hadden, waaronder veel in leer gebonden klassieken. Dat Baby Celeste zo goed kon leren versterkte mama in haar geloof dat mijn kind een spirituele opstanding was. Als ik haar met mijn kind zag werken kwamen mijn eigen jeugdherinneringen aan onze thuislessen weer boven. Het leek werkelijk of ik terugblikte in de tijd.

We keken allebei op toen we mama hoorden thuiskomen. Ze kwam in de deuropening van de zitkamer staan.

'Hoe gaat het met haar?' vroeg ze, terwijl ze de regendruppels uit haar haar schudde. 'Hebben jullie geluncht?'

'Ja, mama.'

'Ze hoort haar middagdutje te doen.'

'Zij is niet moe, ik ben moe,' mompelde ik. 'Ze zit vol vragen.'

'Dat is dé manier om te leren, Noble, je stelt vragen. Maar geen stomme vragen,' voegde ze er snel aan toe.

Baby Celeste stond op en wees. 'Bak.'

'Wat?' vroeg mama, naar mij kijkend.

'O, ik zei dat ik vroeger een hond had die Cleo heette en ze liet me Cleo's etensbakje zien in de kast. Ik denk dat ze jou de kast heeft zien opruimen en het niet vergeten is.'

Mama glimlachte, haar mondhoeken gingen omhoog en haar mooie lichtbruine ogen glansden.

'Ze heeft me nog nooit iets zien doen in de kast, Noble. Wat zou ik daar moeten doen?'

'Maar hoe weet ze het dan, mama?'

'Ze weet het,' zei mama knikkend. 'Ze kent elke hoek en spleet in dit oude huis. Ze heeft de gave. Dat heb ik je al vaak gezegd. Misschien wil je me nu geloven en eindelijk eens ophouden met al dat ongelovige-Thomasgedoe van je de laatste tijd.'

'Ik ben geen ongelovige Thomas, mama,' zei ik.

'Soms zie je jezelf niet zo goed als ik, Noble. Ik heb op het ogenblik méér geloof van je nodig, niet minder. Kom, Celeste, tijd voor je middagdutje.'

Gehoorzaam liep Baby Celeste naar haar toe, en mama tilde haar op.

'Ruim alles netjes op, Noble. Ik denk erover iets aan de inrichting van het huis te doen,' voegde ze eraan toe, om zich heen kijkend. 'We moeten de boel een beetje opknappen, misschien een paar nieuwe kleden, wat schilderwerk, en veel poetsen en witten.'

'Maar ik dacht dat het zo belangrijk was om nooit iets te verstoren, mama.'

'We verstoren niets, Noble. Zie je nou! Dat is precies wat ik bedoel. Telkens als ik de laatste tijd iets voorstel, kom jij met een stomme tegenwerping,' snauwde ze. 'Denk je soms dat ik niet weet wat ik doe en niet mijn redenen heb om dingen te veranderen? Nou?'

'Nee, mama.'

'Nee, mama,' aapte ze me na. Ze staarde me zo strak aan dat ik mijn ogen moest neerslaan. 'Toen je vader nog leefde, werd er nooit iets verwaarloosd. Ik had gehoopt dat je in dat opzicht iets meer op hem zou lijken en ik niet voortdurend achter je aan hoefde te zitten om dit te repareren, dat in orde te maken. Je zou eens wat initiatief moeten tonen, Noble. Je brengt te veel tijd door met het kind en besteedt niet voldoende aandacht aan het huis en het grondbezit.'

'Maar... altijd als ik voorstelde iets te veranderen, werd je kwaad, mama.'

'Ik praat niet over veranderingen, ik praat over onderhoud!' schreeuwde ze. Ze haalde diep adem, keek even omhoog en toen naar mij. 'Ik wil me in deze tijd niet van streek maken, Noble. Ik wil er zo fris en vrolijk en aantrekkelijk mogelijk uitzien. Ik ben uren bezig mijn cliënten uit te leggen dat stress je jaren ouder maakt. Ik wil beslist geen slecht voorbeeld zijn. Wie zou me dan nog geloven?

'Schoonheid en kracht komen van binnenuit,' zei ze, en sloeg met haar linkerhand op haar hart, terwijl ze Baby Celeste in haar rechterarm hield. 'Daar kunnen alle kruidenmiddelen ter wereld, alle crèmes en lotions niet tegenop. Harmonie, harmonie is waar we naar moeten streven. Begrijp je?'

'Ja, mama.'

'Mooi. En doe nu wat ik je heb gevraagd. Straks kom ik beneden en dan beginnen we van onder tot boven met een inspectie en een analyse van het huis.'

Het lag op het puntje van mijn tong om te vragen of dit iets te maken had met Dave Fletcher, maar ik was bang voor haar reactie op die vraag. Meestal zag mama de angst op mijn gezicht en haakte ze daarop in, maar óf ze zag het niet, óf ze zag het en besloot het te negeren.

Ze liep weg met Baby Celeste en ik begon speelgoed en boeken op te bergen. Ze kwam terug met een blocnote en een pen en besloot onmiddellijk dat we de gordijnen in de zitkamer moesten vervangen. In de loop der jaren waren ze door de zon verschoten. Waarom het zo lang geduurd had voor ze dat opmerkte en zich plotseling zo druk erover maakte, ging mijn verstand te boven, maar ze gaf een duidelijke hint toen we door de kamer liepen en ons concentreerden op alles wat erin stond.

'Ik heb gezien wat een leuke dingen Dave met dat oude huis heeft gedaan sinds hij daar is komen wonen. Hij heeft een goede smaak. Je zou niet denken dat een man die gedwongen is als vrijgezel te leven, met een dochter die niets om het huis geeft, zoveel oog zou hebben voor huiselijke schoonheid en gezelligheid, maar dat heeft hij. Hij heeft zelfs gevoel voor evenwicht. O, niet zo intens als energie-evenwicht, maar toch, misschien door een natuurlijk instinct, heeft hij daar heel wat in bereikt.

'In ieder geval heeft het me aan het denken gezet over ons eigen huis, Noble, en hoe we dat de laatste tien, twaalf jaar hebben verwaarloosd. Ik weet dat je goed bent geweest in elementaire reparaties hier en daar aan de buitenkant,' zei ze, in tegenspraak met haar eerdere beschuldigingen aan mijn adres, 'maar het binnenste van een huis is als het binnenste van een mens. Dat moet ook gezond en sterk zijn.

'Bovendien wil ik niet dat als Dave hier komt, hij denkt dat we mensen zijn die leven in het verleden. Mensen beoordelen elkaar vaak aan de hand van hun bezittingen. Ik weet dat het is alsof je een boek beoordeelt naar de omslag, maar toch denken de meeste mensen zo, en dat kunnen we niet negeren.'

'Meneer Fletcher komt hier?' vroeg ik zo zacht mogelijk. Ik wilde niet dat het weer zou klinken als een uitdaging of een afkeuring.

'Natuurlijk komt hij hier. Waarom zou hij niet hier komen? Ik heb je niet opgevoed om bang te zijn andere mensen te ontmoeten, Noble.'

'Wanneer komt hij?'

'Als ik klaar voor hem ben.'

Ik meende het geluid van een lach te horen.

Ik draaide me met een ruk om en hoorde de regendruppels tegen de ruiten tikken als vingers met lange nagels. Dit is helemaal verkeerd, dacht ik. Mama maakt een grote vergissing als ze zo door-gaat. Hoe kon ik haar dat laten inzien zonder haar woede te wekken? Misschien zou ik haar alles moeten vertellen, vooral over het visioen dat ik had gehad en de dreigementen die daarop gevolgd waren. De ervaring had me echter geleerd dat ik zoiets niet onmiddel-lijk eruit moest flappen. Ik moest voorzichtig zijn, heel voorzich-tig.

'Weet je, het is dom van ons dat we geen magnetron hebben,' zei ze plotseling. 'Het maakt dat we achterlijk lijken en ouderwets. Er zijn nog meer dingen die ik in de keuken zou willen doen. Het is niet dat we geen geld hebben voor die dingen. Dat hebben we. Ik heb me alleen laten afleiden door andere dingen, maar er moe-ten een paar dingen bijkomen en een paar veranderingen worden aangebracht, Noble. We moeten ons voorbereiden op de toekomst.'

'Welke toekomst?'

'Welke toekomst? Onze toekomst, maar in de eerste plaats Baby Celestes toekomst. Je kunt zelf zien hoe ze is, wat ze kan en zal doen. Niets moet haar in de weg staan, vooral geen domme voor-oordelen. Ik wil dat ze alle mogelijkheden krijgt om zich ten volle te ontwikkelen. Net zoals jij die hebt gehad,' voegde ze eraan toe, met een stekende blik op mij. 'Mogelijkheden waarvan je, geloof ik, niet geprofiteerd hebt of die je niet voldoende apprecieert.'

'Dat doe ik wél, mama.'

'We zullen zien. De tijd zal het leren. Oké. Laten we naar de zol-der gaan. Ik denk erover die verdieping weer in gebruik te nemen. Er moeten nieuwe lampen komen en het houtwerk moet worden opgeknapt. Dat moet jij doen. We zullen zoveel mogelijk zelf doen, zodat er niet de hele dag mensen in en uit lopen. Ik wil dat je mor-gen begint met het schuren van de raamlijsten. We gaan ze allemaal opnieuw schilderen, en ook de buitenkant van het huis opknappen.

'Ik wil dat iedereen de schoonheid van ons huis ziet en denkt: "Dat zou best mijn huis kunnen zijn." Begrijp je?'

Ik kon geen woord uitbrengen.

Ik kon niet slikken.

Wie was *iedereen*? Waar ging dit heen?

Ik slaagde erin te knikken en ze zette haar inspectietocht door het huis voort, een lijst van verbeteringen opratelend, zelfs van haar eigen slaapkamer.

De regen begon te minderen. De druppels veranderden van vingernagels in tranen, en in één raam leek de omtrek van een hoofd te worden gevormd, Elliots hoofd. Ik liep haastig weg.

Misschien dacht ik dat mama de helft van wat ze had gezegd niet meende, maar in de daaropvolgende dagen bleek ze vastbesloten haar plan door te zetten om ons huis op te knappen. Ze was vaak een groot deel van de dag bezig met winkelen en het bezoeken van woninginrichters.

's Avonds spreidde ze stalen van kleden, behang en verf uit op de grond van de zitkamer en analyseerde niet alleen de combinaties, maar ook wat ze noemde de aura van kleuren. Wit had bijvoorbeeld een aura van grote spirituele energie. Bij roze voelde ze zuivere liefde. En ze vond de natuur en natuurlijke gezondheid in bruin.

'Hoe weet je dat allemaal, mama? Hoe kun je dat zien?' vroeg ik haar terwijl ze de variaties en combinaties bestudeerde.

'Ik zie het niet met mijn ogen. Ik zie het door middel van mijn geest. Ik kan kleuren rond iemand zien en die vertellen me hun emoties, hun gedachten. Energie vloeit iedere dag in en uit onze geest, Noble, en wat die bevat, absorbeert en reflecteert, vertelt veel over ons.

'Elke kleur heeft zijn eigen vibraties. Op een dag zul je dat net zo voelen als ik.' Ze zweeg even en keek naar Celeste, die zich aangetrokken voelde tot de witte en roze kleuren. 'Ik geloof dat Baby Celeste dat nu al doet,' voegde ze er fluisterend aan toe.

'Wanneer zal ik dat ook kunnen?'

'Als je niet wordt afgeleid door andere, veel onbelangrijkere dingen,' antwoordde mama met een kritische klank in haar stem. 'Als je je kunt concentreren en kunt mediteren en de tijd neemt om de dingen te ervaren met de concentratie die ze vereisen.'

Wat bedoelde ze met afgeleid worden door andere, veel onbelangrijkere dingen? Wat had ik gedaan of gezegd om die verklaringen, die beschuldigingen uit te lokken? Zag ze iets in me dat ik zelf niet kon zien?

'Ik moet me concentreren,' zei ze voor ik iets kon vragen. 'Ik moet de juiste beslissingen nemen. Het feit dat ik heb gezien hoe goed meneer Fletcher het in zijn eigen huis heeft gedaan, heeft me geïnspireerd.'

Ondanks de manier waarop ze het zei, hoe ze sprak over haar eigen keuzes en de keuzes van Dave Fletcher in zíjn huis, begon ik te geloven dat ze het zag als een soort spirituele valstrik.

Bovendien raakte ik bij het vooruitzicht dat er in de nabije toekomst mensen zouden komen werken in ons huis me eerst bijna in paniek. Toen dacht ik: Hoe moet het dan met Baby Celeste? Betekende dit dat we haar eindelijk in de openbaarheid zouden brengen? Dat zou ik heerlijk vinden, en Baby Celeste ook. Misschien zou dit alles toch niet zo slecht zijn.

Ze beantwoordde die vraag de avond voordat de man van de gordijnen kwam om de maat van de ramen te nemen.

'Wat doen we met Baby Celeste als hij in huis komt werken, mama? En als er anderen komen?'

Ze zweeg even en glimlachte.

'Herinner je je nog dat boek dat Celeste je vroeger hardop heeft voorgelezen, dat boek dat je verontrustte?' vroeg ze.

Ik had Noble maar een paar boeken voorgelezen. Hij wilde nooit lang genoeg stilzitten om te luisteren, maar mama dwong hem ertoe, in de hoop dat hij meer belangstelling zou krijgen voor haar onderricht en een betere leerling zou worden. Dat lukte niet, maar er was één boek dat hem boeide en hem tegelijk verontrustte: *Het Dagboek van Anne Frank*. En dat kwam omdat hij zich niet kon voorstellen dat hij zou worden opgesloten en zich stil zou moeten houden.

Noble leek een wild schepsel als hij buiten was. Hij had er een hekel aan om binnen te moeten komen voor het eten, voor onze lessen, en om te gaan slapen, en als hij ziek was en binnen moest blijven, was hij ongelukkig. Dan zat hij voor het raam en staarde naar buiten als een gevangene in een kerker. Regen, noch hagel, noch zware sneeuwval kon hem tegenhouden. Mama dacht dat hij meer was afgestemd op de spirituele energie in de natuur dan ik, maar dat bleek een teleurstelling.

De lange tijd dat Anne Frank en haar familie waren opgesloten en beperkt in hun levenswijze joeg Noble angst aan en intrigeerde hem tegelijkertijd. Hij had zoveel vragen. Hoe onderdruk je een kuch, een nies, een kreet?

'Ja, ik herinner het me,' zei ik.

'Nou, zo zal het gaan als ze hier zijn, Noble. Je zult er natuurlijk langere tijd moeten blijven dan wanneer er een klant langskomt. Misschien moet je de hele dag boven blijven met Baby Celeste.'

'De hele dag?'

'Ik zal je lunch boven brengen, maar je zult haar extra rustig moeten houden als ze in mijn slaapkamer aan het werk zijn. Ik laat daar een paar dingen doen, onder andere een nieuw vast tapijt leggen. Ik zou wel zeggen dat je beneden kunt komen als ze slaapt, maar als ze wakker wordt en jij bent niet bij haar, dan zou ze zich van streek maken. Het is een kleine opoffering voor je.'

Ik zei niets.

'Wat is er, Noble? Ik kan je geest zien ronddraaien als een blad in de beek.'

'Je hebt me verteld dat ze gezegd hebben dat we Baby Celeste niet veel langer voor de wereld verborgen kunnen houden.'

'Ik weet wat ik heb gezegd. Dacht je dat ik me niet herinner wat ik heb gezegd?'

'Ik bedoelde niet dat je het je niet herinnert. Ik bedoelde dat we haar misschien eindelijk aan de mensen zouden kunnen tonen.'

Het bloed steeg naar haar gezicht, maar ze sloot haar ogen en met de kracht die ze elk willekeurig moment kon opbrengen, als een fee die met haar toverstok zwaait, dwong ze het bloed weer terug.

'Als de tijd rijp is, als het ogenblik gekomen is, zullen we dat doen,' zei ze langzaam en nadrukkelijk. 'Zover is het nog niet.'

'Ik dacht alleen dat het voor ons allemaal gemakkelijker zou zijn en…'

'Niet… denken,' beval ze. 'Alleen maar luisteren en doen wat je gezegd wordt. Begrijp je dat? Ja? Want als je dat niet doet, als je het gevoel hebt dat er iets is dat het je belet, dat een duistere geest je oren blokkeert en je hoofd in de war brengt, wil ik het nu meteen weten. Ik wil Baby Celeste niet aan onnodig gevaar blootstellen,' ging ze verder. Het onderliggende dreigement ontging me niet.

'Ik begrijp het, mama. Ik begrijp het.'

'Goed. Goed.'

Later ging ze achter de piano zitten en speelde een muziekstuk dat ik haar nooit eerder had horen spelen. Mama had heel weinig bladmuziek. Ze had me eens verteld dat de muziek, alle noten, melodieën, al in de piano zaten. Als ze op haar kruk zat en haar vingers op de toetsen legde, had ze geen idee wat ze zou gaan spelen tot ze de eerste noot hoorde. Dan, zei ze, kwam het allemaal bij haar boven, via haar vingers, in haar armen, in haar hart.

Alle vrouwen die in ons huis hadden geleefd hadden op deze piano gespeeld, en neven en nichten hadden vaak gespeeld als ze op bezoek kwamen. Ik herinner me dat mama over hen praatte toen ik klein was, en zei dat de piano nooit iets vergat. Het klonk magisch zoals ze het zei, alsof een pijpleiding haar in staat stelde terug te gaan in de tijd. Misschien was dat de reden waarom ze vaak met nieuwe gedachten, nieuwe onthullingen kwam als ze uitgespeeld was.

Toen ik jonger was, werd ik vaak 's nachts wakker en hoorde pianospel. Noble hoorde het nooit en sliep er altijd doorheen. Ik stond op en liep op mijn tenen naar de trap om te luisteren. Ik wist dat mama kwaad zou zijn als ik naar beneden ging en op mijn tenen naar haar toeliep. Papa zei soms dat ze speelde in haar slaap. Ze stond op, ging naar beneden en speelde, en kwam dan weer terug in bed en ontkende dat ze het gedaan had.

'Dat was ik niet, Arthur Madison Atwell,' zei ze tegen hem. Ze noemde hem altijd bij zijn volledige naam als ze ergens de nadruk op wilde leggen of als hij haar kwaad maakte.

'Natuurlijk niet, Sarah. Dat was je overoudtante Mabel,' schertste hij dan.

'Ik had geen tante Mabel en je weet heel goed dat ik het niet was.' Mama had geen gevoel voor humor als het om haar spirituele familie ging.

Dan schudde papa zijn hoofd. Als ik dichtbij stond en het gesprek hoorde, knipoogde hij naar me en wees naar zijn oor. Hij had me eens verteld dat als mama het over haar geesten had, je met een half oor moest luisteren.

Soms, als ze klaar was met pianospelen, zag ze er uitgeput uit, en soms leek ze opgebloeid, zelfs jonger. Vanavond speelde ze met een intensiteit die ik zelden had gehoord. Haar haar viel voor haar gezicht en ze zag rood en haar ogen schitterden. Zelfs Baby Celeste was stil en staarde vol ontzag naar haar op.

Toen ze uitgespeeld was, boog ze haar hoofd, ging rechtop zitten en glimlachte naar ons.

'Alles komt goed, Noble. Ik ben vol vertrouwen. Ik heb Baby Celeste gezien.'

'Heb je haar gezien?' Ik keek naar haar en toen naar mama. 'Wat bedoel je? Ze heeft al die tijd hier naast ons gezeten.'

'Ik heb haar gezien toen ze ouder was, veel ouder, en ze is alles wat ik ooit gedroomd heb dat ze zou zijn.

'Morgen,' verklaarde mama, terwijl ze opstond, 'morgen begint alles weer opnieuw.'

Ze tilde Baby Celeste op en droeg haar naar de trap.

Vol verbazing keek ik even naar de piano en volgde haar. We brachten Baby Celeste naar bed en gingen toen zelf naar bed.

Uren nadat ik in slaap was gevallen werd ik wakker, net als toen ik nog klein was, en hoorde de muziek beneden. Het was dezelfde muziek die mama eerder had gespeeld. Ik stond verward op, me afvragend waarom ze was teruggegaan naar de piano. Maar toen ik de gang inliep, stopte de muziek en door de open deur zag ik dat mama in bed lag. Maar ik had de muziek gehoord. Echt waar. Tot aan de dag van mijn dood zou ik er een eed op doen. Ik wou dat papa kwam om het te bevestigen, maar hij kwam niet.

Ik ging terug naar mijn kamer en riep hem in het donker, maar hij kwam niet.

Er is iets mis, dacht ik. Er is een reden waarom hij niet meer bij me komt. Er is een reden waarom hij het bos in vluchtte en op donkere plekken blijft.

Het moest iets te maken hebben met die dramatische veranderingen in mama, dacht ik. En ik heb hem nu zo hard nodig.

Ik viel weer in slaap, hoopte hem tenminste in mijn dromen te kunnen vinden.

Maar ik vond niets dan diepe duisternis.

4. Nooit meer tot leven gewekt

De volgende ochtend stuurde mama me meteen na het ontbijt met Baby Celeste naar de torenkamer.

'Ik kom je halen zodra de man van de gordijnen weg is,' zei ze. 'Hij komt straks.'

Die eerste keer werden we niet zo heel lang opgesloten. Hij kwam alleen de ramen opmeten, maar twee dagen later had mama een afspraak met de stoffeerders en die zouden het grootste deel van de dag in huis zijn, want ze moesten drie kamers doen. Ze had besloten dat ze behalve haar kamer en de zitkamer, ook in mijn kamer nieuwe vloerbedekking wilde hebben; ze had het tapijt al uitgezocht, een mooie amandelkleur.

Baby Celeste had een kort verblijf altijd voor lief genomen, maar deze eerste schijnbaar oneindige dag was voor ons allebei een stuk moeilijker. Om te beginnen waren mama en ik vergeten dat we te lang opgesloten zouden zijn zonder naar de wc te kunnen. Er was geen toilet in de torenkamer, zodat we een trap af moesten, en de stoffeerders zouden aan het werk kunnen zijn in mijn kamer of in die van mama. Ik begon in paniek te raken zodra dat verzuim tot me doordrong.

Baby Celeste was vóór haar tweede jaar al zindelijk. Ze was een heel voorlijk kind. Vlak voor de lunch moest ze naar de wc. Ik deed de deur open en wachtte boven aan de korte trap tot mama boven zou komen met de lunch. Toen ze me zag verscheen er een woedende blik in haar ogen.

'Wat doe je daar? Wat ben jij van plan? Ik heb je gezegd dat je binnen moest blijven tot ik je kwam halen. Ze zijn er nog allemaal,' zei ze luid fluisterend.

'Baby Celeste moet plassen, mama. Dat zijn we vergeten. Ik zal haar naar beneden moeten smokkelen.'

Ik kon aan mama's gezicht zien dat zij het ook vergeten was. Ze dacht even na en schudde toen haar hoofd.

'Nee. We zullen een van die oude po's gebruiken. Ik ga hem halen.'

'Een po?'

Ze overhandigde me het blad met de lunch en liep de kamer in, linea recta naar een grote hutkoffer.

'Pak aan, Noble,' drong ze aan toen ze de po gevonden had. 'Onze voorouders deden het ook op die manier, in de tijd dat er nog geen sanitair was. Jij en Baby Celeste kunnen het ook.'

'En wc-papier, mama?'

'Gebruik de servetjes maar die op het blad liggen.'

Ik keek hoofdschuddend naar Baby Celeste, die onrustig stond te kijken, wachtend tot ze naar de badkamer zou worden gebracht.

'Ze zal het niet begrijpen,' zei ik.

'Breng het haar dan aan haar verstand en zorg dat het stil blijft. Toe dan,' zei mama. 'Doe het nou maar en spreek me niet tegen. En kijk niet uit het raam. De stoffeerders lunchen buiten en ze mogen je niet naar hen zien kijken. Ik wil niet dat ze me allerlei vragen gaan stellen.'

Ze duwde me terug in de torenkamer. En deze keer zorgde ze ervoor dat de deur op slot was.

Ik keek naar Baby Celeste.

'Plasje,' zei ze.

'Ik weet het.' Ik zette de po op de grond. 'Daar moet je je plasje in doen,' zei ik, wijzend.

Tot mijn stomme verbazing draaide ze zich om, liet haar broekje zakken en plaste in de po, alsof ze in haar korte leventje nooit anders had gedaan.

Later had ik geen andere keus dan hetzelfde te doen.

Ik had nog nooit een po gezien, en dat prikkelde mijn nieuwsgierigheid naar wat er nog meer jarenlang lag opgeslagen. Ik was altijd bang iets te verstoren, maar nu we zoveel tijd hier moesten doorbrengen, zocht ik naar dingen om ons bezig te houden.

Behalve de spiegels en ladekasten en tafels, stonden er dozen met in mottenballen verpakte kleren. Ik vond ook babykleertjes, waarvan ik zeker wist dat ze niet van mij of van Noble waren geweest. Baby Celeste stond naar de kleren te kijken en raakte alles aan wat ik aanraakte. Er waren zelfs oude schoenen en laarzen, en in één doos vonden we allerlei soorten hoeden. Ik amuseerde Baby Celeste en mijzelf door sommige laarzen en hoeden te passen. Zij wilde ze ook dragen, en we vermaakten ons kostelijk ermee, en met handschoenen en ceintuurs die versierd waren met onechte juwelen.

Plotseling draaide Baby Celeste zich om alsof ze iets gehoord had. Ze kneep haar ogen samen zoals mama deed als ze zich concentreerde. Ik zag dat ze zich een weg baande tussen een oude ladekast en een paar kartonnen dozen. Ze bleef staan toen ze iets gevonden had dat haar belangstelling trok en riep me. Ik liep naar haar toe en boog me over de ladekast heen om te zien wat ze deed, en zag dat ze een klein ebbenhouten, met verguldsel afgezet kistje had gevonden. Ze hief het naar me op zodat ik het beter kon bekijken. Het was zo lang verborgen geweest achter alle andere dingen, dat het met een dikke laag stof bedekt was. Ik pakte het voorzichtig van haar aan.

'Wat heb je gevonden, Celeste?'

Ik draaide het om en zag dat er aan de achterkant een sleutel zat.

'Het is een muziekdoos,' legde ik uit.

Haar ogen begonnen te glinsteren. Beneden stond er een op een tafeltje in de zitkamer. Op het deksel stond een ballerina die danste op de muziek. Baby Celeste was er zo dol op, dat mama dacht dat ze het mechanisme zou verslijten.

Ik blies iets van het stof van het houten doosje en hurkte toen naast haar om het open te maken. Ik was verbluft toen het, ondanks het feit dat het zo lang hierboven had gestaan, de eerste klanken liet horen van een pianosonate van Mozart die mama vaak speelde. Zelfs Baby Celeste herkende het en zei: 'Mama. Piano.'

'Ja,' zei ik, en realiseerde me toen dat het beneden misschien te horen was. Ik hield mijn adem in en spitste mijn oren. Baby Celeste zag de angstige uitdrukking op mijn gezicht en verstarde ook. Hun werk maakt te veel lawaai, dacht ik zelfverzekerd, en liet mijn adem ontsnappen. Toen lachte ik naar haar en keek in de doos.

Die bevatte slechts een lok goudblond haar, bijeengebonden met een smal stukje verschoten roze lint. Het was beslist niet mama's haar, en ook niet dat van mij, of van Noble, of van Baby Celeste. Het kon ook niet van mijn vader zijn, want die had zwart haar. Van wie was het dan? Waarom was het hierboven verborgen in een stoffige hoek? Dit deden de mensen gewoonlijk met het haar van hun baby, maar dan tussen de bladen van een familiealbum geperst.

De muziek stopte. Ik draaide de doos rond in mijn handen, en bekeek hem aan alle kanten, zoekend naar een aanwijzing, maar ik vond verder niets. Baby Celeste wilde de muziek nog een keer horen, dus wond ik hem weer op en liet hem spelen. We zetten de doos midden in de kamer en hielden ons de rest van onze tijd bezig met andere dingen: voornamelijk haar prentenboeken en kleurboeken. Ze viel in slaap op mijn schoot en ik dommelde zelf ook in. Aan het eind van de dag sliepen we allebei en hoorden mama niet de trap opkomen en de deur opendoen. Haar uitroep wekte me.

Ze stond over ons heen gebogen, met wijd opengesperde ogen, haar handen op haar borst.

Ik bewoog en Baby Celeste werd wakker en wreef in haar ogen.

'Waar heb je dat gevonden?' vroeg mama, knikkend naar het ebbenhouten doosje naast me.

'Baby Celeste heeft het gevonden,' zei ik. 'Iets bewoog haar om achter de ladekast te gaan zoeken. Het leek wel of ze wist dat het daar was.'

Dat leek mama nog meer te verontrusten. Haar hand fladderde naar haar keel als een jong vogeltje. Ze haalde diep adem.

'Wanneer heeft ze het gevonden?'

'Dat weet ik niet. Een uur of twee geleden, denk ik. Het lag daar achterin.' Ik wees naar de achterkant van de kamer. 'Wat is het? Van wie is het haar dat erin ligt? Waarom is het hierboven? Waarom staat het niet beneden in de zitkamer?'

Ik tilde het doosje op en mama deinsde achteruit alsof ze vreesde dat het zou ontploffen.

'Het is heel mooi, en het speelt dat stuk van Mozart dat jij vaak speelt. Luister maar.' Ik begon het open te maken om het te laten spelen.

'*Nee!*' gilde mama. 'Laat dat. Maak het niet open. Zet het terug waar jullie het gevonden hebben. Vooruit.'

'Je bedoelt weer op de grond achter de ladekast?'

'Ja. Zet het daar weer neer,' beval ze.

'Maar van wie is dat haar?'

58

Mama keek naar Baby Celeste, die naar haar omhoogstaarde alsof zij ook op een antwoord wachtte.

'Dat... dat doet er niet toe. Zet het terug.'

'Waarom wil je het hierboven laten?' Ik stond op om te doen wat ze wilde.

'Omdat ik het wil. Hou op met vragen en doe wat ik zeg,' zei ze kwaad.

Ik had mama nog nooit zo ontdaan gezien. Ze beefde over haar hele lichaam en ze zag bleek. Haastig zette ik het doosje weer achter de kast in de hoek.

'Je hebt hem opengemaakt,' zei mama, meer tegen zichzelf dan tegen mij. Ze keek angstig om zich heen, pakte toen Baby Celeste op. Had de muziekdoos een of andere geest geroepen die ze vreesde?

'Iedereen is weg,' zei mama. 'Je kunt nu beneden komen. Neem de po mee om leeg te gooien. Gauw!'

Ze draaide zich om en liep haastig de kamer uit. Ik keek achterom naar het doosje, pakte de po en volgde haar. Mijn hart bonsde wild. Waarom mochten we het niet aanraken, niet openen? Niets in dit huis joeg haar angst aan. Als iets haar hinderde, ruimde ze het op of waste het in kaarsenrook.

Ik hoorde haar snel de trap aflopen, meer als iemand die op de vlucht slaat. Ze was de trap al af toen ik op de overloop van de eerste verdieping kwam. Ik liep naar het toilet, goot de po leeg in de wc en zette hem op de grond. Daarna bleef ik in de deuropening van mijn kamer staan om het nieuwe kleed te bewonderen. Het maakte de kamer inderdaad lichter, net als het tapijt in mama's slaapkamer en in de zitkamer, die er gezelliger uitzag.

'Alle kleden zijn erg mooi, mama,' zei ik.

Ze had Baby Celeste neergezet en stond voor het raam naar buiten te kijken. Het leek of ze me niet gehoord had. Baby Celeste plofte neer op het kleed en keek lachend naar me op, verheugd over de zachtheid en de kleur.

'Met de nieuwe gordijnen en alle andere dingen zal het huis er een stuk beter uitzien, mama. Je had helemaal gelijk,' zei ik, in de hoop dat ze zou ophouden met dat vreemde gedrag.

'Wat zei je?' vroeg ze ten slotte, zich omdraaiend.

'De kleden zijn erg mooi. Ik zei net dat het huis zo gezellig en mooi zal worden als je klaar bent met de nieuwe inrichting.'

59

'Nee.' Ze schudde haar hoofd. 'Het is niet gezellig en mooi. We verkeren in gevaar.'

'Gevaar? In ons huis?' Hoe konden we in huis in gevaar zijn? Het huis was ons toevluchtsoord.

Haastig liep ze langs me heen de kamer uit. Ik hoorde haar rommelen in de keuken en toen naar de trap lopen.

'Mama?' Ik liep de gang in. 'Wat doe je?'

Ze bleef staan en draaide zich naar me om. Even staarde ze me alleen maar aan, met snel knipperende ogen.

'Neem het kind een tijdje mee naar buiten,' zei ze.

'Naar buiten? Moet ik haar mee naar buiten nemen?'

'Het is donker genoeg. Ga met haar naar de schuur, vermijd de voorkant van het huis. Vooruit, doe wat ik zeg, Noble. Haar sweater ligt op de bank. Ik roep je wel als ik wil dat je weer met haar binnenkomt.'

'Oké,' zei ik, en keek haar na toen ze de trap opliep.

Baby Celeste was dolblij. Ze klapte in haar handjes toen ik haar het huis uit droeg. Ik liep naar de schuur en de tuin, zoals mama had bevolen, zette Baby Celeste neer, sloeg mijn armen over elkaar en keek achterom naar het huis.

De duisternis drapeerde een donkergrijze sluier om ons heen. Ik vond deze tijd van de dag altijd een trieste indruk maken. Het leek alsof de zon geen besluit kon nemen. Moest hij weggaan? Moest hij blijven? Met tegenzin zou hij straks achter de bergtoppen zakken. Verdronk hij iedere dag en werd hij elke ochtend weer tot leven gewekt?

Baby Celeste trok aan mijn hand. Ze besefte dat onze tijd beperkt was in het vervagende licht en wilde zoveel mogelijk zien. Ik liep met haar rond, praatte en liet haar planten zien die we kweekten, wilde bloemen en zelfs melkdistel. Haar nieuwsgierigheid kende geen grenzen. Ze was zo gefascineerd door insecten dat ze bijna een hommel vastpakte.

Nu en dan bleef ik staan en keek achterom naar het huis. Alle kamers waren nog donker. Wat zou mama doen? Steeds meer sterren verschenen in de lucht. Het werd steeds killer. Er woei een noordenwind. Ik kon horen hoe hij zich een weg baande door het bos, op ons afkwam. Wanneer zou mama ons binnenroepen? Ik rilde niet alleen van de kou, maar ook door haar vreemde gedrag.

Plotseling zag ik een gloed in de zitkamer, die steeds helderder werd, maar niet omdat mama de lampen had aangedaan. Dit licht was anders. En het flakkerde ook.

Kaarsen! dacht ik. Ze heeft kaarsen aangestoken.

Maar zoveel in één kamer? Waarom?

Ik tilde Baby Celeste op en liep met haar in mijn armen langzaam terug naar huis. Toen ik bij de verandatrap was, kwam mama naar buiten en deed de deur achter zich dicht. Ze leunde ertegen. Al stonden we pal voor haar, haar blik ging langs of zelfs door ons heen. Ze leek op een blinde vrouw.

'Mama? Wat doe je? Moeten we niet naar binnen om te gaan eten? Het wordt laat voor het kind. Mama?' Ik verhief mijn stem toen ze niet reageerde.

Knipperend met haar ogen keek ze ons aan. Toen ze een beetje naar rechts bewoog, was er voldoende licht om te zien dat haar gezicht rood aangelopen was. Ze bleef staren zonder iets te zeggen.

'Mama?'

'Neem haar mee naar binnen, maar ga niet naar de zitkamer voor ik het zeg. Nu!' ging ze stampvoetend verder. Ik voelde me vanbinnen opspringen alsof ik nog een ander lichaam had onder dat wat de mensen zagen.

Ze deed een stap opzij en ik opende de deur en droeg Baby Celeste naar binnen. Ik bleef net lang genoeg aarzelen bij de deur van de zitkamer om naar binnen te kunnen kijken. Ik had mama iets dergelijks nog nooit zo uitvoerig zien doen. In de hele zitkamer stonden portretten opgesteld van alle voorouders die we hadden, meer dan twintig. Voor elk portret had ze een zwarte kaars geplaatst. Ik besefte dat ze een cirkel had gevormd met de portretten, maar wat me verbaasde en zelfs schokte, was dat het ebbenhouten doosje in het midden op de grond stond.

'Ga naar de keuken,' beval mama. Ik bewoog me snel, zonder een woord te zeggen. Aan haar stem te horen was ze bijna hysterisch. Zelfs Baby Celeste keek haar sprakeloos aan.

Mama sprak met geen woord over wat ze in de zitkamer had gedaan en ik durfde haar er niet naar te vragen. Het zien van de kleine kaarsen die het portret van elk familielid verlichtten gaf me een griezelig gevoel. Ik wist dat ze een ritueel had uitgevoerd dat bedoeld was om hun spirituele kracht uit te lokken, teneinde iets ver-

61

schrikkelijks te bestrijden dat was vrijgelaten door het openen van het kleine houten doosje. Omdat ik dat had gedaan, was ik bang dat ik de schuld zou krijgen van wat ze geloofde dat er gebeurd was en nog zou kunnen gebeuren.

Mama werkte in de keuken aan het eten in een diepe stilte, een stilte die haar leek mee te voeren. Nu en dan kwam ze terug in de werkelijkheid om me opdracht te geven iets te doen met het brood of de groenten, of de tafel te dekken.

De stilte aan tafel was bijna identiek. Ik kreeg haar weliswaar aan de praat over een paar van de andere veranderingen die ze in huis wilde aanbrengen, maar vermeed elke zinspeling op de zitkamer of het houten doosje. Ik zag hoe haar ogen van tijd tot tijd afdwaalden naar de zitkamer. Blijkbaar wachtte ze ergens op, een of ander signaal. Vlak voordat we klaar waren met eten kwam dat signaal blijkbaar, want haar gezicht klaarde op. Haar hele lichaam, dat de laatste paar uur stijf en gespannen was geweest, ontspande zich.

'Ik moet een paar dingen doen, Noble,' zei ze. 'Ruim de tafel af en stapel de borden voorzichtig op. En houd het kind bezig.'

Ze stond op en liep naar de zitkamer.

Een van de wonderbaarlijke dingen van Baby Celeste was dat ze de stemming van het moment kon aanvoelen en daarin meegaan. Als mama en ik vrolijk en onbezorgd waren, was zij dat ook. Als mama melancholiek en rustig was, was zij dat ook. Als mama zich over iets kwaad had gemaakt, vermeed Baby Celeste alles wat haar een standje kon opleveren.

Tijdens de hele maaltijd was ze zo stil en geduldig als een panter. Ze vermeed het om lawaai te maken met haar bestek en de schalen, en toen ze klaar was, vroeg ze niet om van haar stoel getild te worden, maar bleef als een volwassene zitten wachten.

Voordat ik in de keuken alles had opgeruimd, kwam mama terug. Ze was het hele huis rondgegaan, ook boven, om de portretten terug te brengen op de plaats waar ze hoorden. Ze leek tevreden en zei opgewekt dat we nu naar de zitkamer konden.

Alles was verdwenen. De geur van de brandende kaarsen was blijven hangen, maar ze had de ramen opengezet om die zo spoedig mogelijk te laten wegtrekken. Ik ging op de bank zitten en sloeg een van Baby Celestes boeken open. Ze leunde tegen me aan en keek toe terwijl ik de pagina's omsloeg en haar alles liet noemen wat erop stond.

Mama kwam binnen en liep zoals gewoonlijk naar de piano. Ze speelde twee sonates van Mozart, maar vermeed de sonate van de muziekdoos. Niet dat ze dat stuk iedere avond speelde, maar vaak eindigde ze ermee.

Baby Celeste begon slaperig te worden, dus nam mama haar mee naar boven om haar naar bed te brengen. Ik liep naar buiten en ging op de veranda zitten. Ik was nog steeds zenuwachtig na alles wat er gebeurd was. Ik wilde alleen zijn en me ontspannen. Ik had nu een dun jack aan en kon genieten van de avond. De lucht was wolkeloos. De wind die ik had gehoord, had de laatste flarden van de wolken meegevoerd en de lucht was schoon, zodat de sterren feller glinsterden dan ooit.

Op avonden als deze verspreidde een melancholie zich in mijn hart als een pas uitgebroed vogeltje dat zijn vleugels uitslaat in de beslotenheid van een nest, in het besef dat het in de nabije toekomst zou kunnen vliegen. Het was een belofte die zou worden ingelost, een belofte die zo sterk was dat de geest van het jonge vogeltje gevuld werd met beelden van opstijgen, draaien en zweven op de wind. Dat waren herinneringen die het geërfd had, herinneringen die deel uitmaakten van wat het was, herinneringen die niet ontkend konden worden of voor langere tijd begraven in het onderbewustzijn.

Zo ging het ook mij, de melancholie bracht herinneringen met zich mee, jeugdherinneringen, een indrukwekkende nostalgie naar sierlijke en vrouwelijke dingen. Fantasieën kwamen aangedraafd over het veld van mijn dromen. In een tijd van mijn leven, zo langgeleden dat het nu waarlijk het leven van iemand anders leek, fantaseerde ik vaak dat ik verliefd werd op een knappe en mysterieuze man. Vroeger kon ik mezelf zien als een moeder die onbelemmerd van haar kind kon houden en haar moederlijke emoties niet hoefde te onderdrukken. Geuren van parfums drongen in mijn neus. Jurken en schoenen, sjaals en linten, dansten voor mijn ogen.

Noble bedacht altijd ridders en draken, monsters en helden, die uit het bos kwamen. Hij vulde zijn dagen met verhalen en spelletjes die hij creëerde in zijn actieve jongensachtige verbeelding. Soms moest ik van mama met hem meespelen, zodat hij gezelschap zou hebben. Ik dacht er zelfs geen moment over hem te vragen om samen met mij met mijn theeservies of mijn poppen te spelen; niet dat hij dat zou willen. Mijn speeltijd was te rustig voor zijn uitbarstingen van energie. Ik dacht altijd dat hij voortdurend schreeuwend door het huis zou lopen als mama het hem niet belette. Waren alle jongens zo? vroeg ik me af. Waren ze allemaal bang voor zachtheid en de korte stiltes in ons dagelijkse leven? Moesten al zijn visioenen daverend tegen de muren van zijn verbeelding botsen? Was de werkelijkheid zo bedreigend?

Maar ook ik had fantasieën gehad, en dat ik nu ouder was en het leven en de wereld zo anders waren voor me, wilde niet zeggen dat ik ze nu niet meer had. Zelfs nu, deze avond, had ik een visioen van mijn eigen versie van een knappe ridder die uit het bos kwam en op het punt stond de strijd aan te binden met alle demonen die me aan dit duistere en troosteloze bestaan ketenden. Ik verlangde ernaar om weggevoerd te worden naar een plaats waar ik mijn haar weer kon laten groeien, waar ik mijn boezem kon bevrijden en mijn borsten laten ademen, en ik weer van alle sierlijke en mooie dingen kon genieten in de wereld van de vrouw.

Ik zou kleren en poppen en parfums hebben. Ik zou sieraden hebben en ongeremd en melodieus kunnen lachen, in plaats van behoedzaam en kort. Ergens, eens, zou ik kunnen flirten en blozen en zuchten, en mijn eigen naam horen op de lippen van een knappe jongeman.

Durf ik naar die dingen te verlangen? vroeg ik me af. Zal ik voor altijd vervloekt zijn? Zullen al onze familiegeesten me haten en me niet langer beschermen?

En het belangrijkste, zou mama me haten zoals ze nog nooit iets of iemand heeft gehaat?

Ik was zo in gedachten verdiept dat ik de voordeur bijna niet hoorde opengaan. Mama kwam naar buiten met het kleine ebbenhouten doosje in haar rechterhand als een offer dat ze ging brengen aan een of andere kwade god. Ik zei niets. Ik haalde nauwelijks adem, en hoe ongelooflijk ook, ze keek niet naar me of zag me daar niet zitten. Ik kon alleen maar naar haar kijken, verbaasd over de manier waarop ze zich bewoog. Ze liep de verandatrap af als een slaapwandelaarster. Toen ze zich omdraaide, zag ik dat ze in haar andere hand een kleine tuinspade had.

Ik wilde opstaan om haar te roepen, maar ze ging sneller lopen, rechtstreeks naar het kerkhof. Nieuwsgierig en een beetje angstig volgde ik haar op een afstand, zo zacht mogelijk. Ze liep het kerkhof op. Toen ik bij de ingang was, zag ik dat ze op haar knieën lag en bezig was te graven in de grond voor Baby Jordans kleine grafsteen. Ik bleef stilstaan en keek naar haar terwijl ze groef. Ze ging steeds vastberadener, sneller en met meer inspanning te werk. Eindelijk leek ze het gat diep genoeg te vinden en legde ze het houten doosje erin. Snel bedekte ze het met de aarde, streek die zoveel mogelijk glad en herplantte het gras.

Toen stond ze langzaam op, staarde even naar de grafsteen, liep er toen heen en legde haar handen op de in reliëf gehouwen babyhandjes. Ik herinner me dat ze Noble en mij vertelde dat ze die handjes kon voelen bewegen. Wij probeerden het, maar voelden niets, althans Noble niet. Ik wist het niet zeker.

Mama bleef zo lang met haar handen op de kleine grafsteen staan, dat ik me afvroeg of ze ooit nog weg zou gaan. Ik hoorde haar zachtjes kreunen. Huilen was iets wat ik mama zelden hoorde doen, en wat ze zeker niet zou willen dat ik hoorde. Ik was plotseling doodsbang dat ze me zou ontdekken. Ik had geen idee hoe ze zou reageren, maar alleen al het feit dat ik het niet openlijk had gedaan, zou haar al woedend maken. Ze zou me ervan beschuldigen dat ik haar bespioneerde. Haar woede zou heel goed iets te maken kunnen hebben met de reden waarom ze zojuist dat doosje had begraven en met het feit dat ik het had geopend.

Langzaam, zo stil als ik kon, trok ik me terug in de schaduw. Het deed mijn gedrag opvallend stiekem lijken, maar het was te laat om dat nog te veranderen. Ik mocht nu niet meer gezien worden. Ik bleef me verder terugtrekken, maar verstijfde toen ze bij de grafsteen vandaan liep, het kerkhof uit. Ze had haar ogen neergeslagen en liep snel door. Ze bleef even staan om een paar ontsnapte tranen weg te vegen, maar liep toen weer haastig verder. Ik keek haar na tot ze bij het huis was.

Zodra ze de deur achter zich had dichtgedaan, liep ik naar het kerkhof en staarde naar de plek waar ze het zwarte doosje had begraven. Waarom begroef ze dat hier? Waarom begroef ze het überhaupt? Wat had dat allemaal te betekenen? Welk duister geheim had Baby Celeste ontdekt toen ze het doosje vond? Wat was er gebeurd toen we het openmaakten?

In gedachten verdiept liep ik terug naar huis en bleef even voor de deur staan luisteren. Ik hoorde haar niet, dus ging ik zo zacht mogelijk naar binnen, durfde nauwelijks de deur achter me dicht te doen. Toen ik in de zitkamer keek, zag ik mama in grootvader Jordans schommelstoel zitten. Ze keek niet op, al voelde ik dat ze wist dat ik daar stond, en ik vroeg me af of ze besefte dat ik al die tijd buiten was geweest en nu woedend op me was.

'Mama?' zei ik ten slotte. 'Gaat het goed met je?'

'Ja, natuurlijk gaat het goed met me,' snauwde ze. 'Het gaat altijd goed met me.'

'Ben je boos op me?'

'Nee, ik ben boos op mezelf.'

'Waarom?'

Ze schommelde heen en weer in de stoel. Ik dacht dat ze geen antwoord zou geven.

'Ik was het vergeten,' zei ze ten slotte. 'Ik had eraan moeten denken.'

'Waaraan? Aan dat houten doosje? Aan die haarlok van een baby?'

Ze draaide zich zo snel en onverhoeds om, dat de armleuning bijna afbrak.

'Hoe weet je dat het de haarlok van een baby was?' vroeg ze. Toen ontspande ze zich, knikte en glimlachte. 'Hij heeft het je verteld, hè? Je vader heeft het je in je oor gefluisterd. Ja, dat weet ik zeker.'

Ze wierp haar hoofd in haar hals en schommelde nog ferventer.

'Nee, mama.'

Ze bracht haar hoofd weer omlaag en keek me kwaad aan. 'Als je tegen me liegt, weet ik het, Noble. Ik weet het altijd als je tegen me liegt.'

'Ik lieg niet, mama. Ik heb papa al heel lang niet meer gehoord.'

'Hm,' mompelde ze. Ze schommelde en dacht na. Toen liet ze haar adem ontsnappen. 'Ik had moeten weten dat ze het op een dag zou vinden. Ik had het moeten weten.' Ze hield abrupt op met schommelen en draaide haar hoofd weer naar me om. 'Begrijp je wel hoe bijzonder ze is?' vroeg ze met flitsende ogen. 'Begrijp je dat?'

'Je bedoelt Baby Celeste?'

'Natuurlijk bedoel ik haar. Waarom doe je toch altijd of je zo dom bent?'

'Ik doe niet of ik dom ben, mama.'

'Nee, je bent echt dom, is dat het? O, wat een last, wat een last,' kreunde ze.

'Soms moet je me echt helpen dingen te begrijpen, mama,' zei ik zo kalm mogelijk. 'Waarom is dat zo erg?'

Ze dacht na en schommelde.

'Was die haarlok van Baby Jordan?' vroeg ik.

Ze glimlachte. 'Ja.'

'Waarom neem je je dat kwalijk? Waarom was het verkeerd een lok van haar haar te bewaren? Je hebt ook een lok van ons haar bewaard en in het familiealbum geplakt.'

'Dit is iets anders.'

'Hoe dan?'

'Vragen, vragen, sinds wanneer zit je zo vol vragen? Je zusje zat altijd vol vragen, maar niet jij, niet jij,' voegde ze er zacht aan toe.

'Ik vroeg me alleen af waarom dit iets anders is.'

'Het is anders omdat ze nooit geleefd heeft,' zei mama met vermoeide stem.

'O, dat weet ik.'

'Nee, dat weet je niet. Ze heeft nooit geleefd.'

Ik glimlachte naar haar. Nu was zij degene die iets vergat en dom deed, dacht ik, al zou ik dat nooit hardop durven zeggen.

'Dat heb je me verteld, mama. Dat heb je ons allebei verteld. Je vertelde ons dat ze doodgeboren was.'

'Ze heeft *nooit* geleefd. Zelfs aan de andere kant was ze een dood ding. Daar leven we eerst. Dat heb ik je al zo vaak uitgelegd. We worden geboren en sterven op veel manieren en uiteindelijk keren we terug tot wat we waren, keren terug naar de plaats waar we oorspronkelijk geboren werden.'

'Ik weet het.'

'Ze was een donker dood ding. Ze werd uit het kwaad geboren, en het openen van dat doosje was als het openen van de doos van Pandora. Daarom moest ik doen wat ik vanavond heb gedaan. Het kwaad was losgelaten in ons huis. Het had daarboven al die tijd liggen slapen, wachtend op een gelegenheid.'

'Heb je daarom al die portretten van de familie neergezet en kaarsen aangestoken?'

'Ja, ik moest ze allemaal hierheen brengen, ze allemaal laten helpen, en dat hebben ze gedaan.

67

'Maar het is allemaal mijn schuld,' ging ze verder. 'Ik had om te beginnen niet een lok van haar haar mogen afknippen. Ik heb het gedaan toen niemand het zag. Ik wilde het hebben. Ik kon niet anders. Ik had het moeten weten. Ik was niet zo machtig als Baby Celeste, zie je. Als iets het bewijst, dan is dat het wel.'

Wat zei ze? Ze moest het hebben? Dat sloeg nergens op.

'Heb je dat gedaan? Heb je een lok van haar haar afgeknipt?'

Ik was volkomen in de war. Ze bleef zwijgend schommelen, starend naar de muur, haar lippen woedend opeengeklemd.

'Maar hoe... je was nog niet eens geboren, mama.'

Ze keek me aan en aan haar gezicht kon ik zien dat ze meer gezegd had dan ze wilde. Ze keek zelfs even bang en draaide zich om.

'Mama?'

Ze schudde haar hoofd. 'Ik wil er niet meer over praten en ik wil niet dat jij erover praat. Nooit.'

'Maar hoe kon je daar zijn om dat te doen?' De vraag liet zich niet terugdringen. Hoe kon ze daar zijn om de lok haar af te knippen van een doodgeboren baby van haar betovergrootouders?

Het antwoord lag in de beladen stilte die tussen ons viel. Het was geen doodgeboren baby van haar betovergrootouders. Was het de baby van haar moeder? Waarom zou ze ons dat nooit verteld hebben? Waarom had ze gezegd dat het de baby was van haar betovergrootouders? Mijn hart begon sneller te kloppen en een ijskoude veer streek over de achterkant van mijn nek.

'Was het de baby van je moeder?'

Ze draaide zich heel langzaam naar me om en haar ogen leken dieper in haar schedel weg te zakken. Haar lippen verstrakten en versmalden.

'Nee.'

'Nee? Dan begrijp ik het niet.'

'Ze kwam uit mij voort,' zei ze in een bijna onhoorbaar gefluister.

'Uit jou?'

'Ik was niet veel ouder dan jij. Ik hield het verborgen voor mijn moeder tot ik het niet langer kon verbergen en ze trok het uit me zodat het dood geboren zou worden. Het kind was gerimpeld en lelijk. Alleen het haar was mooi, alleen het haar. Het leek op gesponnen goud. Ik kon het niet weerstaan.'

'Jouw baby? Hoe wist je moeder dat het slecht was?'
Ze wendde haar gezicht af en schommelde. 'In iedere familie zetelt een duistere geest, een smet op de anderen. Hij was de jongste broer van mijn vader. Hij was er niet vaak of lang, maar het was voldoende. Ik werd verleid, en later werd hij gestraft.'
'Wat is er met hem gebeurd?'
Ze glimlachte. 'Ja, er is iets met hem gebeurd. Mijn moeder sprak een vloek over hem uit en hij is een afschuwelijke dood gestorven. Zijn ingewanden werden opgevreten door de kanker. Maar hij was een knappe man, een charmante man. Zo is het kwaad altijd, weet je. De duivel heeft een innemend gezicht.'
Ze keek me aan. 'Daarom is het zo belangrijk om voorzichtig te zijn, waakzaam, goed. Daarom moet je luisteren naar alles wat ik je vertel en doen wat ik zeg, Noble.'
Ze wendde zich weer af en schommelde. 'Als ze had geleefd, als ze in leven was geweest, zou ze de eerste Celeste zijn geweest. Dat wist ze en ze heeft haar uiterste best gedaan om terug te komen, tot ze bezit nam van mijn Celeste, en daarom moest ik haar voor eeuwig en altijd begraven. Nu zit het kwaad onder de grond en zijn we veilig. We zijn veilig,' psalmodieerde ze.
Ze was in de eerste Celeste gedrongen? Had mama altijd gevonden dat ik het kwaad was? Had ze daarom zo grif geloofd dat Nobles dood mijn schuld was?
Ze keek me weer aan. 'En ze zal nooit meer tot leven worden gewekt.' Haar woorden klonken als kleine explosies in mijn oren en weergalmden.
En weergalmden.
'Nooit meer tot leven worden gewekt... nooit meer tot leven worden gewekt... nooit meer...'
Ik draaide me om en holde de trap op.

5. Ik ben mooi

Mijn leven lang ben ik opgegroeid in het geloof dat ons huis gewijd was, dat we leefden in een kasteel dat beschermd werd door de spirituele muur van onze familie, zoals mama dat had beschreven, dat we veilig waren, en het enige kwaad in ons leven van buitenaf kwam, en dan alleen als we zelf verzwakten en toelieten dat het gebeurde. Al onze familiegeesten waren goed. Ze hadden geen perfect leven geleid. Sommigen waren niet productief en hadden hun eigen problemen veroorzaakt, maar hun hart was zuiver. Dat had ons bijzonder gemaakt, ons de macht gegeven om de oversteek te maken, hen te zien en te horen. We hadden de gave gekregen omdat we goed en zuiver waren.

Het was een schok om iets anders te horen, te vernemen dat iemand die ons zo na stond, duister, verdorven en slecht was geweest en dat zijn zaad onze wereld was binnengedrongen als een infectie, een boze ziekte die ons kon besmetten. Had mama gelijk wat mij betrof? Kon het kwaad dat mijn grootmoeder geaborteerd had weer tot leven komen in mijn hart, in het hart van de eerste Celeste?

Mama's onthullingen wekten mijn herinneringen weer op aan die noodlottige dag waarop Noble was gestorven, een dag die niet alleen mama ontkende, maar ook ik. Ondanks mijn tegenzin om me dat alles te herinneren, ondanks mijn pogingen die herinneringen in te dammen en bij me vandaan te houden, stroomden de beelden op me af. Het was of iemand mijn oogleden vastpende en me dwong te zien, te kijken naar de afschuwelijke, angstaanjagende dingen. Ik wou dat ik die beelden uit mijn hoofd kon schudden, een van mama's wonderbaarlijke elixers drinken en ze voor altijd vergeten, maar dat was onmogelijk.

In plaats daarvan herinnerde ik me Noble die op de grote kei in de beek stond. Ik was hem gaan halen omdat hij naar huis moest.

Mama was ontdaan dat hij daar in zijn eentje was. Hij was koppig, dus greep ik zijn hengel, en toen gingen hij en ik erom touwtrekken. Weer zag ik hoe hij zijn evenwicht verloor, alleen zag ik mezelf nu met opzet die hengel tegen zijn rug porren, hem van die rots afduwen. Woede en jaloezie hadden bezit genomen van mijn armen. Het kwaad was daadwerkelijk in mij tot leven gekomen. Hij viel van de kei en sloeg met zijn hoofd op de kleinere stenen. Ik moest het toegeven. Het was mijn schuld, mijn schuld. Mama had gelijk dat ze me had begraven en ik moest ophouden me daartegen te verzetten. Ik nam me plechtig voor mijn jeugdfantasieën te vergeten. Ik zou niet meer dromen van knappe jongemannen, niet meer verlangen een mooie jonge vrouw te zijn en zelf kinderen te hebben. Ik moest boeten voor mijn zonde en eeuwig opgesloten blijven in de identiteit van mijn broer. Dit was mijn gevangenis. Dit was mijn lot. En ik zou er ook niet over klagen en jammeren. Alles wat vrouwelijk, zachtaardig en teder in me was zou opzij worden geschoven en vergeten. Ik verdiende het niet. Alles wat probeerde het in me te doen herleven was slecht, het kwaad waartegen mama dagelijks streed.

Ik nam me plechtig voor dat ik me aan haar zijde zou scharen en met haar meevechten. Ik zou de herinnering aan dat kleine houten doosje van me afzetten. Ik zou die vreemde avond vergeten en niet meer denken aan die goudblonde krullen, het roze lint en mama's gesnik op het kerkhof dat zoveel van onze familiegeheimen bewaarde. Alle kerkhoven, dacht ik, leken op een tuin. Ze bevatten mooie zielen, bloemen van een pure geest, maar ze bevatten ook de restanten van boosaardige harten, het onkruid dat de bloemen kon verstikken.

De inspanning die het mama had gekost om de kwade geest uit ons huis te verdrijven, scheen haar te versterken in haar voornemen het nieuwe plan dat haar was gegeven, ten uitvoer te brengen, een plan dat ik nog niet helemaal begreep en waarnaar ik nu minder dan ooit durfde te vragen. Had ze gelijk? Rezen mijn vragen omhoog uit een poel van kwaad in mijn getroebleerde ziel?

Mama bleef uitgaan met Dave Fletcher, en altijd als ze dat deed, kwam ze laat thuis en sliep ze lang uit. Ik maakte me nog steeds ongerust over waar dit alles toe zou kunnen leiden, maar ik gaf geen commentaar en trok geen afkeurend gezicht. En ze leek gelukkig.

Ze ging er steeds jonger uitzien en haar eigen verjonging samen met de manier waarop ze het huis verjongde, bracht nieuwe zonneschijn in ons leven.

Het moedigde me aan en inspireerde me om voorbij het donkere en sombere te kijken. Net als mama, wilde ik een nieuwe glans geven aan de wereld. Ik kalkte onze hekken wit, schilderde luiken en deurposten, wiedde het onkruid uit de rand van onze oprijlaan, snoeide en trimde onze struiken en bomen. Het versleten, vermoeide uiterlijk van ons huis en grond veranderde dramatisch. Mama besloot dat zelfs de schuur opnieuw geschilderd moest worden en een nieuw dak moest hebben. Het enige nadeel van dit alles was in haar ogen dat het meer nieuwsgierige blikken zou trekken. En inderdaad gingen passerende auto's langzamer rijden en sommige stopten zelfs om beter en langduriger te kunnen kijken. Baby Celeste moest nog meer verborgen worden gehouden.

Het werk dat ik deed was zwaar, vooral in de hete zon, maar ik klaagde niet. Ik kreeg eelt op mijn handen. Vaak deden mijn spieren 's nachts pijn, en ik was zo uitgeput, dat ik bijna niet kon wachten tot ik klaar was met eten en naar bed kon. Maar ik stond vroeg op om aan mijn taken te beginnen, vaak nog voordat mama op was, vooral na een van haar afspraakjes met Dave Fletcher.

En toen vertelde ze me op een middag dat ze diezelfde avond nog een heel speciale afspraak met hem had en dat ze me nodig had om bijna vierentwintig uur lang alle verantwoordelijkheid op me te nemen. Ik begreep niet wat dat betekende tot ze eraan toevoegde: 'Ik kom vannacht niet thuis.'

'Waarom niet?' vroeg ik.

'Dave neemt me mee naar een bijzonder bed-and-breakfast hotel, zo'n honderdtwintig kilometer hier vandaan. Het is in de buurt van Albany, en het heeft geen enkele zin om daar te gaan eten en van de omgeving te genieten als we overhaast weer terug moeten.

'Jij zult voor Baby Celeste moeten zorgen. Zorg ervoor dat ze goed eet en vroeg naar bed gaat. Ik zal je morgenochtend bellen om je te laten weten hoe laat ik ongeveer terug ben.'

'Maar ik wilde morgen vroeg opstaan om de schuur af te maken, mama. Het is nu gemakkelijker om 's ochtends te werken.'

'Dat kan wachten,' zei ze vastberaden. Toen lachte ze naar me. 'Ik ben erg trots op je, trots zoals je je werk op de farm doet, Noble.

Je vader zou het niet veel beter hebben gedaan. Hij is ook trots op je. Heeft hij je dat verteld? Heb je zijn stem de laatste tijd nog gehoord?'

Ik schudde mijn hoofd.

'Dat komt wel,' beloofde ze. 'Het zal allemaal bij je terugkomen. We zitten in een overgangsperiode. Alles wacht op alles, maar het komt goed. Voor ons allemaal.' Toen omhelsde ze me en hield me langer vast dan gewoonlijk. 'Alles wat ik gezegd heb dat zou gebeuren zal gebeuren,' fluisterde ze. 'Je zult het zien.'

Meer dan ooit wilde ik precies weten wat dat inhield, wat ze verteld had dat zou gebeuren, maar ik durfde het nog steeds niet te vragen. Soms was het beter om maar niets te vragen, dacht ik. Soms wilde ik de antwoorden niet horen, maar het lag op het puntje van mijn tong haar te waarschuwen voor Elliot, haar te vertellen wat ik had gezien, haar te waarschuwen voor zijn woede, voor de dreiging van zijn rancuneuze geest, vooral nadat ik haar had zien doen wat ze had gedaan met het zwarte doosje.

Maar ik kon mezelf er niet toe brengen, want per slot was ik degene die Elliot in onze wereld had gebracht. Ik was verantwoordelijk voor alles wat er was gebeurd als gevolg daarvan en voor alles wat er in de toekomst nog kon gebeuren.

'Hoe is het met de dochter van meneer Fletcher, Betsy?' vroeg ik in plaats daarvan. Natuurlijk was ik nieuwsgierig of zíj iets wist over mama en haar vader.

'Wat is er met haar?'

'Is ze nog weg?'

'Ja, en het breekt het hart van die arme Dave dat hij zich elke dag zoveel zorgen om haar moet maken. Mijn grootmoeder zei wel eens dat kinderen soms op ons neerdalen als straf voor zonden in het verleden. Ik vrees dat dat in Daves geval maar al te waar is. Zijn kinderen zijn nooit een bron van genot en trots voor hem geweest.

'In tegenstelling tot die van mij,' voegde ze eraan toe en streek met haar vingers door mijn haar. 'Mijn mooie kinderen.'

Alsof ze voelde dat er over haar werd gesproken, hoorden we Baby Celeste roepen. Ze was wakker geworden na haar gebruikelijke middagslaapje.

'Ik zal voor haar zorgen en dan moet ik me gauw gaan opknappen,' zei mama. 'Maak jij je werk voor vandaag af, dan maak ik het eten voor jou en Baby Celeste klaar. Je hoeft alles alleen maar op te warmen. Baby Celeste zal het prachtig vinden om je te helpen zonder mijn toezicht. Ze zal meer te doen hebben, meer verantwoordelijkheid hebben. Het zal een avontuur zijn voor haar. Je weet hoe enthousiast ze altijd is over iets nieuws.'

Dave Fletcher moest Baby Celeste nog steeds te zien krijgen, zoals iedereen in het dorp nog van haar bestaan op de hoogte moest raken. Wanneer en hoe zou mama dat aanpakken? vroeg ik me af. Toen ik terugkeerde naar huis, was mama al helemaal aangekleed en klaar om te gaan. Ze had haar haar geborsteld en heel mooi gekapt. Twee dagen geleden was ze voor het eerst in tien jaar naar een kapper gegaan om het te laten knippen. Maar het was niet alleen haar make-up, het andere kapsel en de modieuze garderobe die me verbaasd deden staan. Er was een nieuwe gloed in haar gezicht, nieuw leven in haar ogen, ze zag er jonger en levendiger uit. Was de oorzaak verliefdheid? Was het mogelijk dat ze verliefd was?

Eigenlijk was ik een beetje jaloers. Ondanks al mijn goede voornemens, alle beloftes die ik mezelf had gedaan, bleef ik me onwillekeurig afvragen hoe ik eruit zou zien met langer haar, met make-up en sieraden en nieuwe jurken en schoenen. Die onweerstaanbare fantasie deed gevoelens en emoties herleven die ik jaren geleden had ervaren op mijn speciale plekje in het bos waar ik naartoe ging om alleen te zijn, mijn innerlijk te verkennen en me vrij te voelen om te zijn wie ik in werkelijkheid was, al was het maar voor korte tijd. Die gedachten, mijn nieuwsgierigheid, waren prikkelend, tantaliserend, voerden me naar de rand van een afgrond, brachten me in de verleiding eraf te springen en weg te zweven op de wind van mijn emoties en verlangens.

Ik zei natuurlijk niets tegen mama. Ze maakte een opmerking over de blos op mijn gezicht en dacht dat het een gevolg was van mijn noeste arbeid in de hete zon. Ze had een kleine reistas gepakt en stond bij het raam aan de voorkant te wachten op de auto van Dave Fletcher. Toen hij over de oprijlaan reed, zoende en omhelsde ze mij en Baby Celeste en liet ons beloven dat we ons goed zouden gedragen en al haar regels zouden nakomen, waarvan de belangrijkste was: voorkomen dat Baby Celeste werd gezien en ontdekt.

'Het spijt me dat je morgen de hele ochtend binnen moet blijven, Noble,' zei mama, 'maar ik zal proberen zo vroeg mogelijk terug te komen.' Denk eraan dat je afwast na het eten,' riep ze bij de deur en ging naar buiten zodra Dave Fletcher voor het huis stopte.

Ik tuurde door een kier van de gordijnen en zag hem uitstappen, haar tas aanpakken en haar een zoen geven, deze keer op haar mond, een lange zoen, vol overgave, als een kus in een gepassioneerde film, met diepe, bevredigde zuchten, een kus die ik nooit zou kennen. Ik hoorde haar lachen en haastig om de auto heenlopen om in te stappen. Hij hield het portier voor haar open, buigend als een galante heer uit een roman. Toen ze was ingestapt, liep hij naar de andere kant en keek op naar ons huis. Ik trok me terug van het raam en wachtte tot hij ook in de auto zat. Ik keek hen na toen ze wegreden.

Baby Celeste stond naast me en keek me kalm aan. Ik schudde mijn hoofd en draaide me naar haar om.

'Mama maakt een vergissing,' zei ik. 'Ik begrijp niet waar ze mee bezig is. Hoe kan dit goed zijn, deel zijn van een of ander prachtig plan voor ons?'

Baby Celeste glimlachte naar me alsof ík degene was die niet wist wat ze deed, en niet mama, en alsof ze wist dat mijn woorden voornamelijk voortkwamen uit afgunst. Toen liep ze haastig de kamer uit.

'Keuken, Noble,' riep ze. Ze wist dat we zelf ons eten zouden klaarmaken, en zoals mama had voorspeld, wilde ze niets liever dan helpen.

Voor, tijdens en na het eten voelde ik me inwendig beven. Ik hield me voor dat het alleen maar kwam omdat ik me ongerust maakte over mama, maar diep in mijn hart wist ik dat dat niet de reden was. Het was geen beven van angst. Het was een prikkeling die begon in mijn hart en naar boven ging naar mijn borsten, die mijn tepels deed tintelen en mijn lichaam tot en met mijn dijen verwarmde.

Nu en dan stopte ik even en dacht aan mama die zich zo had opgetut, en zag ik haar Dave Fletcher zoenen en dacht ik na over die zoen. Ik zag mezelf gezoend worden, niet door Dave Fletcher natuurlijk, maar door een jonge, knappe man, en het was of ik de aanraking van zijn warme lippen op de mijne voelde. Ik schoof bijna net zo vaak heen en weer op mijn eetkamerstoel als Baby Celeste. Een tijdlang was ze een goede afleiding, ze vulde mijn uren en eiste mijn aandacht op, maar ten slotte werd ze moe en leunde ze slap tegen me aan. Ik droeg haar naar boven en bracht haar naar bed. Ze omhelsde me en hield me een paar ogenblikken langer vast dan anders, misschien omdat ze wist dat we lang alleen zouden zijn, dat mama ver weg was. Ik legde haar pop in haar armen en ze deed haar ogen dicht en viel vrijwel onmiddellijk in slaap.

Ik stond naar haar te kijken, bewonderde haar omdat ze zo mooi was, en besefte toen dat mama minder nauwgezet was geweest dan gewoonlijk met het verven van haar haar. De natuurlijke rode kleur begon zichtbaar te worden. Want zolang Baby Celeste leefde, had mama zorgvuldig voorkomen dat er ook maar één rood haartje te zien was. Dit kon haar niet zijn ontgaan, dacht ik. Er stond iets nieuws te gebeuren, iets belangrijks.

Ik verliet Baby Celestes slaapkamer en bleef aarzelend in de gang staan. Ik moet gewoon naar beneden gaan en wat lezen of zelf naar bed gaan, dacht ik. Dat hoorde ik te doen. Ik liep zelfs in de richting van de trap, maar bleef bovenaan staan. Mijn hart bonsde. Ik sloot mijn ogen en beet hard op mijn lip, in de hoop dat de pijn de gevoelens en verlangens zou verjagen, maar het was te moeilijk, te moeilijk om me ertegen te verzetten. Ik kon er niets aan doen.

Ik draaide me om en liep naar mama's slaapkamer. In de deuropening bleef ik even staan, leverde een laatste strijd met mezelf en verloor. Zodra ik binnen was, wist ik dat ik niet zou omkeren. Er waren maar één toilettafel en één toilettafelspiegel en één passpiegel buiten de torenkamer, en die waren hier. Ik staarde naar mijn spiegelbeeld en trok toen snel mijn blouse en jeans uit. Ik wikkelde mijn borsten los en liet mijn onderbroek zakken.

Het was of ik weer tevoorschijn kwam in mijn eigen lichaam, in een oogwenk gerijpt tot een jonge vrouw. Mijn hele lijf tintelde. Ik haalde sneller adem. Ik ging achter de toilettafel zitten en begon te experimenteren met mama's nieuwe make-up, probeerde diverse tinten lippenstift, eyeliner, poeder. Ik kon alleen maar afgaan op de foto's die ik gezien had in de paar tijdschriften die we thuis hadden en op de televisie als ik een enkele keer van mama mocht kijken, en natuurlijk wat ik haar de laatste tijd had zien doen.

Ik probeerde mijn korte haar zo te borstelen dat het enigszins de stijl had van mama's haar, en liep toen naar de kast en begon haar rokken en blouses, haar jurken en zelfs haar ondergoed te passen. Ik had nog nooit een beha gedragen, en de manier waarop die mijn borsten vorm gaf, vooral onder een van mama's mooie roze of witte truitjes, fascineerde me. Ik probeerde verschillende oorbellen, kettingen en armbanden. Bij elke volledige outfit fantaseerde ik een andere gelegenheid: een afspraakje, een dansavond, theaterbezoek, of gewoon winkelen in een winkelcentrum. Ik paradeerde rond in de kamer, deed net of er jongens naar me keken, glimlachend, flirtend, wenkend met hun ogen.

'Kom niet te dicht bij ze,' waarschuwde ik mezelf, alsof ik samen was met een veel geraffineerdere vriendin. 'Geef geen antwoord. Kijk niet achterom. En lach niet.'

Maar was er niet altijd één jongen naar wie ik achteromkeek, die mijn aandacht trok en op mijn verbeelding werkte? Ik moest teruglachen. Ik sloot mijn ogen en droomde over ons gesprek, onze ontmoeting en onze wandeling samen. Hij zou een afspraak met me willen maken en ik zou ja zeggen.

Zodra ik dat gedroomd had, liep ik terug naar de klerenkast en zocht naar iets dat geschikt was voor die gelegenheid. Wat trek je aan voor je eerste afspraakje met een jongen die je aardig vindt? Niet te opvallend, maar wel aantrekkelijk. Het is toch niet verkeerd om de nadruk te leggen op je lichaamsvormen? Een klein beetje maar. O, ik wou dat ik een echte vriendin had, iemand met wie ik urenlang aan de telefoon kon praten, over de malste, onbelangrijkste dingen die ons leven vulden en die op te blazen als ballons op een feest.

Ik mis het feest, dacht ik met iets van paniek. Het gaat voor eeuwig en altijd aan me voorbij. Ik zette die trieste stemming van me af en zocht verder.

Ik vond een lichtblauwe jurk die strapless kon worden gedragen. Hij had een diep uitgesneden v-hals met een kraag, die veel van mijn decolleté liet zien en die strak rond mijn middel sloot. De aanblik van mijn vrouwelijke alter ego benam me de adem. Ik ben mooi, ik kan sexy zijn, dacht ik.

'Kijk me niet zo verwijtend aan, mama,' zei ik tegen het denkbeeldige gezicht in de spiegel. 'Dacht jij niet precies zo en deed je niet dezelfde dingen toen papa je kwam halen voor jullie eerste afspraak? Jij werd ook verliefd op jezelf. En probeer me niet wijs te maken dat dat iets anders was, omdat dat toen was en dit nu. Dat zeggen oudere mensen altijd.'

Ik zocht bij de oorbellen naar een paar dat bij mijn jurk paste en vond toen de ketting die papa lang geleden eens aan mama had gegeven, een ketting van echte diamanten. Ze droeg hem nooit meer. Het was me absoluut verboden die te dragen, maar ik deed het toch.

Omdat ik dit beschouwde als een heel bijzondere afspraak, liep ik terug naar de toilettafel en koos een andere kleur lippenstift, een die bij mijn jurk, mijn uiterlijk, paste. Ik hield dezelfde oogschaduw en borstelde mijn wimpers. Mama had een keer overwogen mijn wimpers bij te knippen, maar had uiteindelijk besloten het erbij te laten. 'Per slot,' zei ze, 'zijn er zoveel vrouwen die je hoort zeggen "Ik wou dat ik zijn wimpers had" over een jongen met natuurlijke lange wimpers.'

Ja, denk je eens in.

Ik maakte het geheel af door me te bespuiten met een van mama's parfums, en stond toen op, draaide rond, lachte tegen mijn spiegelbeeld, mijn fantastische gedaantewisseling.

Wat nu? dacht ik, toen ik stilstond.

Ik keek naar de deur van de slaapkamer. Zou ik het wagen? Het was jaren geleden dat ik meisjeskleren had gedragen in dit huis. Alleen heimelijk in de torenkamer of in mijn eigen kamer of de badkamer had ik mijn vrouwelijke lichaam ontbloot sinds die dagen in het bos, op mijn geheime plekje.

Mijn opwinding gaf me moed, maar mijn hart bonsde toen ik naar de deur liep. Als mama eens onverwacht terugkwam en me betrapte? Als ze eens van gedachten was veranderd, zich ongerust maakte over ons of misschien zelfs ruzie had gehad met Dave Fletcher en op weg was naar huis? Als ze eens door de voordeur binnenkwam en plotseling voor me stond? Alleen al die mogelijkheid belette mijn voeten zich te bewegen. Ik kon niet naar buiten. Ik kon het niet.

Toen keek ik achterom en zag mezelf gevangen in de spiegel boven de toilettafel.

Ik ben mooi, dacht ik. Ik hoor niet verstopt te worden.

Vastberaden liep ik de kamer uit naar de trap. Had ik, fantaseerde ik, niet net de deurbel gehoord? Dat was mijn afspraakje.

Mama had hem binnengelaten en hij wachtte tot ik de trap af zou komen. Langzaam liep ik naar beneden, met een glimlach om mijn lippen, dezelfde zachte glimlach die ik me van mama herinnerde toen papa nog leefde en ze alleen waren en niet wisten dat ik keek. Daar zou hij staan, mijn denkbeeldige knappe vriendje, bij de deur, omhoogkijkend naar mij.

'Je bent mooi,' zou ik hem ongetwijfeld horen zeggen, ademloos van bewondering.

'Dat ben ik niet,' zou ik antwoorden, blozend om mijn gezicht te verschuilen achter een sluier van onschuld en nederigheid.

Mama zou een stap achteruit doen. Feitelijk zou ze in de muur verdwijnen omdat ze dit niet kon beletten. Het was alsof je in een beek stond en probeerde het water met je blote handen tegen te houden. Ik stroomde langs haar en ten slotte over haar heen.

Mijn vriendje zou me een arm geven en we zouden naar buiten lopen en in zijn mooie, flitsende, rode sportauto stappen. Alles was er, alles gebeurde vlak voor me, als ik het maar liet gebeuren.

Ik liep de trap af.

Toen draaide ik me om en liep de zitkamer in en ging op de bank zitten alsof het de voorbank was van een auto. Ik zat in zijn auto.

'Rij voorzichtig,' hoorden we mama roepen.

Zijn glimlach, mijn opwinding, onze verwachting, waren een paraplu die de rest van de wereld bij ons vandaan hield, erbuiten hield. Mama's woorden vielen neer als regendruppels en verdwenen in de grond. We konden alleen maar onze eigen stemmen horen. Hij stak zijn hand uit, pakte mijn hand vast en drukte die met een teder gebaar.

'Ik ben zo blij dat je besloten hebt met me uit te gaan. Dank je,' zei hij. Natuurlijk zou hij dat zeggen.

Ik glimlachte slechts en sloeg mijn ogen neer, denkend: wees bescheiden, verlegen.

We reden weg. Waar zouden we naartoe gaan? Een goed restaurant? Een bioscoop? Een dansclub? Of gewoon een mooie omgeving waar we konden wandelen en alleen zijn? Waar we ook naartoe gingen, we verlangden ernaar om alleen te zijn. Ik kon de behoefte in me voelen toenemen en ook in hem.

We zouden parkeren, zoals mensen op een afspraakje altijd deden. Hij kende een plek, een beschutte plek, waar niemand ons zou komen storen. Toen we er waren, deed hij de lichten van de auto uit. Ik deed hetzelfde in de zitkamer. Ik zat nu in dezelfde duisternis. 'Ik vind je echt ontzettend aardig, Celeste,' zou hij zeggen. 'Ik bewonder je al heel lang en heb al mijn moed moeten verzamelen om je mee uit te vragen. Als je geweigerd had, zou het mijn hart gebroken hebben.'

'O, vast wel,' zou ik cynisch zeggen. Ik werd geacht dat te zeggen en dan werd hij geacht te protesteren en me hartstochtelijk steeds opnieuw te verzekeren dat ik echt een heel bijzonder meisje was in zijn ogen, het meisje van zijn dromen.

'Er is geen avond voorbijgegaan zonder dat ik mijn ogen sloot en jou zag en fantaseerde dat jij en ik op deze manier samen zouden zijn. Ik heb gewacht op deze avond en deze kus,' zou hij zeggen, en dan zou hij me zoenen, en ja, het was geweldig en zelfs nog beter dan de zoen van mama en Dave Fletcher. Het deed mijn hele lichaam tintelen, tot in het diepst van mijn ziel, zodat ik verslapte in zijn armen en toeliet dat zijn handen mijn lichaam verkenden, een lichaam dat ik hem gretig aanbood. Het was alsof ik duizend jaar op hem gewacht had. Mijn overgave wond hem nog meer op, en hoe opgewondener hij werd, hoe meer ik het werd.

Ik voelde me langs de rug van de bank omlaag glijden, net zoals ik in de auto zou doen. Ik voelde hoe hij zijn handen op mijn rug legde en mijn jurk openritste en omlaag schoof tot mijn borsten bloot waren. Zijn lippen liefkoosden ze en sloten zich om mijn tepels, en hij boog zich kreunend en steunend over me heen.

Het was of ik langzaam wegzonk in een warm bad. Ik verhinderde niet dat zijn handen onder mijn rok naar mijn slipje kropen. Even later lag ik naakt onder hem en hoorde hem kermen van verrukking en zeggen: 'Ik hou van je.'

We vrijden behoedzaam, maar toen nam de passie bezit van ons en voelden we een uitzinnige behoefte elkaar en onszelf te bevredigen. Ik schreeuwde het soms uit en hij zoende me zo vaak, dat ik het gevoel had dat hij zijn lippen op mijn wang en op mijn mond had achtergelaten. Toen het voorbij was, leek het of een prachtig boek werd dichtgeslagen, een boek over ons. Ik was bevredigd en tegelijk teleurgesteld dat het afgelopen was.

'Een liefde als deze is zo intens en zo veeleisend, Celeste,' zei hij toen ik me beklaagde dat het voorbij was, 'dat we, als we niet stopten, onszelf zouden vernietigen, zouden exploderen en ons hart zou verscheurd worden omdat het te veel gevoelens zou bevatten.'

'Ja, ja,' fluisterde ik hardop. Ik deed mijn ogen dicht en sloeg mijn armen om me heen. Het drong tot me door dat ik naakt was, dat ik op de een of andere manier mama's kleren had uitgetrokken zoals ik had gedaan in mijn fantasie. Toen hoorde ik een hinnikend lachje en ik opende mijn ogen.

Zijn silhouet stond scherp afgetekend in de deuropening. Ik knipperde met mijn ogen en wreef erin, maar de schaduw verdween niet. Er was net voldoende licht toen hij naar rechts bewoog om zijn rode haar te kunnen zien.

'Hoe ben je hier binnengekomen?' fluisterde ik. Ook al stond hij op de donkerste plek, zijn glimlach was duidelijk zichtbaar.

'Jij hebt me binnengelaten,' zei hij. 'Als je zo bent als nu, laat je me de oversteek maken. Weet je dat niet?'

Ik schudde mijn hoofd. Ik wist het, maar ik wilde het niet weten, niet geloven.

'Als je niet zou veranderen, als je bleef zoals je nu bent, als je zou zijn wie je bent, zou je gekwelde broertje ook kunnen komen. In plaats daarvan zit hij daar gevangen in de duisternis. Ga naar het raam en kijk naar buiten. Maak het open en luister.'

'Ga weg,' riep ik.

'Ik ga niet weg, en als je moeder doorgaat met wat ze nu aan het doen is, zal ik heel vaak terugkomen.' Na een ogenblik vroeg hij: 'Hoe gaat het met mijn baby?'

Toen hoorde ik hem lachen. Haastig pakte ik mama's kleren op.

'Of moet ik zeggen *onze* baby?'

Zo gauw ik kon deed ik de dichtstbijzijnde lamp aan. Op hetzelfde ogenblik was hij verdwenen, onzichtbaar door het licht, en ik haalde diep adem. Toen holde ik de zitkamer uit, de trap op, terug naar mama's kamer. Haastig borg ik haar kleren weer op, ging aan de toilettafel zitten en veegde de lippenstift en rouge en eyeliner van mijn gezicht. Mijn hart bonsde zo hard, dat ik bang was dat ik flauw zou vallen en mama me de volgende dag, nog steeds bewusteloos, zou vinden.

Toen ik de make-up verwijderd had, overtuigde ik me ervan dat ik de kamer net zo achterliet als ik hem gevonden had, en elk potje en tube weer had gesloten. Daarna nam ik een hete douche, liet mijn huid bijna verbranden door het water. Ik keek even binnen bij Celeste en zag dat ze rustig lag te slapen, ongestoord, met een flauwe glimlach om haar lippen. Ze had prettige dromen, dacht ik, en haalde wat opgeluchter adem.

Die avond stapte ik in bed als iemand die in haar eigen doodkist ging liggen. Ik vouwde mijn armen over mijn buik, sloeg mijn handen ineen.

'Je zult weer moeten sterven, Celeste,' fluisterde ik. 'Je moet terug.'

Het was alsof ik mijn vrouwelijke lichaam in me terug kon duwen. Toen ik naar het raam links van me keek, zag ik Elliots gezicht en handen tegen de ruit gedrukt. Hij was buiten en keek weer naar binnen. Ik moest hem daar houden, bij ons vandaan houden. Hoe zou ik dat mama moeten laten begrijpen?

'Papa,' fluisterde ik, 'kom alsjeblieft bij me terug. Vertel me alsjeblieft wat ik moet doen.'

Ik luisterde gespannen. Mijn oren suisden. Ik draaide me om en verborg mijn gezicht in het kussen.

Morgen misschien, dacht ik. Morgen zal hij komen en zal ik me niet meer zo eenzaam en verloren voelen.

Toen ik weer opkeek, was Elliots gezicht verdwenen. Tussen twee donkere wolken glinsterde een ster.

Papa had Noble en mij verteld dat elke ster aan de hemel een nieuwe wens, een nieuwe belofte was.

'Hoe komt het dat er zoveel zijn?' vroeg Noble hem.

'De mensen hebben zoveel wensen. Wens jij ook niet allerlei dingen, de hele dag door? En jij, Celeste?'

'Ja,' zei ik. 'Hopen dingen.'

'Mama zegt dat die oude put een wensput is,' vertelde Noble hem.

Papa glimlachte. 'Ja, dat is ongeveer het enige waar hij nu nog voor deugt.'

'Ik gooi er elke dag een steen in en doe een wens,' zei Noble.

'Heus? En jij, Celeste?'

'Zij niet,' antwoordde Noble in mijn plaats. 'Zij vindt het maf.'

'Ik heb nooit gezegd dat ik het maf vindt.'

'Nou, je doet het toch niet?'

'De sterren zijn mijn wensen, zoals papa zegt.'

Noble keek kwaad maar gefrustreerd. 'Het kan me niet schelen.'

Papa lachte. 'Wat heb je voor vandaag gewenst?'

Noble perste zijn lippen op elkaar en sloeg zijn armen losjes om zich heen.

'Je hoeft het niet te vertellen,' zei papa, en woelde door Nobles wilde bos haar.

Hij keek naar papa en toen naar mij. 'Ik heb geen echte vriendjes. Ik wou dat Celeste een jongen was.'

Ik viel in slaap met het beeld voor ogen van een steen die eeuwig omlaag leek te blijven vallen in de wensput.

Toen hij eindelijk de bodem raakte werd ik met een schok wakker. Ik voelde iemands aanwezigheid en ging rechtop zitten. Baby Celeste stond in de deuropening met haar pop in haar armen.

'Celeste, wat doe je uit je bed?'

Ik zwaaide mijn voeten naar de rand van mijn bed om op te staan

'Wakker gemaakt,' zei ze.

Ik glimlachte naar haar, knielde toen neer en keek haar aan. 'Wie heeft je wakker gemaakt?'

Ze knikte naar de deuropening. Was mama thuis?

'Mama?'

Ze schudde haar hoofd.

'Wie heeft je dan wakker gemaakt, Celeste?'

'Papa,' zei ze, en holde terug naar haar kamer.

Als iemand die vastgevroren zit in een blok ijs stond ik op en hoorde de lucht om me heen kraken.

Toen volgde ik haar en keek toe terwijl ze haar pop weer in zijn kleine bedje legde.

'Heeft papa je wakker gemaakt?' vroeg ik.

Ze lachte naar me.

'Waar is papa?'

Ze liep naar het raam. Ik volgde haar en keek samen met haar naar buiten. Ik zag niemand.

'Zie je papa, Celeste?'

Ze schudde haar hoofd en hief haar armen op. 'Weg.'

Ik keek weer naar buiten. Bedoelde ze mijn papa of bedoelde ze Elliot?

In mijn hart besefte ik dat het niet lang zou duren voor ik het zou weten.

6. Thanksgiving

Mama kwam pas laat in de middag terug. Ze belde 's morgens om te zeggen dat ze op weg was naar huis, maar dat ze misschien zouden stoppen voor de lunch, en ze in dat geval nog wat wilde winkelen.

'Je hebt een paar nieuwe kleren nodig, Noble. Ik verwacht dat je binnenkort naar buiten gaat en ik wil dat je er goed uitziet,' voegde ze eraan toe.

Wat bedoelde ze met naar buiten gaan? Naar buiten waarheen en met welk doel? De twijfel maakte me de hele dag nerveus. Ik hield Baby Celeste bezig met spelletjes en voorlezen, en voor de lunch deden we net of we een picknick hielden op de grond van de zitkamer. Ik legde een deken neer en zette de radio aan. We hadden het wel eens eerder gedaan en ze vond het prachtig. Binnenkort zullen we een echte picknick houden buiten in de heldere, warme zon, dacht ik, al wist ik niet hoe of wanneer.

Ik herinnerde me onze picknicks toen papa nog leefde. Noble hield ervan, net als ik, en zelfs mama. We waren toen allemaal zo gelukkig. Het was moeilijk te geloven dat het ooit zou veranderen, dat iets kwaads ons ooit kon deren, en dat er een tijd zou komen waarin we niet bij elkaar waren. Zou dat gevoel, dat heerlijke gevoel, ooit weer opgepakt kunnen worden? Misschien nooit.

Toen ik Celeste in bed had gestopt voor haar middagslaapje, ging ik op de veranda zitten met de deur open en de hordeur gesloten. Ik zou het kunnen horen als ze me riep. Ik vond het jammer dat ik niet buiten kon werken. De zon scheen, maar een koudefront trok zuidwaarts vanuit Canada en de middagtemperatuur was ongewoon laag voor de tijd van het jaar. Het leek meer op een mooie herfstdag, een perfecte dag voor het werk dat me nog restte.

Om een uur of vier zag ik de auto van Dave Fletcher op de oprijlaan. Snel stond ik op en ging naar binnen. Baby Celeste sliep nog. Ik hurkte bij het raam in de zitkamer en zag hoe de auto stopte voor het huis. Fletcher sprong er onmiddellijk uit en liep haastig naar de andere kant om het portier voor mama open te houden. Ze lachten allebei om iets. Hij maakte het achterportier open en haalde een paar winkeltassen uit de auto. Ik kon zien dat hij alles voor haar naar binnen wilde dragen, maar ze zei dat ze het wel alleen af kon. Ze wist blijkbaar niet zeker of Baby Celeste al dan niet boven lag te slapen.

Ze zoenden elkaar weer en mama liep naar het huis.

'Ik bel je later,' riep hij haar na, stapte in zijn auto en reed achteruit. Ze stond op de veranda en keek hem na terwijl hij keerde en wegreed voor ze binnenkwam. Ik kwam haar tegen in de gang.

'Alles in orde?' vroeg ze onmiddellijk.

Ik wilde haar niet laten weten dat ik haar door het raam bespioneerd had, maar ik wist zeker dat ze het in mijn ogen kon zien. Soms geloofde ik dat alles waarnaar ik keek op de oppervlakte van mijn ogen bleef hangen en mama het kon zien. Het was zinloos om te ontkennen dat je gekeken had naar iets dat verboden was.

'Ja, mama.'

'Waar is het kind?'

'Ze slaapt nog.'

'Goed. Hier.' Ze gaf me een van de tassen. 'Er zitten een paar mooie shirts en hemden voor je in, sokken en twee spijkerbroeken.'

Ze liep naar de trap.

'Waar ben je geweest? Ik dacht dat je veel vroeger thuis zou komen,' zei ik, terwijl ik haar volgde.

Ze draaide zich om en keek glimlachend op me neer.

'Je klinkt net als mijn vader, Noble. "Waar ben je geweest?" vroeg hij altijd op precies zo'n bitse toon. En dan stond hij net als jij met zijn handen op zijn heupen. De mannen in deze familie zijn allemaal uit hetzelfde hout gesneden.'

Ik liet snel mijn handen zakken. 'Ik maakte me ongerust.'

'Ongerust? Ik heb je gebeld. Je wist dat ik ongeveer om deze tijd thuis zou komen. Wees toch niet zo'n... zo'n zenuwpees.' Ze lachte zacht en liep de trap op.

Ik keek achterom naar de deur alsof Dave Fletcher nog aanwezig was en liep toen haastig achter haar aan. Ook al had ik opgeruimd en haar dingen weer netjes op hun plaats gezet, toch was ik onwillekeurig bang dat ze, als ze in haar slaapkamer kwam, zou weten dat ik er geweest was en had gedaan wat ik had gedaan met haar make-up en kleren. Maar ze gedroeg zich niet als mijn inzichtelijke moeder, mijn opmerkzame, begaafde moeder. Ze gedroeg zich meer als een tiener, giechelend om alles wat er tijdens haar afspraak gebeurd was, terwijl ze aan één stuk door babbelde over de manier waarop Dave Fletcher en zij genoten hadden van dat verrukkelijke diner en geslapen hadden in de zogenaamde bruidssuite. Ze praatte lyrisch over de schitterende omgeving.

'Er was een meer vlakbij. Na het ontbijt hebben we een roeiboot gehuurd. Ik kan me niet herinneren wanneer ik zoiets voor het laatst heb gedaan. Het was of ik in een Venetiaanse gondel zat. Ik lag achterover met een wilde bloem in mijn haar en hij roeide en zong in het Italiaans. Hij heeft een heel mooie stem, weet je.

'Ik had helemaal geen zin om daar weg te gaan, maar we gingen naar een enorm winkelcentrum. Ik voelde me net iemand van een andere planeet, of in ieder geval uit een ander land, het verbijsterde me zo groot als het was. Dave vond het amusant, maar geloof me, je zou er weken kunnen doorbrengen en dan nog niet alles hebben gezien, Noble. En je kon uit zoveel restaurants kiezen om te lunchen. Ik heb Mexicaans gegeten. Dat had ik niet meer gedaan sinds je vader me het hof maakte.

'In ieder geval heb ik me geen seconde verveeld, geen seconde,' zei ze, terwijl ze haar tas uitpakte.

Ze bekeek zichzelf in de spiegel van de toilettafel, en een ogenblik dacht ik dat ze zou beseffen dat ik daar had gezeten, maar ze keek alleen maar naar haar eigen haar en gezicht.

'Dave vindt dat ik een opmerkelijk jonge huid heb. Waarschijnlijk is dat ook zo. Natuurlijk is dat geen toeval. Kijk eens wat ik voor mezelf gekocht heb,' voegde ze er snel aan toe, en haalde een doorzichtig, roze negligé uit haar tas. Ze hield het voor zich en keek weer in de spiegel. 'Nou? Blijf daar niet staan als iemand die bewusteloos is maar zijn ogen openhoudt, Noble. Is het beeldig?'

'Ja,' antwoordde ik, maar aan haar gezicht kon ik zien dat ik niet enthousiast genoeg klonk.

'Waarom pas je niet een paar van je nieuwe kleren? Misschien moet ik de pijpen van je spijkerbroeken korter maken. Toe dan. Trek er een aan en kom dan terug,' zei ze enigszins geërgerd.

Ze draaide zich weer om naar haar tas, maar na een korte pauze praatte ze verder tegen me, alsof ze haar teleurstelling alweer vergeten was. 'Weet je wat Daves favoriete liefdesliedje is, Noble? "La Vie en Rose". Vind je dat niet opmerkelijk? Dat was ook het lievelingslied van je vader. Ik heb het niet meer gespeeld sinds zijn dood, maar nu zal ik dat weer doen. Ik zal het voor Dave spelen zodra hij hier komt.'

'Nodig je hem bij ons thuis uit?'

'Natuurlijk nodig ik hem hier uit. Begrijp je dan helemaal niets?' Ik schudde mijn hoofd. Hoe wilde ze dat doen, met Baby Celeste? Of verwachtte ze dat ik me boven met haar zou verstoppen?

'Trek die spijkerbroek nou maar aan, Noble. Ik heb nu geen geduld voor dat stomme gedoe van je. Schiet op,' beval ze, en wenkte dat ik weg moest gaan.

Als versuft liep ik naar mijn kamer en deed wat ze vroeg. Voor ik terug kon gaan, verscheen ze in mijn kamer. Ze had al haar kleren opgeborgen en een van haar peignoirs aangetrokken. Ook de make-up was verdwenen, en ze leek weer meer op zichzelf.

'Dat dacht ik wel,' zei ze en knielde bij me neer om de broekspijpen ongeveer vier centimeter om te slaan. 'Oké. Trek maar uit. Ik zal het zo gauw mogelijk in orde maken.'

Baby Celeste hoorde haar stem en riep.

'O, mooi, ze is wakker,' zei mama en liep haastig naar haar kamer.

Ik trok de nieuwe spijkerbroek uit en mijn oude weer aan. Terwijl ik dat deed, hoorde ik dat mama het bad in haar badkamer vol liet lopen. Waarom zou ze dat doen? vroeg ik me af. Het was te vroeg om Baby Celeste in bad te doen, dacht ik, maar toen ik naar binnen keek in de badkamer, zag ik dat ze dat wel degelijk had gedaan. Het kind zat in het bad.

'Waarom doe je haar nu in bad, mama?'

Baby Celeste keek lachend naar me op.

Mama gaf geen antwoord. Ze goot een van haar kruidenshampoos over Baby Celestes hoofd en begon de verf uit haar haar te wassen. Ik keek verbaasd toe terwijl ze het uitspoelde en de fraaie diepe rode kleur tevoorschijn kwam.

'Waarom doe je dat, mama?' vroeg ik ademloos.

'Omdat het tijd is.' Ze draaide zich om en keek me met een harde, koude, vastberaden blik aan. Haar ogen waren donker. 'Het is tijd. Tijd om morgen te verwelkomen.'

Tijd om morgen te verwelkomen? Wat had dat in vredesnaam te betekenen?

'Je kunt weer aan je werk gaan, Noble. Het is nog lang niet donker. Ga je karwei afmaken.'

Ik bewoog me niet.

Ze draaide zich met een ruk naar me om. 'Nou?'

'Oké, mama.'

Langzaam liep ik de trap af. Ik was verontrust. Er veranderde zoveel, en zo gauw. Onze wereld maakte een soort omwenteling door. In veel opzichten zou ik daar blij om moeten zijn, dacht ik, maar ik was eerder bang dan blij. Ik voelde 'morgen' als een bedreiging.

Ik bleef buiten aan het werk tot mama me binnenriep om te komen eten. Het was verbluffend Baby Celeste met een dikke bos rood haar te zien, maar mama vertrok geen spier. Het leek bijna of ze niet merkte wat ze had gedaan.

'Over een week geven we een klein dineetje,' kondigde ze aan toen we aan tafel zaten.

'Een dineetje? Wat bedoel je, mama?'

'Ik haal mijn mooiste porselein tevoorschijn en gebruik het linnen tafelkleed van mijn grootmoeder. Het zal een heel bijzondere avond worden. Het is tijd dat Dave je leert kennen, Noble.'

Ik had het gevoel dat mijn keel werd dichtgeknepen en ik moest mijn uiterste best doen om iets te zeggen.

'Je vraagt meneer Fletcher hier te eten?'

'Dat is de bedoeling van een dineetje, Noble. Je nodigt mensen uit. In dit geval niet meer dan één.' Ze boog zich voorover om wat veenbessensap van Baby Celestes kin te wrijven.

'En Baby Celeste dan?'

'Wat is er met haar?'

Ik schudde langzaam mijn hoofd. Angst maakte zich van me meester. Wat wilde ze dat ik zei, dacht? Welke waarheid moest ik negeren? Moest ik haar op de man af vragen of ze niet bang was dat hij zijn zoon zou zien in het gezicht van Baby Celeste? Zoals mama over haar praatte, had ze niets genetisch behalve die uit onze fantasie stamde, die van haar, om precies te zijn.

'Ik bedoel, hij zal haar zien,' was alles wat ik durfde te zeggen.

Mama keek van mij naar Baby Celeste en schudde bedroefd haar hoofd.

'O, ja,' zei ze, alsof ze zich alles zojuist herinnerde. 'Arme kleine Celeste. Wat afschuwelijk.'

'Wat?' vroeg ik en hield mijn adem in.

'Mijn achternicht van moeders kant, Lucinda Heavenstone, en haar man Roger, zijn omgekomen bij een auto-ongeluk, en ze waren nog zo jong, hadden zoveel om voor te leven. Zoals je weet, zijn Lucinda's ouders allebei overleden,' ging mama verder. 'Rogers vader had twee jaar geleden een zware beroerte, weet je nog? En zijn moeder is gestorven toen ze van Roger beviel. Zijn stiefmoeder wil niets te maken hebben met de zorg voor Rogers vader of die arme kleine Celeste, die nu niemand ter wereld meer heeft.

'Behalve ons. Wat konden we anders doen dan haar in huis nemen?' vroeg mama. 'En ze is zo aan ons gehecht geraakt. Zo'n uitzonderlijk kind, vind je niet?

'In ieder geval, waarvoor heb je familie als je niet een goede christelijke daad kunt doen, zoals dit? We kunnen haar toch niet bij vreemden laten wonen, haar laten onderbrengen bij een of ander pleeggezin, hè, Noble?'

Ik staarde haar aan. Zou Dave Fletcher dat verhaal geloven? Zou iemand dat geloven? Aan de andere kant, wat kon het iemand schelen of het waar was of niet?

Mama keek zo zelfverzekerd, en toch deed de manier waarop ze glimlachte haar gezicht meer op een masker lijken. Ze had nóg iets te zeggen, had nog iets anders in gedachten.

Alsof ze het moment had afgewacht ging de telefoon juist toen ze zich omdraaide om naar de keuken te gaan.

'Ik verwacht een telefoontje,' zei ze, en stond op.

Ik spitste mijn oren om iets van het gesprek op te vangen.

'O, Dave,' hoorde ik haar zeggen, 'er is iets verschrikkelijks gebeurd. Ik zal je morgen niet kunnen zien. Ik moet naar Pennsylvania. Een jong nichtje van me en haar man zijn om het leven gekomen bij een afschuwelijk auto-ongeluk. Een frontale botsing met een van die afgrijselijke vrachtwagencombinaties. Ze zijn allebei dood, maar wonder boven wonder heeft hun kind geen ernstig letsel opgelopen... Ja... Nee, ik ga niet alleen voor de begrafenis. Ik ga hun kind halen. Een meisje van nog geen drie. Er is niemand anders... Ja, ja, het is verschrikkelijk. Ik weet dat je het begrijpt, dat stel ik erg op prijs... Nee, alles zal goed gaan. Dank je voor je aanbod. Ik bel je zodra ik terug ben... dank je. Het gaat prima, Dave. Alsjeblieft... Ja, ik weet het, maar wat betekent familie als ik dit niet kan doen?... Ik ook. Ik bel je zodra ik kan.'

Ik hoorde dat ze ophing.

Toen ze terugkwam in de eetkamer, keken Celeste en ik haar allebei aan.

Ze lachte naar ons. 'Kijk niet zo bezorgd, kinderen. Alles gaat precies zoals me gezegd is dat het zou gaan.'

Baby Celeste klapte in haar handjes alsof ze elk woord begreep. Ik keek mama strak aan. Voor het eerst was zij degene die als eerste haar blik afwendde. Ze ging snel de tafel afruimen.

'Breng Baby naar de zitkamer,' beval ze. 'Ik kom direct. Ik wil "La Vie en Rose" repeteren,' voegde ze er met een glimlach naar mij aan toe en ging toen naar de keuken.

Ik tilde Baby Celeste uit haar stoel en nam haar mee naar de zitkamer. Ik voelde me zo zwak en angstig, dat ik dacht dat ik haar zou laten vallen, dus zette ik haar gauw neer. Vanavond wilde ze fotoalbums bekijken. Er lag een verzameling op een klein tafeltje. Sommige foto's waren zo oud en vervaald dat er bijna niets meer duidelijk op te zien was. Baby Celeste kon urenlang naar de foto's kijken als we haar haar gang lieten gaan. Hoe ze zo geïnteresseerd kon zijn in mensen die ze nog nooit ontmoet of gezien had, intrigeerde me. Ze vond het prachtig om naar baby's en kinderen te wijzen.

'De eerste Celeste,' fluisterde ik tegen haar. Ze zei niets, maar keek van mij weer naar de foto.

Wat ging er om in dat kleine hoofdje van haar? vroeg ik me af. Wat dacht ze als ze die naam hoorde en naar me keek? Tot hoeveel kennis was ze in staat?

Toen mama binnenkwam, liep ze rechtstreeks naar de piano en begon het liedje te oefenen. Na een tijdje begon ze het ook te zingen, in het Frans. Ze had een mooie stem.

Waarom zou Dave Fletcher niet halsoverkop verliefd op haar worden? Zou niet iedere man dat?

Voor ze uitgezongen was, keek ze naar een van de ramen en toen weer vol verwachting naar mij. 'Ik wist dat het lied hem hierheen zou brengen, Noble,' zei ze. Hem hierheen brengen? Wie? Papa? Haar glimlach vertelde me dat hij degene was die ze zag.

Maar voor mij was er alleen maar duisternis. Ik wachtte gespannen op zijn glimlachende gezicht, maar het gezicht dat ik eindelijk vorm zag aannemen was niet dat van papa. Het was van Elliot. Ik draaide me met een ruk om, wilde weten of mama hem ook zag, maar ze zong weer en was verdiept in haar eigen gedachten. Vertel het haar, dacht ik, vertel het haar voor het te laat is. Als ze snel genoeg opkijkt, zal ze hem ook zien en zal ze je geloven. Ik riep haar niet, ik had de moed niet, en even later was het raam weer donker. Toen ik eindelijk naar bed ging, bleef ik beven. Ik had voortdurend koude rillingen en dacht dat ik ziek zou worden, maar eindelijk viel ik in slaap, en toen ik wakker werd, voelde ik me weer goed.

De volgende dag sloot mama zich op. Ze zette geen voet buiten het huis. Per slot werd ze geacht naar Pennsylvania te zijn afgereisd om baby Celeste te halen en mee naar huis te nemen. Tijdens het eten kreeg ze een telefoontje van mevrouw Zalkin, die de volgende dag met een vriendin wilde komen om een paar kruidencrèmes te kopen die mama gemaakt had.

'Perfect,' zei ze tegen me toen ze had opgehangen. 'Het gaat allemaal perfect.'

Ik had geen idee waarom, tot ik besefte dat mama me niet gevraagd had met Baby Celeste naar de torenkamer te gaan als ze kwamen. Toen ze met verbaasde ogen naar haar keken, gaf mama me een knipoog. Ze begon haar verhaal en ze luisterden vol medeleven en begrip, maar ook met een zeker scepticisme, dat mama tot mijn verbazing totaal niet leek te hinderen. Ze gingen weg, haar prijzend om haar menslievendheid, maar keken elkaar veelbetekenend aan.

Met Baby Celeste in haar armen stond mama op de veranda en zag hen wegrijden. Toen draaide ze zich glimlachend naar me om.

'Het is nu nog maar een kwestie van tijd voordat iedereen het weet,' zei ze. 'Het was geen toeval dat een van de grootste kletstantes van het dorp vandaag bij ons kwam, weet je. O, de geruchten zullen als een zwerm sprinkhanen in het rond vliegen.' Ze lachte vreemd.

Ik hoorde dolgelukkig te zijn. Baby Celeste was vrij, bevrijd uit de gevangenis van het niet-bestaan. Ze kon de wereld in, spelen in de zon, uitstapjes met ons maken, tot leven komen. Maar het was alsof er een donderbui boven je hoofd hing die elk moment kon losbarsten. Die avond belde mama Dave Fletcher en nodigde hem uit op haar dineetje zoals ze van plan was geweest. Naar wat ze me had verteld, wist ik dat het in het dorp al gonsde van de geruchten over haar romance met Dave Fletcher. Langzaam had ze de roddels aangewakkerd, suggereerde haar nieuwsgierige klanten dat de heimelijke relatie aan het licht was gekomen, dat ze al een tijdlang met elkaar omgingen. Sommige mensen beweerden zelfs dat ze het hadden geweten, wat mama nog meer amuseerde.

'Ze hadden zich afgevraagd hoe het kwam dat ik zo weinig belangstelling had voor mannen en waarom Dave Fletcher nooit enige romantische belangstelling had getoond met al die beschikbare weduwen en gescheiden vrouwen in het dorp. Nu denken ze allemaal dat ze het antwoord weten. Begin je het te begrijpen, Noble?' vroeg ze.

Natuurlijk begreep ik het. Het had allemaal als een ondergrondse stroom onder mijn bewuste gedachten gekabbeld. Mama geloofde dat onze spirituele familie het had gepland en geregeld, en ze nog steeds actief aan het werk waren met alles wat er zou volgen. Iedereen die naar mama, Dave Fletcher en Baby Celeste keek, zou de conclusies trekken die mama wilde. Ze hoefde zich niet ongerust te maken dat iemand zou ontdekken dat haar verhaal over een nicht en een neef die bij een tragisch ongeluk om het leven waren gekomen, een fictie was. Niet alleen zou ze nooit met de waarheid geconfronteerd worden, niemand zou ooit de waarheid weten. Niemand zou ooit weten wie ik in werkelijkheid was. Op een andere manier, een effectieve en heel slimme manier, had ze me zelfs nog dieper begraven.

Dus was mijn vreugde voor Baby Celeste getemperd en van korte duur. Haar 'geheim' aan de openbaarheid prijsgeven betekende mijn definitieve begrafenis. Ik probeerde gelukkig te zijn, vrolijk, zoals mama wilde, vooral waar anderen bij waren, maar het was alsof ik in een duistere wolk was gehuld en door een donkere sluier naar de wereld keek.

Die hele volgende week liet mama zich door Baby Celeste en mij vergezellen bij het winkelen. Vroeger had ze Baby Celeste zelfs voor de zon nog verborgen gehouden, nu wilde ze dat zoveel mogelijk mensen haar zagen. Met opzet trokken we de aandacht van de vrouwen van wie ze wist dat het roddelaarsters waren, of we ons nu in een van de winkelcentra bevonden, in een warenhuis of op straat. Ze had een prachtig verhaal en ratelde dat af met veel dramatiek.

'Toen mijn nichtje haar baby kreeg,' vertelde ze de vrouw van de burgemeester, 'belde ze me onmiddellijk om te vragen of ik het erg vond als ze haar dochtertje de naam gaf van mijn arme gestorven Celeste. Natuurlijk vond ik het een heel mooi gebaar en ik zei haar dat ze het zeker moest doen. Dus daar is ze dan,' zei ze, en wipte Baby Celeste op en neer in haar armen, 'mijn Celeste. Het is een vreselijke tragedie, maar kijk eens wat een mooi, lief kind eruit voortgekomen is.'

Ze bewoog bijna iedereen tot tranen.

Later vertelde ze me glimlachend: 'Wat ze ook denken over Dave Fletcher en mij, ze zullen het als een diep geheim bewaren. Ze vinden mijn verhaal veel te mooi. Ze zitten zo vol conclusies, dat ze nooit slechte praatjes zullen verspreiden over Baby Celeste. Ze zal haar hoofd niet hoeven buigen als ze ouder is. Ze zullen hoogstens medelijden met haar hebben.'

Als ik naar de gezichten keek van de mensen, zag ik dat mama gelijk had. Wat kende zij ze goed. Hoe zou ik ooit kunnen twijfelen aan iets wat ze deed of dacht?

'En het kind is zo gehecht geraakt aan Noble,' vertelde ze hun. 'Het is of ze al sinds de dag van haar geboorte bij hem is. En hij gaat zo goed met haar om,' voegde ze eraan toe met een trotse blik op mij. 'Het is voor hem net zo eenzaam geweest als voor mij, maar jij hebt je Celeste weer terug, hè, zoonlief?' vroeg ze me waar iedereen bij was.

'Ja,' zei ik dan.

Ik was al bij alles betrokken, zat al in het web dat ze met haar geesten gesponnen had.

Maar niets vond ik zo beangstigend als de avond waarop Dave Fletcher bij ons kwam eten, de avond waarop hij, zonder het te weten, zijn eigen kleindochter zou zien, en de avond waarop hij mij terug zou zien.

Mama was zenuwachtiger dan ooit over het diner dat ze moest klaarmaken, over het dekken van de tafel, en over de inrichting van ons huis. Ik weet niet wie van ons beiden Fletchers komst met meer angst en beven tegemoet zag. Alleen Baby Celeste leek onveranderd. Al die dagen van reizen en winkelen, voor het eerst van haar leven in de openlucht, andere mensen leren kennen, het leek niet zo'n dramatische indruk op haar te maken als ik gevreesd had, alsof ze geweten had dat het zo zou gebeuren. Niemand kon zien dat ze haar leven lang afgezonderd was geweest.

Mama had besloten een kalkoen te braden. Het was net een Thanksgiving-diner, en niet bij toeval.

'Dave heeft verleden jaar geen Thanksgiving gevierd,' vertelde ze me. 'Zijn dochter was niet thuis en hij voelde er niets voor om naar zijn familie in New York te gaan. Hij schijnt niet zo close te zijn met zijn familie, wat ik eigenlijk al gedacht had. Het komt allemaal heel goed voor ons uit, dat zul je zien. Het is echt onze Thanksgiving, Noble.'

Ze zorgde ook voor alle bijgerechten. Ze vulde de kalkoen, stoofde uien in boter en room, maakte zoete-aardappelpudding. Ze had cranberrysaus en eigengebakken brood. Als dessert bakte ze weer een rabarberpudding, maar deze keer zou ze er vanille-ijs bij serveren. Het rook heerlijk in huis en mijn maag begon te knorren; het verdreef bijna de vlinders in mijn buik.

De tafel stond al gedekt sinds halverwege de middag. Nu en dan liep mamma de eetkamer in en veranderde iets, verving een glas, verzette een bord, schikte de bloemen en inspecteerde het bestek. Ze twijfelde of ze mij tegenover Dave Fletcher zou laten zitten of naast hem, en veranderde de tafelschikking twee keer voor ze besloot dat ik naast hem moest zitten.

'Ik wil niet dat je naar hem zit te staren en hem verlegen maakt,' zei ze. 'Ik ken je, Noble. Dat kun je doen zonder het te beseffen.'

Misschien had ze gelijk. De enige keer dat ik me kon herinneren dat ik zo zenuwachtig was in bijzijn van vreemden, was als ik naar het schoolgebouw moest voor de high-schooltest. Ik schreef me in als Noble Atwell. De leraar die het examen controleerde, leek me van tijd tot tijd opvallend onderzoekend aan te kijken. Ik deed mijn best hem te negeren, maar soms beefde mijn hand tijdens het schrijven.

Een uur voordat Fletcher zou komen, zat ik in de zitkamer en hield Baby Celeste bezig. Mama was ook minder streng met televisiekijken en stond ons een paar kinderuitzendingen toe.

'Mijn nicht en neef zouden haar ongetwijfeld eindeloos naar de televisie hebben laten kijken,' merkte ze op toen ze in de deuropening stond en wij zaten te kijken. 'Ik weet hoe jonge ouders tegenwoordig zijn. Ze gebruiken dat idiote kastje als babysitter. Ze willen niet veel tijd besteden aan onderwijs en opvoeding van hun kinderen. Daar zijn ze te egoïstisch voor.'

Ze sprak over haar fictieve nicht en neef alsof ze werkelijk geloofde dat ze bestaan hadden. Het gaf me het gevoel dat ik acteerde in een toneelstuk, vooral toen ze wilde dat ik alles beaamde wat ze zei. Uiteindelijk was het een drama dat we moesten opvoeren voor Dave Fletcher.

'Herinner je je nog hoe ze waren toen ze ons een jaar geleden bezochten, Noble? Weet je nog?'

Ze wachtte op mijn antwoord.

Ik knikte. 'Ja, mama.'

'Goed,' zei ze tevreden. En toen, voordat Fletchers auto voor het huis stopte, verklaarde ze: 'Hij is er. Wees gewoon jezelf en zorg ervoor dat hij zich geen moment ongemakkelijk voelt.'

Hij zich ongemakkelijk voelen? Was ze blind? Zag ze niet hoe ik inwendig beefde, of wilde ze het gewoon negeren?

Ik hoorde de deur dichtvallen. Baby Celeste keek op en wendde haar ogen af van het televisietoestel.

'Zet de televisie af en ga met haar naar de eetkamer,' zei mama.

Ze liep naar de deur voordat Fletcher de klopper kon gebruiken.

'Welkom,' hoorde ik haar uitroepen.

Ik tilde Baby Celeste op in mijn armen, haalde diep adem en liep de gang in op het moment dat ze elkaar hadden omhelsd. Ze draaide zich naar ons om.

'Je herinnert je nog mijn zoon Noble?' zei ze.

'Ja, natuurlijk. Hoi, Noble.'

Als er pijnlijke herinneringen bij hem opkwamen, dan wist hij dat goed te verbergen. Hij lachte vriendelijk naar me. Het was bijna drie jaar geleden dat ik hem gezien had. Er liepen grijze strepen door zijn roodbruine haar. Dat herinnerde ik me niet, maar ik herinnerde me wel dat hij dezelfde bouw had als Elliot. Hij leek zeker een meter vijfentachtig, maar was misschien wat slanker. Ik kon die turkooizen ogen niet vergeten, ogen die Elliot van hem geërfd had. Die van Baby Celeste waren meer hemelsblauw met kleine groene vlekjes. Net als Elliot had Dave Fletcher een kuiltje in zijn kin en zelfs een paar sproeten op zijn neus en op zijn jukbeenderen.

'Hoi,' zei ik.

'Hoi,' zei Baby Celeste zonder enige aanmoediging. En met een stralend gezicht.

Dave Fletcher lachte. 'Wat een schat van een kind. Ik denk dat ze zich hier al thuis voelt.'

Mama knikte. 'Ze maakt het ons erg gemakkelijk. Je zou verbaasd staan wat een lief karakter ze heeft. Kom binnen, kom binnen.'

Ze sloot de deur en ik deed een stap achteruit. Hij glimlachte weer naar me.

'Ik zal je een en ander van het huis laten zien. Ik heb wat aan de inrichting gedaan,' zei mama. 'Noble, wil jij Baby Celeste in de eetkamer installeren? We zijn direct terug.'

'Ja, mama.'

'Ja, dat is mooi,' zei Fletcher toen hij in de zitkamer keek. 'Die piano lijkt echt antiek.'

'Ja, maar ik laat hem geregeld stemmen. Ik zal later wat voor je spelen,' hoorde ik haar beloven.

Ik bracht Baby Celeste naar de eetkamer en zette haar op haar stoel. Ik kon ze horen praten toen ze op de benedenverdieping rondliepen. Nu en dan zweefde mama's lach door de gang.

'Dat vinden wij ook. Dat hebben we altijd gevonden,' hoorde ik haar zeggen.

'O,' zei Dave Fletcher toen hij met haar de eetkamer binnenkwam. 'Wat een prachtige tafel. Ik ben diep onder de indruk, Sarah.'

'Niets bijzonders.' Ze wees op de stoel naast me en zei: 'Hier mag jij zitten.'

Hij knikte. 'Kan ik ergens mee helpen?'

'Ja,' zei ze. 'Genieten van je eten.'

Hij lachte. 'Ik denk niet dat dat erg moeilijk zal zijn,' zei hij, en draaide zich naar mij om.

Onwillekeurig kromp ik even ineen, maar zijn gezicht was een en al vriendelijkheid.

96

'Je bent lang geworden, Noble. En je moeder is heel trots op al het werk dat je hier doet. Je oren moeten wel gejeukt hebben als ze bij mij was.'

Mama glimlachte. 'Daves grootmoeder schijnt erg bijgelovig te zijn geweest en vol ouderwetse ideeën.'

'Wiens grootmoeder niet?' zei hij. 'Als je oren jeuken, praat iemand over je. Als je handpalmen jeuken, krijg je geld.'

'Als een mes van de tafel valt, krijg je bezoek,' viel mama hem bij.

Ze lachten als twee samenzweerders die hun tekst al dagen lang gerepeteerd hadden. En Baby Celeste lachte mee.

'Een verrukkelijk kind,' verklaarde Fletcher. 'En dat na alles wat ze heeft meegemaakt.'

'Ja, we waren bang dat ze de hele nacht wakker zou liggen en nachtmerries zou hebben, maar gelukkig heeft ze zich heel gauw aangepast. Ze noemt me zelfs mama,' zei mama.

'Heus?' Hij was onder de indruk. 'Dat zal het gemakkelijker maken voor je, Sarah, al –' zijn gezicht betrok bij de gedachte aan zijn eigen problemen – 'is het tegenwoordig niet gemakkelijk om jonge mensen groot te brengen.'

Hij keek naar mij en knikte. 'Niet iedereen heeft zoveel geluk als jij. Het was waarschijnlijk een briljant besluit van je om je kinderen thuis les te geven en ze tegen alle slechte invloeden te beschermen.'

'Precies. Als Noble nu in de wereld komt, zal hij verstandig en sterk zijn, en heel trouw,' voegde ze eraan toe met een blik op mij.

Dave Fletcher schudde bewonderend zijn hoofd. 'Ik benijd je, Sarah. Een vrouw alleen, en je hebt zo'n prachtig huis weten te creëren en een goedlopende zaak met je kruiden opgebouwd. Je woont in een huis van het begin van de twintigste eeuw, maar ik vind je een vrouw die in de moderne tijd leeft.'

Mama bloosde bij het compliment. Ik kon me niet herinneren wanneer ik haar voor het laatst had zien blozen. Zou ze werkelijk van die man houden? Kon hun liefde zo sterk zijn dat die zelfs de geheimen zou overwinnen die in ons hart waren weggesloten?

Dave Fletcher keek zo intens naar Baby Celeste, dat ik zeker wist dat hij Elliots gezicht zag. Mijn hart bonsde. Ook mama leek haar adem in te houden.

'Da da,' zei Baby Fletcher plotseling.

Fletchers wenkbrauwen gingen zo snel omhoog dat ze bijna van zijn gezicht afsprongen. Hij sperde verbaasd zijn ogen open.

'Zie je,' riep mama uit, 'ze heeft je al geadopteerd. Ik hoop dat je het gevoel hebt dat je bij familie bent.'

Mijn mond viel open. Waagde ze het de waarheid te tarten, een waarheid die gereedstond op ons af te springen en een totale verwoesting aan te richten?

Dave Fletcher straalde. Hij keek de tafel rond, lachte naar Baby Celeste, lachte naar mij, en knikte toen.

'Het voelt echt als Thanksgiving, Sarah,' zei hij. 'Ik kan je niet genoeg bedanken.'

Hij weet het niet, dacht ik. Hij begrijpt het niet. Mama keek naar mij, en in haar gezicht zag ik blijdschap en zelfvertrouwen.

Haar blik ging naar Baby Celeste, die terugkeek met een uitdrukking in haar gezichtje die opmerkelijk veel op die van mama leek.

Het was de 'morgen' die mama voorspeld had.

Ik had geen idee waar het ons heen zou leiden, maar ik voelde me als iemand die gevangen raakt in een krachtige storm of een vloedgolf. Het enige wat ik kon doen was me overgeven aan de toekomst.

7. De verzwakte muren

Mama overtrof zichzelf. Ze had nog nooit zo lekker gekookt. Dave Fletcher had zijn mond net zo vol met complimentjes als met het malse vlees van de kalkoen en de heerlijke vulling. En toen ze ten slotte zijn lievelingstaart op tafel zette, keek hij of hij bereid was haar alles te geven wat ze maar wilde. De spreuk die geborduurd was op een klein ingelijst doekje in de keuken, *De liefde van een man gaat door zijn maag*, leek maar al te waar.

Hij prikte een stuk taart aan zijn vork en deed genietend zijn ogen dicht.

'En ik dacht dat ik redelijk goed kon koken,' zei hij tegen mij. 'Niets maakt je zo duidelijk dat je vrijgezel bent dan de overtuiging dat je geniet van je eigen kookkunst, Noble. Pas daar voor op.' Hij lachte.

Na het eten stond hij erop mama te helpen met afwassen. Ze weigerde. Ze wilde dat hij naar de zitkamer zou gaan met Baby Celeste en mij. Ik was doodsbang om met hem alleen te blijven zonder mama.

Gelukkig hield hij vol. 'Ik doe het iedere avond voor mezelf, Sarah.'

'Maar je bent onze gast.'

'Ik heb liever het gevoel dat ik deel uitmaak van een gezin dan dat ik gewoon een gast ben,' protesteerde hij. Magische woorden.

'Dat is lief van je, Dave. Noble, ga met het kind naar de zitkamer. We komen zodra we hier klaar zijn.'

Opgelucht deed ik wat ze vroeg. Baby Celeste speelde met haar pop en theeserviesje, maar ik merkte dat ze voortdurend naar de deur keek, in afwachting van Dave Fletcher en mama. We konden ze horen lachen in de keuken.

Later kwamen ze in de zitkamer en Fletcher ging op de bank zitten om naar mama's pianospel te luisteren. Tot zijn verbazing, en die van mij, kroop Baby Celeste naar hem toe en leunde tegen hem aan. Hij keek glimlachend naar mij en sloeg zijn arm om haar heen.

'Hallo, jij,' zei hij, en ze keek met stralende ogen naar hem op.

'Wat een bijzonder kind is dat, Sarah. Geen wonder dat je geen seconde geaarzeld hebt om haar bij je in huis te nemen. Ik zou het zelf ook onmiddellijk hebben gedaan.'

'Daar ben ik van overtuigd,' zei mama, met een samenzweerderige blik naar mij. Mijn hart verkilde. Hij zou natuurlijk gauw genoeg beseffen wie Baby Celeste in werkelijkheid was. Mama zei altijd dat het bloed kroop waar het niet gaan kon.

Ze begon met een paar van haar Mozart-sonates, en toen speelde ze 'La Vie en Rose'. Ik zag Fletcher vertederd kijken, met een liefdevolle blik in zijn ogen. Ik had het verwacht en had de aanwijzingen ervoor, maar nu ik met hen beiden in dezelfde kamer zat, voelde ik hoe de emoties tussen hen bijna tastbaar waren. Het verleden leek volledig uitgewist, vergeten. Mama kon werkelijk doen wat ze wilde, maar misschien belangrijker nog, ze kon anderen laten doen wat ze wilde.

Toen Baby Celeste in slaap viel bij de muziek, vroeg mama me haar naar bed te brengen. Ik tilde haar op in mijn armen, en toen ik me vooroverboog keek ik in de ogen van Dave Fletcher. Hij keek naar me met hernieuwde belangstelling, zijn blik scheen tot in mijn hart te reiken, tot diep binnen in me. Ik moest me snel afwenden, bang dat hij alle verdriet en angst in mijn ogen zou zien.

Toen Baby Celeste sliep, ging ik weer naar beneden en hoorde halverwege de trap hun gesprek.

'Noble ziet eruit als een gevoelige, zachtaardige jongen,' zei hij tegen mama. 'Dat is zeldzaam tegenwoordig. De tieners die ik tegenkom zijn allemaal ongewassen, luie, verveelde jongens, en zeker niet zachtmoedig genoeg om voor een klein meisje te zorgen.'

'Ja, hij is een geweldige zoon,' zei mama. 'Een heel onzelfzuchtige jongen.'

'Maar voelt hij zich niet eenzaam hier, Sarah? Een jongen van die leeftijd hoort uit te gaan, onder leeftijdgenoten te verkeren, al keur ik het gedrag af van de tegenwoordige tieners. Toch moet een jongen van die leeftijd een sociaal leven hebben, vind je niet? Hij hoort ook meer aan meisjes te denken. Ik wil me niet bemoeien met dingen die me niet aangaan. Maar hij imponeert me en ik wil het beste voor hem, voor jullie allebei.'

'Je bemoeit je niet met verboden dingen, Dave. Ja, Noble moet meer uitgaan. Ik denk dat het mijn schuld is. Ik moedig het niet genoeg aan, maar sinds het verlies van Celeste is hij erg introvert geworden.'

'Ja, ik weet hoe verschrikkelijk dat moet zijn geweest. De politie heeft nooit een aanwijzing gevonden?'

'Geen enkele. Het was of een geest haar had meegenomen.'

'Wat vreselijk voor je, voor jullie allebei.'

'Ja. Vergeet niet dat Noble zijn vader ook op jonge leeftijd heeft verloren. Ze waren zo aan elkaar gehecht. Ik kan hem tot de dag van vandaag nog op de veranda zien staan wachten op de truck van mijn man, en als die kwam begon zijn hele gezicht te stralen. Zijn ogen lichtten op als sterren. Hij aanbad zijn vader, en dan zijn dood mee te maken terwijl hij nog zo sterk leek... het heeft Noble een ongelooflijke schok gegeven.'

'Ik begrijp het.'

'De combinatie van die sterfgevallen was erg traumatisch, Dave. De enige keer dat hij eruit leek te komen was toen hij jouw zoon leerde kennen. Ik kwam toen in de verleiding hem toch naar de openbare school te laten gaan. Hij ging zo goed vooruit. Dat wilde ik door laten gaan.'

Dat was een leugen. Waarom vertelde ze hem dat?

'Ik weet het. Ik wou dat ik hun vriendschap meer had aangemoedigd. Dat besef ik nu,' zei Fletcher. 'Ik was een idioot dat ik naar al die roddels over jou luisterde.'

'Dat is begrijpelijk. Je was hier pas komen wonen, je had een slecht huwelijk achter de rug. En je had twee tieners. Logisch dat je extra voorzichtig was.

'In ieder geval,' ging mama verder, 'was de dood van jouw zoon, zijn enige echte vriend, weer een verpletterende klap voor hem. Ik moest mijn uiterste best doen om hem naar buiten te krijgen om zijn karweitjes te doen, en te zorgen dat hij niet terug zou gaan naar die beek om te vissen, of door het bos zou dwalen. Hij heeft een periode doorgemaakt waarin hij die smerige roddels over ons echt geloofde. Dat we iedereen met wie we in contact kwamen alleen maar kwaad en verdriet konden doen. Het maakte hem erg introvert, bang voor elk contact met anderen dat iets meer dan oppervlakkig was. Ik heb mijn best gedaan, mijn uiterste best.'

Ik hoorde haar diep zuchten.

'Ik weet dat hij eigenlijk naar een therapeut zou moeten, maar voorlopig wil ik graag blijven proberen hem zelf te helpen. Er rust al voldoende blaam op hem omdat hij mijn kind is, daar hoeven niet alle associaties nog bij als iemand in therapie is, en denk maar niet dat je zoiets geheim zou kunnen houden. Niet in dit dorp van bemoeials.'

'Ik begrijp het. Je bent een fantastische vrouw, Sarah. Ik heb nooit iemand gekend met zoveel begrip, tolerantie en medeleven als jij. Je bent zo tevreden, geestelijk zo evenwichtig.'

'Ik ben wie ik ben.'

'Nou, *ik* ben in ieder geval blij dat je bent wie je bent.'

Het bleef lange tijd stil. Ze konden niet gewoon maar naar elkaar zitten kijken.

Ze zoenen elkaar, dacht ik. Het leek of ik door de muren heen kon zien. Ze hadden elkaar omhelsd. Ze bracht haar lippen dicht bij de zijne en ze zoenden.

Ik draaide me om en liep zo snel ik kon terug naar mijn kamer. Ik deed de deur dicht en met het licht uit liep ik naar mijn bed en ging daar in het donker liggen staren.

In de kamer beneden waren mama en Fletcher waarschijnlijk nog steeds bezig elkaar te omhelzen, te zoenen, misschien deden ze inmiddels al veel meer. Die fantasieën voerden me terug in de tijd. Ik was weer in het bos. Ik was alleen en vrij om te zijn wie ik was. Ik had de kleren van mijn broer uitgetrokken en wikkelde mijn borsten los. De koele lucht was verfrissend en mijn lichaam tintelde van genot. De tranen sprongen bijna in mijn ogen.

Toen hoorde ik een tak kraken.

Het leek op een donderslag.

Langzaam deed ik mijn ogen open en toen ik opkeek, zag ik Elliot op me neerstaren, met vertrokken mond en wijd opengesperde ogen. Ik voelde elke spier in mijn lichaam verstijven. Zijn lippen bewogen, maar een paar ogenblikken lang kwam er geen woord, geen geluid uit zijn mond. Hij leek moeite te hebben met slikken. Ik bleef doodstil liggen. Eindelijk sprak hij.

'Je bent een meisje?' vroeg hij, om bevestigd te horen wat zijn ogen hem vertelden.

Alles wat daarop gevolgd was kwam zo levendig bij me terug, dat ik hardop kreunde. Ik kon hem in me voelen, zijn handen die over mijn hele lichaam bewogen. Ik was hulpeloos, verstrikt in het bedrog dat mijn moeder me had opgedrongen. Zij had me op die gevaarlijke weg gebracht, dacht ik. Het was niet mijn schuld. Niets hiervan was mijn schuld. Het zou nooit mijn schuld zijn.

'Nee,' hoorde ik papa fluisteren. 'Het is niet jouw schuld, prinses.' Ik draaide me om en zag hem naast me staan. Hij streelde mijn gezicht. Hij bukte zich en gaf me een zoen op mijn wang.

'Wat ze doet is verkeerd,' zei hij, met een knikje naar de grond en naar wat er beneden gebeurde. 'Ze begaat een grote vergissing. Probeer haar tegen te houden. Probeer het.'

'Ze luistert niet naar me,' kermde ik.

'Dat doet ze wel als je je best ervoor doet,' hield hij vol. 'Je moet het voor ons allemaal doen, Celeste. Voor ons allemaal.'

'Ik zal het proberen,' beloofde ik.

Hij liep achteruit. 'Probeer het,' drong hij aan. 'Probeer het.'

'Papa!' riep ik, maar hij werd opgenomen door de muur en was even later verdwenen. Was hij hier geweest? Had ik zo hevig naar hem verlangd dat ik me hem had verbeeld en hem de woorden had horen zeggen die ik wilde horen?

Onder me hoorde ik de klanken van de piano. Mama speelde weer. Zachte, lieflijke muziek, het soort muziek dat een nietsvermoedende ziel kon verleiden. Ik dommelde in, werd wakker toen mama me riep.

'Kom beneden om Dave goedendag te zeggen, Noble,' zei ze, toen ik opstond en boven aan de trap verscheen. 'Het is niet beleefd om je terug te trekken zonder afscheid te nemen van onze gast,' voegde ze er streng aan toe.

Ik wreef over mijn wangen om wakker te worden en liep de trap af. Mama wachtte even tot ze zeker wist dat ik in aantocht was en ging toen terug naar de zitkamer.

'O, ze had je niet hoeven storen, Noble,' zei Dave Fletcher, die opstond toen ik binnenkwam.

'Dat geeft niet. Goedenavond. Bedankt voor uw komst,' zei ik. Het klonk automatisch, werktuiglijk.

Toch glimlachte hij. 'Misschien kunnen jij en ik een dezer dagen eens gaan vissen. Dat hoeft niet in de beek. Ik heb gehoord dat er veel baars zit in het Mastenmeer. Wat vind je ervan? Ken je het?' Ik keek naar mama en knikte toen.

'Geweldig. Ik nodig jullie binnenkort allemaal uit bij mij thuis. Natuurlijk zullen we het zo regelen dat je moeder kookt.' Hij lachte.

Hij liep naar de deur en ik ging achteruit. Hij bleef staan en stak zijn hand uit.

'Goedenavond, Noble.'

'Goedenavond,' zei ik en gaf hem een hand.

'Man, wat een eelt heb je op je handen. Je laat hem te hard werken, Sarah.'

Mama lachte en volgde hem naar buiten. Ze ging op de veranda staan en deed de deur achter zich dicht. Ik was net boven aan de trap toen ze terugkwam.

'Noble,' riep ze.

Ik keek achterom en ze liep de zitkamer in. Wat wilde ze? Ik ging weer naar beneden.

'Je hebt het goed gedaan,' zei ze, terwijl ze op de bank ging zitten. Ze glimlachte. 'En het was minder moeilijk dan je gedacht had, hè?'

Ik wist niet wat ik moest zeggen, dus schudde ik alleen maar mijn hoofd. Ze leunde achterover en staarde naar het plafond.

'Weet je wat hij vanavond tegen me zei? Hij zei dat twee mensen als wij niet alleen hoorden te zijn. Samen zouden we een heel nieuw leven kunnen opbouwen, voor onszelf en voor de kinderen.'

'Wat bedoelde hij daarmee?' vroeg ik, niet in staat mijn angst te verbergen.

'Wat hij bedoelde? Wat hij bedoelde? Hoe kun je soms zo slim en soms zo stom zijn? Het kwam heel dicht bij een vraag of ik met hem wilde trouwen.'

'Maar… wat heb je gezegd?' Alleen al de gedachte was angstaanjagend.

'Ik heb niets gezegd, Noble. Een vrouw springt niet af op het eerste aanzoek van een man. Ze waakt ervoor om wanhopig te klinken of zelfs maar geïnteresseerd. Ze wekt twijfel bij hem zodat zijn zelfvertrouwen afneemt.'

'Waarom?'

'Zodat hij weet dat als een vrouw ja zegt, het haar eigen besluit is, haar geschenk. Op die manier,' ging ze verder, somberder nu, terwijl zij naar de grond staarde, 'is het, wat er ook gebeurt, zijn eigen schuld.'

'Je denkt er toch niet over om ooit ja te zeggen, hè, mama?' vroeg ik, denkend aan mijn belofte aan papa.

'Natuurlijk wel.'

'Maar ik dacht dat je alleen maar wilde dat hij de schuld zou krijgen van Celestes bestaan. Je zei dat de mensen dat al denken. Waarom moet je er nog langer mee doorgaan?'

'Wat heb ik je gezegd over protesten tegen mijn beslissingen, *hun* beslissingen?' zei ze nadrukkelijk. Ze sperde kwaad haar ogen open.

'Misschien is het niet hun besluit, mama. Misschien hoor je de verkeerde stemmen. Stemmen van het kwaad die pretenderen goed te zijn.' Nog nooit in mijn leven had ik het gewaagd zoiets tegen haar te zeggen, maar het leek een redelijke manier om het oneens met haar te zijn.

Ze hief haar hoofd op en richtte haar ogen heel langzaam op mij. Ik voelde me verkillen. Ze kneep haar ogen samen terwijl ze me scherp opnam.

'Wat zeg je daar? Wie heb je gehoord? Wie is er bij je op bezoek geweest, Noble?' vroeg ze snel.

Ik haalde diep adem en ging in grootvaders stoel zitten. Ik moest mijn antwoord heel voorzichtig inkleden.

'Ik heb Elliot gezien,' zei ik. 'Ik heb hem ook gehoord. Hij heeft me gewaarschuwd dat als je het doorzet met zijn vader, hij meer macht zal hebben om ons kwaad te doen.'

Lange tijd keek ze alsof ze mijn woorden overwoog. Ik begon al een klein beetje hoop te krijgen. Toen kwam haar achterdocht terug en ze keek me strak aan.

'Is hij hier in huis geweest?'

Ik begon mijn hoofd te schudden, maar mijn ogen zeiden al ja. Ze sprong bijna op me af. 'Nee toch, hè? Wanneer?'

'Toen jij weg was met meneer Fletcher.'

Ze glimlachte, maar het was geen warme glimlach. Hij was van ijs.

'Wat heb je gedaan, Noble? Wat heb je gedaan om hem toegang te geven tot onze wereld? Vertel op!' schreeuwde ze.

'Niets.'

Ze schudde haar hoofd 'Je zou net zo goed met een vlag voor mijn gezicht kunnen zwaaien met de woorden *Ik lieg* erop geschreven,' zei ze zachtjes. 'Dat weet je. Nou?'

Ik kon plotseling moeilijk ademhalen. Ik had het gevoel dat de muren op me afkwamen. Ik kreeg het steeds benauwder. Ik keek wanhopig om me heen.

Papa, dacht ik. Papa, waar ben je? Ik heb je hulp nodig. Waarom ben je niet hier? Vroeger kwam je altijd zo snel. Je vertelde me wat ik moest doen. Alsjeblieft, papa. Ik heb je nodig. Naar jou zal ze luisteren. Alsjeblieft.

Ik zocht weer wild om me heen.

Mama's ogen versomberden. Ze draaide zich om en keek naar de ramen waar ik naar staarde; toen richtte ze haar ogen weer op mij.

'Wie zoek je, Noble? Wie wordt geacht je te helpen?'

Ik wilde haar niet vertellen over papa's bezoek en wat hij had gezegd. Ze zou me ervan beschuldigen dat ik loog om me te verdedigen tegen het feit dat ik betrapt was op een leugen.

'Niemand,' zei ik haastig.

'Geef dan antwoord op mijn vraag, Noble. Wat heb je gedaan om onze muren te verzwakken?' vroeg ze.

'Niets.'

'Je liegt weer. Ik herhaal, wat heb je gedaan? Ik kom er toch achter. Het is beter als je het me vertelt, beter als je je geweten zuivert, Noble. Nou?'

Ze had gelijk. Ik kon niet tegen haar liegen, niet nu, niet nu ze me zo fel aankeek met die ogen van haar.

'Ik... ik was alleen nieuwsgierig.'

'Waarover?'

'Naar je make-up, je kleren.'

Haar gezicht werd vuurrood, haar bloed steeg omhoog naar haar hals en haar wangen. Haar ogen hadden zo'n intense gloed dat ik haar niet aan kon kijken. Ik keek naar de grond en wachtte als iemand die een zweepslag op haar rug verwacht.

'Je hebt mijn make-up weer gebruikt? Je hebt mijn kleren aangetrokken?'

Ik gaf geen antwoord. Toen ik jonger was, had ik eens geëxperimenteerd met haar make-up nadat ik Betsy had bespioneerd toen de Fletchers pas naast ons waren komen wonen.

Ze knikte. Haar gezicht was weer kalm, maar haar kalmte was zelfs nog dreigender.

'Ik wil dat je naar je kamer gaat en daar blijft tot ik zeg dat je weer beneden kunt komen,' zei ze.

Ik wist wat dat betekende. O, ik wist het maar al te goed.

'Nee, mama, alsjeblieft.'

'Ik zal je helpen,' zei ze op heel redelijke toon.

Ik bleef mijn hoofd schudden.

'Ik wil niet dat je Baby Celeste aanraakt, met haar praat, zelfs maar naar haar kijkt, tot ik zeg dat het mag, zelfs als ik je weer uit je kamer laat.'

'Mama, nee, alsjeblieft.'

'Ga naar boven, Noble. Ik kom je straks wat brengen.'

Ik moest het haar vertellen, ik moest haar alles vertellen en het risico nemen.

'Mama, luister naar me. Ik heb niet alleen Elliot gezien. Papa is bij me geweest. Vannacht. Hij vertelde me dat je een grote fout maakt.'

Ze glimlachte weer, diezelfde kille grijns.

'Dat was je vader niet. Hoe vaak heb ik je niet verteld dat het kwaad een aantrekkelijke identiteit kan aannemen om ons te overrompelen, zodat we niet op onze hoede zijn?'

'Het was papa. Het was hem.'

'Je bent zo'n idioot dat ik me zorgen over je maak. Wat zou er zonder mij met je gebeuren?' Ze boog zich voorover en zei schor fluisterend: 'Het was je vader die me dit hele plan aan de hand heeft gedaan.'

Ze leunde met een voldaan knikje achterover.

'Wat?'

'Ja. Dit is niet zomaar uit de lucht komen vallen. Hij was het die het me gezegd heeft.'

Ik schudde mijn hoofd, maar ze bleef naar me glimlachen alsof ik degene was die de plank heel ver missloeg.

'Ik had me al afgevraagd waarom je zo lang niets van hem gezien of gehoord had. Toen ik het hem vroeg, zei hij dat ik me er geen zorgen over moest maken, maar dit verklaart het. Er was duisternis in je hart. Je twijfelde. Zonder geloof kun je niet naar de andere kant, Noble. Dan kun je niet bij onze goede familiegeesten zijn.

'Het is mijn schuld,' zei ze. 'Ik heb me zo intens op dit alles geconcentreerd, dat ik de signalen gemist heb.'

'Mama...'

'Ga naar boven. Het komt allemaal in orde.' Toen glimlachte ze weer, maar nu warmer. 'Denk eens na. Als dit niet juist was, zou Baby Celeste dan zo charmant, zo schattig en zo lief zijn geweest tegen Dave?'

'Dat komt omdat hij haar –'

'Wat?' riep ze uit, en weer sprong ze bijna op me af. Ze sperde haar ogen zo ver open dat ik dacht dat de hoeken zouden inscheuren. *'Wat?'*

Ik schudde mijn hoofd en staarde naar de grond.

'Ga naar boven! Nu!' Ze stond op en torende boven me uit.

De tranen rolden over mijn wangen, maar het drong pas tot me door toen ze langs mijn kin begonnen te druipen. Ik probeerde te slikken, maar ik had het gevoel dat de wanden van mijn keel in steen waren veranderd. De band rond mijn boezem werd samengeknepen.

'Ik krijg... geen adem, mama.'

Ik probeerde op te staan, maar de kamer begon te draaien. Ik stak mijn hand uit om me in evenwicht te houden, maar er was niets om me aan vast te houden. Mama hield me ook niet tegen. Ze liet me achterovervallen. Ik dacht dat ik door de stoel heen viel, door de grond, door de funderingen, in het graf dat me zo obsedeerde. Het laatste wat ik me herinnerde was dat ze me vol haat aanstaarde.

Toen raakte ik bewusteloos.

Toen ik wakker werd, lag ik in bed. Hoe had ze me de trap op gekregen? Het zou me niets verbazen als ze me zou vertellen dat papa me naar mijn kamer had gebracht. Ik had nog steeds mijn kleren aan, maar de deken was aan de zijkanten zo stevig ingestopt dat het wel een dwangbuis leek. Ik worstelde ermee. De inspanning maakte me misselijk en ik moest stoppen en een tijdje rustig blijven liggen. Een zwarte kaars brandde voor het raam en wierp een flakkerende schaduw op de muren en de dichte deur. Schaduwen wiegelden als wormen op de oprijlaan, vastgekleefd, maar wanhopig verlangend om vooruit te komen. Ik kon op het ogenblik niets doen aan mijn situatie, alleen maar slapen.

De duisternis golfde weer over me heen. Ik sliep zo diep dat ik buiten het bereik van dromen was. Het was de slaap van de doden met slechts het gedempte geluid van voetstappen op de graven.

Uren en uren later werd ik in de war gebracht door het licht van de ochtend, en een of twee minuten lang kon ik slechts staren naar de blauwe lucht en de wolken die ik door het raam voorbij zag drijven. Ik keek omlaag en zag de po die mama me in de torenkamer had gegeven voor Baby Celeste en mij. Bij het zien ervan raakte ik weer in paniek. Ik kwam met een ruk overeind en vocht om de dekens van me af te gooien. Ik had nog steeds de kleren aan van de vorige avond. Ik draaide me om naar mijn klok, maar hij was verdwenen.

Ik stond op en liep naar het raam. Te oordelen naar de manier waarop de zon over het bos en het land scheen, was het al laat in de ochtend. Ik haastte me omdat ik naar buiten wilde. Het verbaasde me niet dat de deur op slot was. Ik rammelde aan de knop en riep mama. Toen luisterde ik gespannen. Het was doodstil in huis. Snel liep ik terug naar het raam en maakte dat open om naar de plek te kijken waar onze auto altijd geparkeerd stond. Hij stond er niet meer.

Ik liep bij het raam vandaan en herinnerde me alles wat er gebeurd was, alles wat ik tegen haar gezegd had en zij tegen mij. Mama was weer bezig me te reinigen. Ik zag dat ze water voor me had achtergelaten, maar verder niets. Waar was ze naartoe? Hoe lang zou ze me hier opsluiten? Welke ceremonie zou ze deze keer toepassen, welk kruidenmiddel zou ze me geven?

Ik kon niets anders doen dan wachten. Ik wilde het water niet drinken. Ik vertrouwde niets, maar ik had te veel dorst en eindelijk bezweek ik. Ik moest ook de po gebruiken. Ik had geen idee hoeveel uren er verstreken, maar de stand van de zon en de schaduwen onder me vertelden me dat het er heel veel waren.

Eindelijk hoorde ik onze auto naderen en ik holde naar het raam. Ik zag mama achter het stuur met Baby Celeste in een autostoeltje achter haar. Ik wachtte tot ze binnen was, toen riep ik en bonsde op de deur.

Ze kwam niet onmiddellijk boven. Ze bleef beneden bezig. Ten slotte hoorde ik haar de trap opkomen met Baby Celeste, zacht tegen haar pratend. 'Mama!' schreeuwde ik. 'Alsjeblieft, laat me eruit. Ik beloof je dat ik me goed zal gedragen.'

Ze bleef even staan, toen liep ze door naar de kamer van Baby Celeste. Ik luisterde, en toen ik haar voetstappen weer hoorde, klopte ik op de deur.

'Maak niet zo'n lawaai. Baby slaapt,' zei ze. 'Over een paar minuten kom ik je wat brengen en zullen we je po legen.'

'Ik wil naar buiten, mama.'

'Natuurlijk wil je dat.' Ze stond vlak voor mijn deur. 'Maar het gaat niet zozeer om jou dan wel om wat er binnen in je huist, Noble,' voegde ze er fluisterend aan toe.

'Nee, mama, nee. Het gaat weer goed. Ik beloof het je.'

Ze gaf geen antwoord. Ik hoorde haar de trap aflopen. Op de deur bonzen en schreeuwen zou weinig uithalen. Het zou alles alleen maar erger maken. Ik wist dat nog van de vorige keren toen ze me dit had aangedaan. Ik moest geduld oefenen en haar ervan overtuigen dat ze had rechtgezet wat ze zich verbeeldde dat er was misgegaan.

Ik wist dat ze me op een hongerdieet zette. Ik probeerde te slapen om mijn energie te sparen. Van tijd tot tijd dutte ik in, maar ik werd vaak wakker. Mijn maag knorde, verlangde iets. Eindelijk hoorde ik dat de deur van het slot werd gedaan. Snel ging ik rechtop zitten. Mama kwam binnen met een glas in haar hand.

'Drink dit op,' zei ze.

Ik schudde mijn hoofd.

'Je moet. Het zal je geen kwaad doen, Noble. Het zal je sterker maken.'

'Wat is het?' Ik wist dat het zinloos was om het te vragen. Ze zou haar geheime formule nooit prijsgeven, omdat ze geloofde dat het de werking ervan zou verminderen.

'Doet er niet toe. Het zal je versterken.' Ze reikte me het glas aan. 'Hoe eerder je meewerkt, hoe eerder alles achter de rug is.'

Ik dacht erover om op te springen en de kamer uit te hollen, maar ik was bang. Waarom was papa al die tijd niet bij me gekomen? Waarom had hij niet ook met haar gesproken? Had ze gelijk? Had iets kwaads zijn verschijning aangenomen om me te bedriegen?

'In je hart weet je dat ik weet wat het beste voor je is, Noble, voor ons allemaal,' zei ze zacht. Ze streek over mijn wang. Dat had ze al zo lang niet meer zo liefdevol gedaan. Ik sloot mijn ogen, genoot van de aanraking van haar hand en wat die betekende. 'Toe dan,' drong ze aan. Ik stak mijn hand uit en pakte het glas aan. De inhoud had een gele kleur. Ik wist in ieder geval zeker dat het een combinatie van kruiden was. Ik wist hoe ze dacht over de beschermende krachten van onder meer klimop, jeneverbes en knoflook, melkkruid en kruiskruid. Mama verwachtte dat ik op een dag de bereiding van haar geneesmiddelen zou overnemen, dus van tijd tot tijd verklaarde zij ze en liet me zien hoe zij ze mengde. Maar er waren er zoveel, en zoveel met mystieke en spirituele krachten.

Zoals gewoonlijk, haatte ik de smaak ervan en moest ik mijn ogen dichtdoen om het naar binnen te krijgen. Ik deed het zo snel ik kon. Ze legde weer uit, zoals ze al eerder had gedaan, dat het niet de bedoeling was dat het goed zou smaken. Je moest het beschouwen als een medicijn. Zoals er medicijnen waren voor het lichaam, waren er ook medicijnen voor de ziel. Mama zag in alles spirituele eigenschappen. Ze had me geleerd de wereld om ons heen ook zo te zien. Zelfs de wereld buiten ons huis.

Mijn maag rommelde en ik ging weer op het bed zitten.

Ze ging met mijn po de kamer uit, leegde hem en kwam terug.

'Mag ik nu naar buiten, mama?'

'Straks. Je moet eerst slapen.'

'Waar is Baby Celeste?'

'Met haar gaat het goed. Denk jij nu maar aan jezelf,' zei ze, en ging weg.

Ik hoorde dat de deur op slot werd gedaan.

Het werd steeds donkerder, maar ik deed geen licht aan. Ik bleef op bed liggen. Door de drank begon ik het al heet te krijgen en me duizelig te voelen. De misselijkheid kwam en ging en plotseling voelde ik me wegzinken in het bed, maar terwijl ik omlaag zakte, steeg ik tegelijk omhoog. Het spirituele deel van me werd uit mijn lichaam getild. Ik zweefde boven mezelf.

En toen meende ik onze familiegeesten mijn kamer te zien binnenkomen en langzaam rond mijn bed cirkelen. Ik herkende velen van hen van hun foto's. Allen hielden hun ogen gesloten. Niemand keek naar me. Ik riep. Ik smeekte, maar niemand reageerde.

Langzaam gingen ze weer naar buiten tot iedereen verdwenen was. Toen daalde ik weer omlaag, terug in mijn lichaam.

En ik sliep.

De volgende ochtend deed mama mijn deur open. Ze had Baby Celeste in haar armen en lachte.

'Zie je,' zei ze tegen Baby Celeste. 'Noble is weer beter.'

Ik wreef in mijn ogen en kwam met behulp van mijn ellebogen in een zittende houding. Ik was nog steeds suf en een beetje duizelig.

'Opstaan! Je moet nu opstaan, Noble. We hebben veel te doen. Ik wil dat alles er zo mooi mogelijk uitziet. We moeten ons werk afmaken.

'Dave kwam gisteravond terwijl jij lag te slapen, en deed me een officieel huwelijksaanzoek. En ik heb ja gezegd.' Ze stak haar hand uit. De grote diamant glinsterde alsof het licht van binnenuit kwam.

'Hij heeft je een ring gegeven?'

'Natuurlijk. Hij was van zijn moeder. De ring heeft een mooie energie. Voorlopig tenminste.'

'Jullie zijn officieel verloofd?'

'Ja, Noble. We zijn officieel verloofd,' zei ze meesmuilend.

'Soms denk ik weleens dat gedachten in jouw hoofd wegzinken als een steen in de modder. Een uur later dringt het tot je door wat je hebt gehoord.'

Ze schudde glimlachend haar hoofd naar me.

'En er komt een echte bruiloft, hier op de farm. Dus je ziet, we hebben een hoop te doen. Nu begrijp je waarom ik al zo druk bezig ben.

'Ga je wassen en kom beneden ontbijten.' Ze draaide zich om en liep weg.

Ik bleef versuft zitten. Toen stond ik langzaam op, stak mijn voeten in mijn schoenen. Hij had haar een ring gegeven. Er zou een bruiloft komen. Het ging echt gebeuren.

Ik meende een luid gesnik te horen en liep naar mijn raam.

Beneden zag ik Noble staan en omhoogkijken.

Toen hoorde ik Elliot lachen.

Noble boog zijn hoofd, draaide zich om en liep naar het bos.

Een wolk dreef voor de zon en wierp een lange, donkere schaduw achter hem, die hem leek op te slokken tot hij weg was.

En ik bleef eenzamer dan ooit achter.

8. Geduld en vertrouwen

Als ik ooit bang was geweest mama iets te vragen over haar en Dave Fletcher, dan was het nu wel. Ik wilde niets doen om het idee bij haar te wekken dat ik niet verlost was van het kwaad waarvan ze dacht dat het in het huis en mij was binnengedrongen. Gelukkig ging ze te veel op in haar relatie met Fletcher om mijn nervositeit op te merken. Aan het ontbijt ging ze maar door, pochend over de opofferingen die Fletcher bereid was zich voor haar te getroosten. 'Nee, niet alleen voor mij, voor *ons*,' benadrukte ze. 'Hij zet onmiddellijk zijn huis te koop.'

Ik keek snel op. Onmiddellijk? Wanneer was ze van plan te gaan trouwen?

'Het duurt wel even voor een huis verkocht is, vooral een huis als dat van hem,' ging ze verder, alsof ze mijn gedachten kon lezen. 'Maar Dave weet dat ik onder geen voorwaarde uit mijn huis weg wil, en hij vindt het prima om bij ons in te trekken. Hij verkoopt ook al zijn meubels, en als zijn dochter niet thuiskomt, zal hij al haar spullen opslaan. Misschien zal hij zelfs veel ervan weggeven aan arme mensen, die het meer op prijs stellen dan zij.

'Je kijkt verbaasd, Noble. Wat zit je dwars?' vroeg mama met een glimlach. 'Vooruit, vertel op.'

'Wanneer gaan jullie trouwen?'

'Binnenkort zullen we de exacte datum bepalen. Ik wil dat de bruiloft hier gehouden wordt. Hij wil een bekende caterer in de arm nemen, maar ik heb hem uitgelegd dat ik niet wil dat vreemden die het alleen om geld te doen is, iets te maken hebben met onze verbintenis. Bovendien wordt het beslist geen grote partij. Ik kan het aantal gasten dat zal komen wel aan en jij zult me goed kunnen helpen met de organisatie ervan.

'Ik heb er al over gesproken met meneer Bogart. Hij opperde de

113

dominee voor de plechtigheid. Dat is iemand die onze levenswijze apprecieert.

'We maken geen officiële huwelijksreis,' vervolgde ze. 'Later, als de omstandigheden het toestaan, nemen we vakantie. Wij allemaal. Net als alle andere gezinnen.'

'En je werk dan?' waagde ik te vragen.

'O, mijn werk. Ik heb je verteld hoeveel respect Dave heeft voor mijn kruiden, en wat spirituele dingen betreft... het zou je verbazen hoeveel hij gelooft. Hij kan natuurlijk niet wat wij kunnen, maar zijn geloof is niet erg strijdig met het onze. Mettertijd, dankzij zijn liefde voor mij, zal hij alles accepteren, vooral als ik hem een wereld toon waarvan hij het bestaan nooit vermoed heeft. Hij bewondert mijn temperament en zegt dat hij graag wil leren, zodat hij kan ontsnappen aan de zorgen in het leven, vooral' – ze trok een afkeurend gezicht – 'de zorgen over zijn dochter.' Mama lachte. 'Hij noemt me een "frisse slok water". Mijn grootvader gebruikte die uitdrukking altijd. Doet hij nog steeds,' mompelde ze.

Wat had dat allemaal te betekenen? vroeg ik me af. Had ze Fletcher verteld over onze familiegeesten, over ons contact met hen, of gingen hun gesprekken alleen maar over spirituele harmonie, vrede, meditatie? Zou hij net zo worden als papa, tolerant, begripvol, of zou hij proberen zich te verstoppen zodra mama hem vertelde dat er nog iemand anders in de kamer was?

Ze leek niet in het minst ongerust en dat maakte me zowel bezorgd als nieuwsgierig. De grootste vraag moest nog gesteld worden: En ik? Wat zou ze hem vertellen over mij? En over Baby Celeste? Hoe konden we onze geheime wereld voor hem verborgen houden als hij hier woonde? Of zouden we dat wel? Was zijn liefde voor mama zo groot dat ze geloofde dat ze hem alles kon toevertrouwen? Wat wist zij dat ik niet wist?

'Kijk alsjeblieft niet zo bezorgd, Noble. Ik beloof je dat er niets zal veranderen. Niets zal ons spirituele evenwicht verstoren. Wat we nu doen, doen we voor Baby Celeste,' ging ze verder, met een blik op haar. 'Zij is onze toekomst, en dientengevolge ieders toekomst, begrijp je dat? We moeten haar beschermen, alles beschermen dat aan onze hoede is toevertrouwd. Ik reken op jou.'

'Ja, mama.'

'Als een lief klein meisje als Baby Celeste opgroeit in een wereld zonder een echte vader en moeder, is ze altijd in het nadeel. De mensen zullen haar nawijzen en haar een onwettig kind noemen. Er bestaan zoveel belachelijke vooroordelen. Jij en ik weten dat maar al te goed. Ik wil ervoor zorgen dat Baby Celeste daar geen last van heeft.

'Je zult het zien, Noble,' ging ze verder. 'Mettertijd zal alles duidelijk worden. Er is geduld en vertrouwen voor nodig, de hoekstenen van ons leven. Ha! Misschien had ik mijn kinderen *Patience* en *Faith* moeten noemen, Geduld en Vertrouwen!' Ze lachte. 'Wie weet noemt Baby Celeste haar kinderen nog eens zo.' Mama keek weer naar haar.

Bij het horen van haar naam keek Baby Celeste op en lachte. 'Dat zul je toch doen, hè?' vroeg mama haar. 'Je zult met de juiste man trouwen en een zegen zijn voor iedereen die met je in aanraking komt. Zul je dat doen, kindlief?'

Baby Celeste knikte alsof ze het werkelijk begreep. Ik begon te geloven dat ze dat ook deed.

'En wat jou betreft,' ging mama verder, terwijl ze zich naar me omdraaide alsof ik iets verkeerds had gedaan, 'je hoeft je geen zorgen te maken dat Dave zich met je zal bemoeien of zal proberen je te veranderen. Hij zal hier zijn om alles te doen wat we van hem verlangen. Wat voor suggesties hij je ook doet, je kunt ze accepteren of weigeren. Wees met hem samen zo vaak je wilt of zo zelden als je wilt. Beledig hem alleen niet en geef hem nooit enige reden om te denken dat je hem niet waardeert. Begrijp je?'

'Ja, mama.'

'Goed. Ik ben erg blij voor je, Noble. Ik ben zo blij dat ik je heb kunnen helpen de juiste dingen te zien en te begrijpen. Mettertijd' – mama draaide langzaam haar hoofd om naar Baby Celeste – 'zal zij ons helpen nog meer te leren. Er valt nog zoveel te ontdekken via haar.'

Ik keek van haar naar Baby Celeste. Wat bedoelde ze? Hoe kon een peuter ons helpen meer te leren, meer te ontdekken? Wie dacht ze dat Baby Celeste in werkelijkheid was?

'O, Noble, ik ben zo blij. Zo blij voor ons allemaal, dat ik heb besloten dat we vandaag alledrie vrij zullen nemen,' verklaarde mama, op en neer dansend in haar stoel. 'We gaan winkelen en lunchen in het grote winkelcentrum in Middletown. Trek wat nets aan,' zei ze tegen mij. 'Ik wil nog meer kleren voor je kopen en een paar mooie kleren voor Baby Celeste, en ook voor mezelf,' voegde ze er met een lichte blos aan toe. 'En we moeten ook een paar nieuwe boeken voor Baby Celeste kopen. Wat zou jij willen hebben? Heb je nog wensen?'

'Nee, mama.'

Er waren wel dingen waarvan ik droomde, maar dat kon ik niet hardop zeggen. Hoe vaak had ik niet stiekem in een tijdschrift gekeken naar de nieuwe mode, nieuwe schoenen, sieraden? Maanden geleden had ik een tijdlang tijdschriften verborgen in mijn kamer zoals een tienerjongen *Playboy* of zo'n soort tijdschrift in zijn kamer zou verbergen. Maar ten slotte was ik zo bang dat mama ze zou vinden, dat ik ze heimelijk achter het huis begroef. We hadden allebei ons eigen kerkhof, dacht ik.

'Nou, denk er eens over na. Ik weet zeker dat je wel iets zult zien dat je wilt hebben als we langs de winkels lopen en de etalages bekijken. Het is al leuk om gewoon te zien wat er allemaal voor nieuws is.'

Leuk? Sinds wanneer vond ze dat leuk? Wat was ze veranderd. Ik kon me niet herinneren wanneer mama ooit zo vrolijk en vol energie was geweest als nu. Ze liep neuriënd en zingend door het huis. Ze stond bijna een uur lang te draaien en te pronken voor de spiegel, experimenteerde met verschillende kapsels, verschillende kleding en sieraden en tinten lippenstift. Telkens als ik voorstelde buiten te wachten, zei ze dat ze bijna klaar was en niet wilde dat ik me vuilmaakte.

'Heb een beetje geduld. Ik ken je, Noble. Je slentert weg naar de tuin of de schuur en je komt onder de modder en de smeerolie te zitten. Let op Baby Celeste. We gaan over een paar minuten weg.'

Er kwam geen eind aan die paar minuten, tot ik dacht dat we nooit zouden weggaan. Misschien was het allemaal een illusie van mama, een fantasie. Zelfs Baby Celeste begon zich te vervelen en viel in slaap met haar hoofd op mijn schoot. Ik draaide een rode krul om mijn vinger en zag haar oogleden trillen in haar slaap. Ik keek naar haar mooie mondje en zachte wangetjes en vroeg me af wat voor soort dromen ze had. Waren het serieuze profetische dromen of dromen zoals ik vroeger had, dromen vol zuurstokken en poppen, muziek en gelach? Was ze het magische kind zoals mama dacht of was ze gewoon een klein meisje, geboren in een wereld die ze misschien nooit zou begrijpen?

Ja, ik zag mijzelf in haar, maar ik zag ook Elliot in haar, en ik vroeg me af hoe het mogelijk was dat Dave Fletcher naar haar kon kijken zonder dat te zien, vooral nu hij zo'n intiem deel van ons leven zou worden.

Of had hij het onmiddellijk gezien? vroeg ik me plotseling af. Mijn hart begon te bonzen bij de gedachte.

Was het mogelijk dat hij het wel degelijk wist, dat die hofmakerij waar mama zo trots op was, waarvan ze dacht dat het spiritueel gepland en geregeld was, in feite juist het tegenovergestelde was? Zij verleidde Fletcher niet ter wille van ons, hij verleidde haar om een reden die mama niet zag of begreep. Hoe gevaarlijk was dat? Wat zou het gevolg kunnen zijn?

Hoe aardig en zachtmoedig hij ook leek, hij kon wel eens de uitdaging zijn voor onze wereld en een bedreiging voor ons bestaan waar mama zo bevreesd voor was en waarvoor ze ons waarschuwde. Hij kon het Trojaanse paard zijn waar mama Cleo, mijn hond, van beschuldigd had. Hij kon de donkere schaduw zijn die mama vreesde uit het bos tevoorschijn te zien komen.

Maar toch, hoe zou mama zich zo kunnen laten betoveren? En waarom zouden onze familiegeesten haar niet hebben gewaarschuwd zoals ik dacht dat ze mij hadden gewaarschuwd? Kijk eens hoe snel en op het eerste gezicht Baby Celeste hem aardig had gevonden? Als ze werkelijk dat magische kind was, zou ze dan geen gevaar bespeuren?

Ik was in de war. Ik voelde me duizelig. Hoorde ik blij te zijn met Dave Fletcher, blij dat er weer een man in ons leven zou zijn, een vader voor Baby Celeste en zelfs voor mij, of moest ik voor ons allemaal bevreesd zijn? Als ik ook maar iets van angst liet merken, zou mama me weer opsluiten.

'Ik ben klaar,' hoorde ik, en ik keek op.

Ik weet zeker dat ze de verbazing op mijn gezicht zag. Mama had haar kapsel veranderd, haar haar naar één kant gekamd. Ze zag er verleidelijk, sexy uit. Ze had een roze lippenstift gekozen, die paste bij haar mouwloze shirt en haar schoenen. Was dat een enkelkettinkje? Wanneer had ze dat gekocht? Of was het iets dat ze altijd had gehad maar nu pas tevoorschijn had gehaald? Het leek of ze het ene geheim na het andere onthulde, en elke keer verraste ze me.

Het viel niet te ontkennen dat ze heel mooi en aantrekkelijk was, maar in plaats van trots te zijn op haar schoonheid, voelde ik plotseling die maar al te bekende opwelling van jaloezie, zo hevig, dat het me verbitterde en me bijna verscheurde.

Ik staarde naar mijn vereelte handpalmen, mijn harde onderarmen, mijn jeans en mijn geschaafde en versleten turftrappers. Ik krulde verdrietig mijn tenen. Een gevoel van walging en afkeer ging door me heen. Het benauwde me en kneep mijn hart samen als een spons in een vuist. Mijn buikspieren verstijfden. Wat ben ik, wat ben ik geworden, dacht ik, dat ik zo walg van mezelf?

'Vertel me niet dat ze in slaap is gevallen,' zei mama, die eindelijk de slapende Baby Celeste opmerkte.

'Het duurde ook zo lang,' zei ik beschuldigend, misschien iets te bits. Ik hield mijn adem in. Ze staarde me even aan, schudde toen haar hoofd, zoals ze het water van de douche zou afschudden. Mama accepteerde en ontkende dingen in een wereld binnen een wereld. Ze luisterde altijd naar stemmen, zelfs als ze sprak.

'Hm, je zult haar naar de auto moeten dragen en in haar stoeltje vastgespen, Noble. Ze zal heus wel weer wakker worden als we bij de winkels zijn.'

Mama liep de zitkamer in naar me toe, bevochtigde haar vingers met haar tong en streek toen over mijn wang.

'Jij kunt werkelijk de hele dag rondlopen met een vuil gezicht. Je bent sinds je vierde jaar geen steek veranderd,' zei ze, maar glimlachte tegelijkertijd.

Ik keek op en ze zag iets in mijn ogen dat haar deed zwijgen. Ik dacht kwaad dat ik in haar ogen altijd haar kleine jongen zou blijven. Ik zou niet eens kunnen opgroeien tot een man, laat staan een vrouw.

'Gaat het goed? Je hebt toch geen nieuwe problemen gehad, hè?' vroeg ze snel.

Ik schudde onmiddellijk mijn hoofd. Ze zou me weer in mijn kamer opsluiten, honger laten lijden en zelf weggaan met Baby Celeste.

'Laten we dan opschieten,' zei ze opgewekter.

Ik tilde Baby Celeste zo voorzichtig mogelijk op. Ze kreunde even maar werd niet wakker. Toen we haar in haar stoeltje zetten, gingen haar ogen open en ze keek om zich heen, besefte dat ze in de auto zat en lachte.

'Rijen,' zei ze en klapte in haar handen.

'Zo, zie je, iemand is tenminste blij vandaag,' zei mama met een veelbetekenende blik naar mij. 'Iemand weet tenminste alle inspanning te waarderen die ik me getroost voor ons allemaal.'

'Ik waardeer het,' protesteerde ik.

'We zullen zien, we zullen zien.'

We gingen op weg. Ik kwam tegenwoordig zelden meer buiten de farm. Ik staarde naar het landschap, de huizen, winkels en kantoren waar we langsreden. Ik herinnerde me hoe opgewonden Noble altijd was en hoe hij ernaar verlangde in de wereld te zijn. Zijn droom was om naar school te gaan, hopen vrienden te hebben. Zijn frustratie, zijn ontluikende woede en ontroostbare verdriet hadden hem op het verkeerde pad geleid, naar zijn ontmoeting met de dood. Nu ik over dat alles nadacht, maakte het me onrustig dat mama dat niet begrepen had, het niet aan had zien komen. Ze was uiteindelijk toch niet zo perfect. Niemand was perfect, behalve misschien Baby Celeste.

'Ik dacht dat we vandaag misschien even binnen konden wippen in Daves apotheek om hem te bezoeken,' zei mama. 'We kondigen onze verloving niet officieel aan in de krant, maar zoals je ziet' – ze stak haar hand naar me uit – 'heeft hij me een ring gegeven, en hij heeft het verteld aan zijn collega's en aan zijn vaste klanten, en je weet hoe gauw nieuws hier de ronde doet. We zullen ons vaker in de apotheek laten zien.'

Ik kon mijn verbazing over mama's nieuwe vlotte persoonlijkheid niet verheimelijken. Afgezien van de mensen die voor haar kruiden kwamen, onze advocaat – meneer Derward Lee Nokleby-Cook – en een paar functionarissen van school toen ik nog thuisles kreeg, had mama weinig of geen contact met mensen die, zoals we altijd zeiden, in de buitenwereld leefden. Ze had ze niet nodig; ze wilde ze niet. Dat was al zo sinds papa's dood, en zelfs toen hij nog leefde ging ze niet graag met andere mensen om, nodigde zelden iemand uit om te komen eten en ging vrijwel nooit naar een restaurant. Ik herinnerde me dat papa geklaagd had dat ze niet profiteerde van hun toegenomen financiële ruimte, niet met vakantie ging, geen uitstapjes maakte, niet wat meer ging winkelen voor ons en voor haarzelf. Voordat hij stierf kwamen die meningsverschillen vaak voor. Waarom was ze bereid met Fletcher sociabeler te zijn dan vroeger met papa? Voor we naar de apotheek gingen, liepen we rond in het winkelcentrum. Het was een zaterdag, dus was het er druk. Wat me nog het meest verbaasde was dat er zoveel tieners en jonge mensen in groepjes rondhingen, elkaar opzochten. Ik keek heimelijk naar ze, voelde me iemand van Mars. Zouden ze iets afwijkends in me zien? Net als Noble, interesseerde ik me voor alles van hen, de manier waarop ze praatten, elkaar aanraakten, ravotten, lachten, en vooral de kleding van de meisjes.

Ik weet zeker dat het slechts mijn verbeelding was, maar het leek of iedereen naar ons keek, waar we ook kwamen. Mama leek blij met die aandacht, weer iets wat me verbaasde. Vroeger klaagde ze altijd over die 'onnozele blikken van stomme mensen', die ons als een curiositeit zagen en achter onze rug over ons roddelden. Ze glimlachte nooit terug naar iemand, niet zoals ze nu deed.

We kwamen een paar van haar kruidenklanten tegen, en zoals ze had voorspeld, was het nieuws van haar verloving met Fletcher al groot nieuws in het roddelcircuit. Ik zag de manier waarop vrouwen als mevrouw Paris haar gelukwensten, hun ogen voornamelijk op Baby Celeste gericht, zoekend naar een gelijkenis met Dave Fletcher. Toen we wegliepen keek ik achterom en zag dat mevrouw Paris, mevrouw Walker en juffrouw Shamus de hoofden bij elkaar staken en hun tongen in beweging kwamen. Het was duidelijk over wie ze het hadden, maar toen ik naar mama keek, straalde ze. Niet alleen stoorde het haar niet, het was kennelijk precies wat ze wilde.

We kochten een nieuw roze-met-wit jurkje voor Baby Celeste, met een ruche langs de zoom en de hals, lichtblauwe sokjes en bijpassende schoentjes. En mama wilde dat ze het meteen zou aantrekken. Daarna gingen we naar een van de grote warenhuizen, waar ze voor zichzelf een lichte trui met v-hals kocht, nog een rok en een paar schoenen en een zijden sjaal. Toen kocht ze een nieuwe broek voor mij, nog een paar hemden en een paar moderne sportschoenen, zodat ik er 'stijlvoller' zou uitzien. De verkoper merkte op dat ik zo'n kleine schoenmaat had. Ik keek naar mama, maar de uitdrukking op haar gezicht veranderde niet, zelfs niet toen hij naar de schoenen voor kleinere jongens liep.

Later bleef ze staan voor de etalage van een modezaak voor mannen en besloot een pak voor me te kopen dat ik op haar huwelijk zou kunnen dragen. Ik was zenuwachtig toen ik de jasjes moest passen met een verkoper om ons heen, maar mama hield hem bezig met het uitzoeken van bijpassende dassen, een mooi overhemd en sokken. Ten slotte viel haar keus op een donkerblauw pak en ze vertelde de verkoper dat ze de veranderingen zelf wel zou aanbrengen.

Toen dat allemaal gebeurd was, lunchten we, en daarna, zoals ze beloofd had, reed ze naar de winkel, waar Fletcher zijn apotheek had. Hij stond achter de toonbank recepten klaar te maken, maar we waren nog niet binnen of de manager kwam naar ons toe om mama geluk te wensen. Hij heette Larry Jones en was pas een jaar of dertig. Ik vroeg me af hoe hij wist wie mama was, maar zodra we bij de afdeling van de apotheek kwamen, wist ik het. In een zilveren lijst stond daar een foto van Dave Fletcher en mama, een foto die genomen was tijdens de reis toen ze in een hotel hadden overnacht. Ze zaten in de roeiboot en hij had zijn arm om haar schouders geslagen. Ze droeg een rode roos in haar haar.

Ik keek naar haar om te zien of ze geërgerd was, maar ze was juist blij die foto daar te zien.

'Sarah,' riep Fletcher zodra hij ons zag, mompelde iets tegen een assistent en liep snel naar ons toe.

Waar iedereen bij was, klanten, verkooppersoneel, de manager en ik, omhelsde hij mama en gaf haar een zoen op haar wang.

'Wat een geweldige verrassing!' verklaarde hij, luid genoeg dat de hele zaak het kon horen. 'Hoi, Noble. En Celeste. Wat zie jij er mooi uit!'

Met opzet overhandigde mama haar aan hem en hij hield haar in zijn armen alsof hij werkelijk haar vader was.

'We komen net uit het winkelcentrum. Het is een nieuwe jurk,' vertelde mama hem.

'Ze is een beeldje,' zei Fletcher.

Alsof ze haar rol goed had ingestudeerd, sloeg Baby Celeste haar armpjes om zijn hals en hij lachte. De toeschouwers twijfelden er nu niet meer aan dat hij haar vader was. Mama had hem op

121

het prikbord van schandaal en roddels geplakt, waar iedereen het kon zien.

Hij pakte een lollie van de toonbank en gaf die aan Celeste. Maar voordat hij hem haar gaf, keek hij eerst even naar mama of zij het goedvond. Ik was ervan overtuigd dat ze nee zou zeggen. We hadden sinds papa's dood nooit meer snoep in huis. Maar weer liet ze me verbaasd staan door goedkeurend te knikken.

Toen hij hem had uitgepakt en aan Baby Celeste gegeven, keek hij naar mij en toen naar mama. Zijn ogen smeekten haar even weg te lopen van die nieuwsgierige omstanders. Ze voelde dat er iets mis was. Ze hief haar wenkbrauwen op.

'Wat is er, Dave?'

'Betsy,' zei hij zacht, en gaf Baby Celeste terug aan mama.

Onmiddellijk zette ze haar neer en zei dat ik op haar moest passen terwijl zij en Fletcher opzij gingen om onder vier ogen met elkaar te praten. Ik wilde proberen naar hen te luisteren, maar er kwam een verkoopster naar ons toe en ze begon te praten met Baby Celeste. Ze nam haar mee naar de speelgoedafdeling, dus ik moest haar wel volgen.

Een paar minuten later hoorde ik mama zeggen: 'We moeten weg.'

Ze stond achter me. Fletcher was teruggekeerd naar de toonbank van zijn apotheek. Hij zwaaide naar me en ik zwaaide terug. Mama liep al naar de deur, met Baby Celeste in haar armen. Aan de manier waarop ze liep, met stramme schouders en opgeheven hoofd, kon ik zien dat ze van streek was. Ze zei niets tot het kind in haar stoeltje zat en ze was weggereden.

'Wat was er?' vroeg ik ten slotte.

'Betsy komt morgen thuis.' Mama's gezicht zag rood. 'Ze komt thuis om hem over te halen het huis niet te verkopen en niet met mij te trouwen, al zal haar dat niet lukken. Dat kleine kreng!' Ze blies bijna van woede. 'Geen wonder dat ze zoveel waardeloze vriendjes heeft. Altijd als ze een tijdje met iemand samen is geweest, wordt ze door hem gedumpt. Van alle egoïstische…'

'Wat gaat meneer Fletcher doen?'

'Dave. Je moet hem Dave noemen en eens ophouden met dat gemeneer!' snauwde mama. 'Hij wordt je stiefvader.'

'Het spijt me,' mompelde ik en wendde snel mijn blik af van haar woedende ogen.

'Het spijt je!' Ze bleef nog kwaad kijken. 'Wat denk je dat hij gaat doen? Ik zal je vertellen wat hij gaat doen. Hij zal haar eindelijk op haar nummer zetten.' Hij heeft me beloofd dat hij strenger tegen haar zal zijn,' zei ze, maar met minder overtuiging dan ik verwacht had. 'O, hij lijdt aan het gebruikelijke schuldige geweten, verwijt zichzelf dat ze zo is geworden. Ze profiteert van zijn schuldgevoelens. Ze is slim, dat complotterende mormel, ze weet hoe ze hem moet manipuleren. Dat doet ze al jarenlang. Hij geeft haar alles wat ze wil en als hij tegensputtert, jammert ze dat hij haar moeder het huis uit heeft gejaagd en dat hij veel te veel met zichzelf bezig was om haar en Elliot de aandacht te geven die ze nodig hadden. Daar is ze heel goed in. Zoals hij haar beschrijft, kan satan zelf nog wat van haar leren. Wacht maar tot ze in mijn huis woont. Dan zal er een en ander veranderen, en gauw ook.'

'Komt ze bij ons wonen?'

'Wat bedoel je? Natuurlijk komt ze bij ons wonen. Ik heb je net verteld dat ze weer thuiskomt na de zoveelste rampzalige relatie, en ik heb je verteld dat Dave zijn huis verkoopt. Als we eenmaal getrouwd zijn, hoort ze bij het gezin. Geloof me, ik ben er echt niet blij mee, maar voorlopig zal het zo moeten.'

'Hoe bedoel je, *voorlopig*, mama?'

Ze draaide zich om, staarde me even aan en keek toen weer voor zich uit. 'Ik mag aannemen dat ze op een goede dag op eigen benen zal staan, dat ze een of andere arme stakkerd vindt, een of andere idioot, die met haar trouwt, maar tot die tijd zullen we een oplossing moeten zien te vinden voor het probleem.

'Natuurlijk,' ging ze verder, 'geeft ze Dave ook de schuld van Elliots dood.'

'Heus? Waarom?'

'Hetzelfde. Hij gaf hem niet voldoende aandacht, had niet genoeg belangstelling voor hem, liet hem aan zijn lot over. Elke reden die ze maar kan verzinnen zal ze gebruiken. Dat is deels de manier waarop ze hem weet te manipuleren, maar deze keer… deze keer heeft ze méér tegenover zich dan alleen die arme Dave. Dat zal ze gauw genoeg inzien en dan zal ze een ander deuntje zingen.'

Alleen al de gedachte dat ze bij ons zou komen wonen, deed me huiveren. Ik herinnerde me maar al te goed die keer dat Elliot me overhaalde haar te bespioneren door een gaatje in de muur van zijn kamer. Ik deed het nadat hij en ik elkaar voor de eerste keer ontmoet hadden en hij nog dacht dat ik een van zijn nieuwe vriendjes zou worden.

Ik was bang om de uitnodiging te weigeren, maar moest mezelf tegelijkertijd bekennen dat ik erg nieuwsgierig en verlangend was een meisje als Betsy te observeren en haar te zien op momenten dat ze zich alleen waande.

In die tijd was ze het meest sexy meisje dat ik ooit had gezien. Mollig, met mooi haar, een ronder gezicht dan Elliot, met kleine bruine ogen en een zwakke mond met neerhangende hoeken, wat haar een permanente uitdrukking van afkeer gaf als ze bij Elliot en haar vader was. Maar ik was gefascineerd door haar kleren, haar make-up, de manier waarop ze liep en sprak.

Toen ik haar naakt in haar kamer had zien experimenteren met make-up en kapsel, was ik naar mama's kamer gegaan en had voor het eerst haar make-up gebruikt. Ik herinnerde het me nu weer alsof het niet meer dan een paar uur geleden was dat ik het had gedaan.

Ik had een van haar lippenstiften geopend en zorgvuldig op mijn lippen aangebracht, en toen mijn lippen op elkaar geperst en bijgewerkt zoals ik Betsy had zien doen. Ik moest lachen om die helrode lippen in mijn gezicht. Hierdoor aangemoedigd, had ik een van haar potten crème opengeschroefd, de crème op mijn wangen gesmeerd en rond mijn kin. Mijn vingers voelden ruw tegen mijn gezicht, dus wreef ik heel zacht.

Daarna had ik haar gekleurde make-up opengemaakt en ermee geëxperimenteerd. Vervolgens vond ik een wimperborsteltje en begon mijn wimpers donker te maken. Ik was daar bijna mee klaar toen ik mama's gil hoorde. Ik was zo verdiept in mijn bezigheden dat ik haar niet de trap had horen opkomen. Ze stond in de deuropening naar me te kijken, haar ogen wijd opengesperd van afschuw. Ze keek alsof ze zich de haren uit haar hoofd zou trekken.

Net als na dat laatste voorval beschuldigde ze me ervan dat ik besmet was en kort daarna besloot ze dat het Cleo's schuld was. Betsy Fletcher had me niets dan narigheid bezorgd. Ik twijfelde er niet aan of ze zou het weer doen. Ze had alleen maar minachting voor me en ik had geen respect voor haar. Hoe konden we ooit samen in hetzelfde huis leven? Hoe kon ik ooit pretenderen dat ze bij mijn familie hoorde? Waarom maakte mama zich daar niet ongerust over?

Zelfs nu nog, als ik dacht aan de sensuele manier waarop Betsy zichzelf betastte en naar haar lichaam staarde, bevoelde ik soms onwillekeurig mijn eigen lichaam. De tinteling die door me heenging maakte me bang en verrukte me tegelijkertijd. Ik drukte mijn gezicht zo hard ik kon in mijn kussen en hield mijn adem in terwijl ik de beelden en visioenen verjoeg. Maar net als toen ik mama en Dave Fletcher zo romantisch had zien zoenen was het onmogelijk de dromen tegen te houden. Dromen waarin ik een mond voelde op mijn lippen, mijn borsten, dromen waarin ik pagina na pagina reciteerde uit een fascinerende roman.

Betsy zou dat ongetwijfeld weer in me opwekken.

'Haar aanwezigheid zal niet erg prettig voor me zijn, mama,' mompelde ik bijna onhoorbaar, terwijl die gedachten door mijn hoofd gingen.

'Het hoeft niet prettig voor je te zijn,' antwoordde ze. Ze glimlachte vaag. 'Het kan niet anders. Dat is alles. De rest komt vanzelf.'

Haar zelfvertrouwen, dat me anders altijd geruststelde, deed dat deze keer niet. Als ze de ongerustheid in mijn gezicht zag, negeerde ze die, maar ik moest denken aan alle verantwoordelijkheid die ik binnenkort zou krijgen. Betsy zou rondsnuffelen. Betsy zou haar best doen ons in een slecht daglicht te plaatsen tegenover haar vader. Was dit allemaal weer een test?

Ik had het gevoel dat ik aan de voet van een berg stond, en een lawine van verdriet en ongeluk op me neerstortte. Ik kon hem niet tegenhouden en zou hem misschien niet kunnen ontwijken.

Mama keek in de achteruitkijkspiegel naar Baby Celeste, die nog op de lollie zoog.

'Heeft ze zich de hele dag niet voorbeeldig gedragen?' Mama keek naar mij. 'Ja toch?'

'Ja.'

'Ja.' Mama knikte. 'Ja. Ongelooflijk zoals al die mensen naar haar keken.'

Het uitstapje was blijkbaar een groot succes voor mama, maar ik voelde me als iemand die wacht tot de donderbui zal losbarsten.

9. Prinses Betsy

Die donderbui kwam in de vorm van Betsy. Twee dagen later bracht Fletcher (ik kon er nog steeds niet aan wennen hem Dave te noemen) haar mee naar ons huis. De uitdrukking op haar gezicht bewees dat hij haar praktisch hiernaartoe had moeten slepen. Toen ze voor de deur stopten, zag ik dat ze in de auto bleef zitten tot hij het portier opende en haar beval uit te stappen. Ik stond op het veld waar ik zojuist een paar late zomerbloemen had geplant. Ik stond op en zag ze naar de voordeur lopen. Betsy achteraan, met gebogen hoofd. Ik veegde mijn handen af aan een doek en liep ook naar huis.

De middagzon had zich verscholen achter een paar dikke, grauwe wolken. Schaduwen vielen over het huis als een uit duisternis geweven net. Ik rolde mijn mouwen onder het lopen omlaag. Ik maakte me zenuwachtig over het vooruitzicht dat ik oog in oog zou komen te staan met Betsy, maar ik wist dat mama kwaad zou zijn als ik er niet was om onze nieuwe 'prinses', zoals ze haar de afgelopen twee dagen had genoemd, te begroeten. Toen ik binnenkwam, stonden ze nog steeds in de gang.

Betsy stond erbij met gebogen hoofd, opgetrokken schouders en over elkaar geslagen armen. Ze droeg een haveloze spijkerbroek die op het zitvlak, net onder haar linkerbil, gescheurd was, een verschoten blauw T-shirt met het woord *Dead* nog net leesbaar, maar de rest niet meer, en vroeger witte, maar nu vuile en versleten tennisschoenen. Ze had geen sokken aan.

Mama stond tegenover haar, en Dave Fletcher naast haar. Hij keek haar strak aan, zijn ogen vol teleurstelling en woede. Ik was de onaangename openingsscène kennelijk al misgelopen.

'Ik zei,' viel Fletcher tegen haar uit, 'dit is Sarah. Je weet hoe je behoorlijk goedendag moet zeggen, Betsy.'

'Hallo,' mompelde ze, en keek toen naar mij. Ze kneep haar ogen onderzoekend samen en ik kromp even ineen.

Ze zag er anders uit dan de laatste keer dat ik haar van dichtbij had gezien. Haar gezicht was smaller en leek langer, haar neus scherper. Ze had zich niet opgemaakt, zelfs geen lippenstift gebruikt, maar haar wangen zagen rood, vlak onder haar lichtbruine ogen. Ze bracht haar armen omlaag, balde haar vuisten en perste die tegen haar dijen. Ze droeg geen beha en haar volle borsten persten haar duidelijk zichtbare tepels tegen het dunne, afgedragen T-shirt. Wat ze ook had doorgemaakt om zo af te vallen, het maakte haar sensueler en aantrekkelijker.

Ze meesmuilde en verzachtte toen haar zelfvoldane grijns tot een quasi-verlegen glimlach. 'Zo, dus dat is mijn nieuwe kleine broertje, hè?'

'Noble is nauwelijks een kleine jongen meer,' zei mama. 'Hij heeft veel belangrijke taken op de farm en die voert hij erg efficiënt uit.'

Betsy negeerde haar. Ze bleef haar ogen op mij gericht houden. Ik voelde me als een hert dat gevangenzit in de koplampen en keek snel naar mama.

'Noble.' Ze knikte naar Betsy. Haar blik spoorde me aan haar te begroeten.

'Hoi,' zei ik. 'Welkom.'

'Ja, precies. We willen je welkom heten, Betsy,' zei mama met een geforceerde glimlach, 'en je je nieuwe kamer laten zien.'

'Nieuw,' zei ze minachtend. Ze keek om zich heen. 'Dit is niet bepaald nieuw te noemen. Het is waarschijnlijk ouder dan dat kot dat we nu hebben.'

'Eerlijk gezegd wel, ja,' zei mama, niet in het minst uit het veld geslagen. 'En het heeft ook een veel oudere geschiedenis.'

'Joepie,' zei Betsy. 'We verhuizen naar een museum. Geweldig.'

Haar vader keek haar zo woedend en vol afkeer aan, dat ik dacht dat hij een harde klap zou geven op die onhebbelijke grijns van haar. Maar hij wist zich met veel inspanning te beheersen en glimlachte naar mama.

'Het is heel aardig van je om Betsy het huis te laten zien, Sarah. Dank je.'

'Waarom kan ik niet gewoon in ons huis blijven tot het verkocht is?' jammerde Betsy.

'Daar hebben we het al uitvoerig over gehad, Betsy,' zei haar vader met opeengeklemde tanden. 'Ik heb de meubels opgeslagen en ik wil dat het huis er onberispelijk uitziet als er belangstellenden komen. Trouwens, Sarah' – hij richtte zich weer tot mama – 'er komen morgen een paar mensen uit New York die een vakantiehuis zoeken, voor de weekends en de zomer. Ze zijn al geïnteresseerd terwijl ze alleen nog maar langs zijn gereden.'

'Fijne vakantie zullen ze hebben in dat kot,' zei Betsy, en keek naar mij om bijval te zoeken. De uitdrukking op mijn gezicht veranderde niet. Haar lippen verstrakten en haar blik dwaalde af. Ze sloeg haar armen weer over elkaar en zag eruit of ze met haar voeten in beton stond.

'Ach, we moeten allemaal leren het weinige dat we hebben op prijs te stellen,' zei mama. 'Wat jij een kot vindt, kan misschien een paleis lijken in de ogen van de mensen die het komen bezichtigen.'

'Een paleis?' Betsy lachte. 'Dan zouden ze uit een achterbuurt moeten komen.'

'Je vader heeft dat oude huis heel mooi opgeknapt,' hield mama vol.

'Misschien kunnen we daar dan maar beter blijven,' antwoordde Betsy. Ze liet zich niet gemakkelijk intimideren, zelfs niet door mama's kille blikken en ingehouden woede.

Mama staarde haar slechts een ogenblik aan, draaide zich toen om en glimlachte naar Dave Fletcher. 'Zullen we dan maar met de rondleiding beginnen?'

'Alsjeblieft.' Hij wilde Betsy een arm geven, maar ze trok zich terug, keek even naar mij en volgde hen toen onwillig de gang door. Bij de zitkamer bleef ze staan.

'Wie speelt hier piano?' vroeg ze.

'Sarah, en ze speelt heel mooi.'

'Je bedoelt dat Noble het niet kan?' vroeg Betsy lachend.

Niemand reageerde.

'Papa raakt niet uitgepraat over alles wat jij kan en doet,' zei ze tegen mij.

'En niets ervan is overdreven,' zei haar vader met een knikje naar mij.

Betsy sloeg haar ogen op naar het plafond. 'Mijn vader zag altijd eerder de goede kanten van andermans kinderen dan van mij of mijn broer.'

'Betsy!'

'Laat maar,' zei ze schouderophalend. 'Laten we verdergaan.' Ze keken naar de eetkamer en ze klaagde dat die van hen groter was en tenminste een mooi groot raam had.

'Dit is net of je in de restauratiewagen van een trein eet,' mompelde ze luid genoeg dat we het allemaal konden horen.

'Echt niet,' zei mama. 'En ik weet zeker dat je beter zult eten dan je de laatste tijd gedaan hebt.'

'Daar ben ik het helemaal mee eens,' zei Fletcher. 'Ik heb nog nooit zo lekker gegeten als hier.'

Betsy interesseerde zich niet voor de keuken, maar ze gingen er toch langs voordat ze de trap opliepen naar de slaapkamers. Op weg naar boven schudde Betsy met opzet aan de trapleuning, tevreden grijnzend als hij op sommige plaatsen rammelde.

'Hé, kleine huismeester,' riep ze naar me, 'ik zou dit maar goed repareren, als ik jou was, anders breekt die leuning nog en kan er iemand vallen, en we willen toch geen verdere ongelukken, hè?'

Ik voelde dat ik een kleur kreeg.

'Betsy,' snauwde haar vader, en ze liep door, een lach als een sleep van minachting achter zich latend. Toen ze op de eerste verdieping waren, hoorde ik Baby Celeste roepen. Ze was wakker geworden. Het klonk als een zweepslag in mijn oren. Ik hield mijn adem in en liep haastig de trap op. Wat zou Betsy zeggen als ze Baby Celeste zag? Zou ze Elliot in haar zien en daarom zonder meer aannemen, net als de andere mensen in het dorp, dat haar vader ook de vader van Baby Celeste was?

Ik stond boven aan de trap op het moment dat mama Baby Celeste optilde om haar aan Betsy voor te stellen. Zoals naar elke nieuwkomer keek Baby Celeste haar met een stralende glimlach aan.

'Celeste,' zei mama, 'dit is Betsy. Ze komt bij ons wonen en wordt je nieuwe grote zus. Vind je dat niet leuk?'

'Betsy.' Baby Celeste sprak het perfect uit. Dave Fletcher lachte.

Betsy staarde haar met een onbewogen gezicht aan. Toen draaide ze zich naar mij om en haar ogen versomberden even. Ik hield nog steeds mijn adem in.

'Welke kamer is van mij?' vroeg Betsy aan mama.

'Hier, kindlief,' zei mama, en opende een deur aan de rechterkant.

Ik was zelf verbaasd over alles wat mama aan de kamer had gedaan. Er hingen nieuwe witte gordijnen en op het queensize bed met de roos in reliëf op het hoofdeinde lag een mooi roze-met-wit dekbed en grote donzen kussens. Een mij onbekend, nieuw donkerroze tapijt lag op de grond; het was gelegd toen Baby Celeste en ik ons moesten verstoppen in de torenkamer. Ik was feitelijk een beetje jaloers op die verbeteringen. In deze kamer stond ook een toilettafel met een spiegel. Mama had staande lampen naar beneden gebracht van de zolder, en aan het voeteneind van het bed stond een grote notenhouten ladekast. Ik had die kast altijd in mijn kamer willen hebben, maar mama had gezegd dat hij vroeger van haar grootmoeder was geweest en nog de geur van haar poeder bevatte.

'Het is geen meubel voor een jongen,' had ze gezegd.

'Mooie kamer, Betsy,' zei haar vader. 'Veel mooier dan die je nu hebt, vind je niet?'

'Nee. Hij is kleiner, en bovendien slaap ik vlak naast de kinderkamer. Ik zal haar voortdurend horen jammeren.'

'Baby Celeste jammert niet,' zei mama fel.

'Waarom noem je haar Baby Celeste in plaats van gewoon Celeste?' vroeg Betsy onmiddellijk. Het leek een aanval.

'O, een gewoonte,' zei mama een beetje hakkelend.

Het scheen Betsy niet te interesseren wat mama antwoordde.

'Waar is jouw kamer?' vroeg ze mij alsof ze dacht dat die van mij mooier zou zijn.

'Daar.' Ik knikte naar de open deur achter haar, aan de andere kant van de gang.

Ze keek naar binnen en schudde haar hoofd. 'Waar gaat die trap naartoe?' Ze knikte naar de trap die naar de torenkamer leidde. 'Dat lijkt me ver genoeg weg.'

'Een opslagruimte,' antwoordde mama droogjes. 'En het is geen plek om in rond te hangen, laat staan te slapen.'

'Wie zou hier nou willen rondhangen?' kaatste Betsy terug.

Mama trok een gezicht of ze tot tien telde. Toen glimlachte ze weer. 'Noble, wil jij even met Baby Celeste naar buiten? Ze kan wel wat frisse lucht gebruiken.'

'Dat geloof ik graag. We kunnen allemaal wel wat frisse lucht gebruiken,' merkte Betsy op. 'Het stinkt hier.'

'Betsy!' riep haar vader uit.

'Nou, het is zo. Je brandt wierook of wat het ook is, hè?' vroeg ze aan mama.

'Ja, maar te oordelen naar wat ik gehoord heb, heb jij zelf in niet erg prettig geurende ruimtes geslapen. Ik weet zeker dat je er wel aan went.'

Betsy keek naar haar vader. 'Bedankt, papa. Ik kan me precies voorstellen wat voor verhalen je over me verteld hebt.'

Ik tilde Baby Celeste op en liep de trap af.

'Ik ga ook naar buiten,' hoorde ik Betsy zeggen. Ze volgde me de deur uit.

Ik zette Baby Celeste neer op de vloer van de veranda en ze liep regelrecht op een van haar poppen af die ze in de schommelstoel had laten liggen.

'Je gaat nog steeds niet naar school, hè?' zei Betsy.

Ze liep naar het hek van de veranda en leunde ertegen, legde haar handen erop en trok haar schouders naar achteren, waardoor haar borsten omhoog en naar voren werden geduwd. Ik keek naar haar en toen naar Baby Celeste, die in de schommelstoel was gaan zitten en de pop op schoot hield, op dezelfde manier als mama en ik haar vaak vasthielden.

'Nee, ik heb mijn highschool-diploma al gehaald.'

'En wat ga je nu doen? De rest van je leven babysitten?'

'Nee, ik ben geen babysitter,' zei ik heftig. 'Ik help zo nu en dan, dat is alles.'

'O, natuurlijk. "Ga met het kind naar buiten. Ze moet wat frisse lucht hebben,"' zei Betsy spottend. Toen lachte ze. 'Je hebt nog steeds geen echte vrienden, hè?'

Ik gaf geen antwoord.

'Wat doe je voor je plezier? Plant je bomen of zoiets?'

'Er is hier een hoop te doen. Ik heb het druk. En ik lees.'

Ze schudde haar hoofd. 'Dit is werkelijk een achtergebleven gebied.'

'Waarom ben je teruggekomen als je het hier zo verschrikkelijk vindt?' vroeg ik bits.

'Ik blijf niet lang. Ik moet papa een beetje opvrijen. Lief en aar-

dig zijn en meewerken tot hij me geld geeft en ik weg kan.'
'Waarheen?'
'Overal is beter dan hier. Wat heeft je moeder gedaan om hem zover te krijgen dat hij met haar wil trouwen? Een van haar toverspreuken over hem uitgesproken of zo?'
'Ze spreekt geen toverspreuken uit.'
'Elliot geloofde van wel. Hij heeft me over jou verteld.'
Het noemen van Elliots naam deed het bloed naar mijn hoofd stijgen, en mijn wangen begonnen zo snel te gloeien dat ik mijn hoofd moest afwenden en naar Baby Celeste kijken.
'Schommelen,' zei ze. 'Schommel me, Noble.'
Ik begon de stoel zachtjes heen en weer te schommelen en ze drukte haar pop tegen zich aan en keek naar Betsy.
'Hoe oud is dat kind?'
'Ze wordt drie,' zei ik.
'Ze heeft het haar van Elliot. Hoe lang heeft mijn vader hier rondgescharreld?'
Ik gaf geen antwoord.
'Is ze mijn zusje of niet?' vroeg ze op de man af.
'Nee, ze is mijn nichtje. Haar ouders waren –'
'Ja, ja. Dat sprookje ken ik. Ik vraag om de waarheid.'
'Dat is de waarheid.'
'Goed.' Ze keek om zich heen. 'Ik kan me niet voorstellen dat mijn vader dit zal doorzetten. Hij wil hier komen wonen. Hij kan net zo goed naar een bejaardentehuis of zo gaan.'
'Het is prachtig om hier te wonen.'
Ze krulde haar lippen en liet het hek los. 'Heb je een sigaret?'
'Nee, ik rook niet.'
Ze staarde me aan en glimlachte toen neerbuigend. 'Ik herinner me dat Elliot me vertelde dat hij een keer een paar meisjes mee naar huis had genomen om wat hasj te roken en dat jij toen wegliep. Ben je altijd bang geweest voor meisjes? Is dat je probleem?'
'Ik ben niet bang voor meisjes.'
'O, heb je een vriendinnetje?'
'Nee.'
'Maak je wel eens afspraakjes?'
'Nee.'
'Wat doe je dan? Vrij je met de kruiden?' Ze lachte toen ik geen

132

antwoord gaf. 'Dit is krankzinnig,' zei ze, om zich heen kijkend. Toen keek ze weer naar mij. 'Weet je waar ik tot voor kort was?'

Ik schudde ontkennend mijn hoofd.

'In New Orleans. Wel eens van gehoord?'

'Natuurlijk.'

'Mijn vriend speelde trompet in de Franse Wijk. We hadden reuze pret, feestten bijna elke avond tot vier uur in de ochtend en sliepen het grootste deel van de dag.'

'Dat lijkt me helemaal niet leuk.'

'Nee, jou natuurlijk niet. Jouw opvatting van amusement is waarschijnlijk een zwerm ganzen die naar het noorden vliegt.'

'Als je het daar zo naar je zin had, waarom ben je dan thuisgekomen?' vroeg ik. Ik kon mijn woede niet langer bedwingen.

Nu was het haar beurt om te zwijgen.

'Ik begon me te vervelen,' antwoordde ze ten slotte.

'Verveelde jij je of verveelde je vriend zich met jou?'

'O, wat zijn we slim,' zei ze. Ze trok haar mondhoeken omlaag, zoals ik me van haar herinnerde. 'Elliot vertelde me hoe intelligent je was. Hij vond je heel bijzonder. Ik weet niet waarom hij wilde omgaan met iemand die nooit een stap buiten de farm zette, maar hij wilde het. Weet je, het is jouw schuld dat hij verdronken is,' ging ze beschuldigend verder.

Haar woorden benamen me de adem. *'Wat?'*

'Als hij niet bevriend was geweest met jou, zou hij niet bij die beek hebben rondgehangen en zou hij niet zoveel tijd in dat bos hebben doorgebracht. Hij zou echte vrienden hebben gehad, in het dorp, en zo. Ik snap niet dat mijn vader hier de rest van zijn leven wil blijven en voor jouw vader spelen,' snauwde ze.

Er stonden tranen in haar ogen, tranen van verdriet, tranen van teleurstelling, tranen van zelfbeklag – vermengd met tranen van woede en jaloezie.

'Dat is niet waar,' zei ik. 'Het is niet mijn schuld dat Elliot is gestorven.'

'Nou ja, wat maakt het voor verschil? Hij is dood en begraven.' Ze snoof en draaide zich om.

'Betsy,' zei Baby Celeste. Toen Betsy haar aankeek, hief ze haar pop omhoog.

'Wat wil ze dat ik daarmee doe?'

'Vasthouden. Ze wil dingen graag met anderen delen.'
'Ik heb geen pop meer vastgehouden sinds ik zo oud was als zij.'
Baby Celestes glimlach was magisch. Zelfs Betsy kon die niet
weerstaan. Ze liep naar voren en pakte de pop van haar aan.
'Hoe heet ze?' vroeg ze aan Baby Celeste.
'Betsy,' antwoordde ze.
'Betsy? Heeft ze haar pop Betsy genoemd?' vroeg ze aan mij.
'Ik denk het,' zei ik.
'Wanneer?'
'Nu net. Het betekent dat ze je aardig vindt.'
'O, hemel.' Betsy keek naar de pop. Het was een van de poppen
die Taylor aan mama had gegeven. Betsy schoof het jurkje van de
schouders van de pop en draaide haar langzaam om. Toen hield ze
de pop tussen haar borsten en lachte. 'Proportioneel zijn we het-
zelfde, hè, Nobleman? Heb ik net zo'n goed figuur als die pop? Pro-
beert die kleine Celeste me dat te vertellen?'
Ik schudde mijn hoofd. Waarom plaagde ze me zo?
'Kun je dat niet zien?' vroeg ze lachend.
Ik kon haar alleen maar aanstaren.
'Misschien moet je ze eens van dichtbij kijken.' Ze kwam naar
me toe. Ik keek opzij om te zien of ik kon weglopen, maar ze deed
een stap naar rechts om me de weg te versperren. Toen tilde ze lang-
zaam haar verschoten T-shirt op en liet me haar borsten zien.
Ik kon niet slikken. Ik kon niets zeggen en dacht dat mijn hart
in steen was veranderd.
De knop van de voordeur rammelde en ze liet snel haar T-shirt
zakken.
'We praten er laten wel over,' zei ze glimlachend, juist toen ma-
ma en Fletcher naar buiten kwamen.
'Hoe gaat het met iedereen?' vroeg Dave Fletcher.
'Kon niet beter, papa. Noble en ik hebben bobbels vergeleken.'
'Bobbels?' Hij keek naar mij en ik sloeg mijn ogen neer.
'Ja, papa, je weet wel. Wie heeft vlakker land, zij of wij?'
'Hè?' Haar vader keek naar mij en ik wendde mijn blik af. 'Oké,
Betsy. Zo is het genoeg. Sarah en ik hebben besloten nu onze
trouwplannen te bespreken. Je kunt óf bij Noble blijven, óf terug-
gaan naar het huis.'
'Wat moet ik met Noble doen?'

'Misschien kan hij je de kruidentuin laten zien.'

'O, wauw, zou je dat willen, Noble?' zei ze, voor ik kon reageren. 'Alleen weet ik niet of ik zoveel opwinding in één dag kan verwerken. Vind je het erg als ik het vandaag oversla en het uitstel tot een andere dag?'

Ik keek naar mama. Haar ogen waarschuwden me om kalm te blijven en Betsy te negeren.

'Wanneer je maar tijd hebt, Betsy,' zei ik. 'We hebben een kruidenthee die je misschien kan helpen wat optimistischer te zijn over jezelf.'

Mama glimlachte.

Betsy maakte een grimas en draaide zich toen met een ruk om naar haar vader. 'Ik ga naar huis,' zei ze. Ze gaf de pop weer terug aan Baby Celeste en stapte de veranda af.

'Ik blijf niet lang weg,' riep Fletcher haar na. 'Ga nergens heen voor ik terug ben, Betsy.'

'Waar zou ik naartoe moeten, de plaatselijke jeugdclub? Later, Noble.' Ze liep in de richting van de oprijlaan.

'Het spijt me,' zei Fletcher tegen mama en mij.

'Het is goed, Dave. We weten allebei hoe moeilijk het is voor een kind om te wennen aan een totaal nieuwe omgeving en familie. Dat kost tijd, maar ik weet zeker dat het goed zal aflopen,' zei mama.

'Je bent zo vol begrip, Sarah. Betsy heeft geen idee wat een geweldige nieuwe moeder ze krijgt.'

'Dank je, Dave. Noble, kun je Baby Celeste nog even langer zoet houden terwijl Dave en ik over onze trouwplannen praten?'

'Ja, mama.'

'Dank je.'

'Dank je, Noble,' voegde Dave Fletcher eraan toe, en ze gingen weer naar binnen.

'Betsy,' zei Baby Celeste, haar nakijkend toen ze over de oprijlaan liep.

'Ja,' zei ik. 'Betsy.'

Ik pakte Baby Celestes handje vast en hielp haar de veranda af. We slenterden naar de tuin en ik gaf haar een kleine spade. Ze keek naar me en deed me na terwijl ik spitte en plantte. Plotseling voelde ik de haren in mijn nek overeind gaan staan en ik draaide me langzaam om naar het bos. Even zag ik niets, en toen zag ik hem daar staan, leunend tegen een boom met die arrogante glimlach van hem, net zoals toen hij de eerste keer was verschenen om tegen me te praten.

Baby Celeste keek ook in zijn richting. Deed ze dat omdat ze mij naar de bomen zag staren of omdat ze hem zag?

'Wat is er, Celeste? Wat zie je?'

Ze keek op, glimlachte en ging verder met spitten.

Toen ik weer keek, was Elliot verdwenen. Zou hij me nu eeuwig blijven achtervolgen? vroeg ik me af.

Ik hoorde mama roepen vanuit het huis.

'Kom, Celeste, we moeten naar binnen,' zei ik, en veegde haar jurk en handen af. Toen droeg ik haar terug.

'We hebben een datum vastgesteld,' zei mama, zodra we binnen waren. 'Zaterdag over twee weken.'

'Zo gauw al? Hoe wil je in zo korte tijd alle uitnodigingen hebben verzonden en alles geregeld hebben?' ging ik haastig verder, om niet al te negatief te klinken.

'We hebben een heel kleine gastenlijst. Dave heeft geen familie die hij wil uitnodigen, en wij hebben zeker niemand die een uitnodiging nodig heeft.'

Ik keek naar Fletcher. Zou hij begrijpen dat mama bedoelde dat er wel familieleden zouden zijn, maar alleen geesten, of dat we geen familieleden hadden die we wilden inviteren?

'Ik heb een paar vrienden van de zaak,' verklaarde Fletcher.

'Het zal een heel simpele plechtigheid zijn en we zetten tafels hier buiten,' ging mama verder.

'Ik zou graag willen dat jij mijn getuige bent,' zei Dave Fletcher tegen mij.

Ik wilde mijn hoofd al schudden.

'Natuurlijk wil hij dat, hè, Noble?'

'Ik weet niet hoe ik dat moet doen,' zei ik, en wist onmiddellijk dat het stom was om dat te zeggen. Ze begonnen allebei te lachen.

'Dat is in dit geval niet zo moeilijk,' zei Fletcher glimlachend. 'Ik geef je de trouwring om te bewaren, en op het juiste moment tijdens de plechtigheid geef je hem aan mij om hem aan de vinger van je moeder te schuiven.'

'We zouden het allebei heel erg waarderen als je dat deed, Noble,' zei mama.

'Oké,' zei ik.

'Kom, ik ga maar naar huis om te zien welke crisis Betsy voor me in petto heeft,' zei Fletcher. 'Ze zal zich morgenavond beter gedragen, dat beloof ik. Tot ziens, Noble. Dag, Celeste.' Hij gaf haar een zoen op haar voorhoofd. Ze lachte naar hem en hij schudde zijn hoofd. 'Wat een persoonlijkheid heeft dat kind. Ik wou dat die neef en nicht van je nog leefden om me hun geheim te verklappen. Ik had het kunnen gebruiken voor de opvoeding van mijn eigen kinderen.' Hij zoende mama op haar wang en liep naar zijn auto.

We keken hem na toen hij wegreed.

'Ik weet dat je je bezorgd maakt,' zei mama toen ik haar aankeek. 'Dat hoeft niet. Betsy zal geen probleem voor ons vormen. Ze zal helemaal geen probleem zijn.' Ze nam Baby Celeste van me over en ging naar binnen.

Ik wist niet zeker waarom ze zo zelfverzekerd was, maar kreeg een hint toen Betsy en haar vader de volgende avond kwamen eten. Ik wist niet wat hij tegen haar had gezegd of waarmee hij had gedreigd, maar ze was deze keer netjes gekleed. Ze droeg ook een beha, en een wijde, lichtgroene blouse met bijpassende rok en blijkbaar splinternieuwe schoenen. Haar haar was keurig geborsteld. Ze had wat lippenstift op, maar had zich verder niet opgemaakt. In het begin was ze vrij stug, maar ze maakte geen sarcastische of valse opmerkingen. Kennelijk op Fletchers aandringen bood ze zelfs aan om te helpen, maar mama zei dat ze vanavond de gast was.

'Als we allemaal onder één dak wonen, zullen we de taken verdelen,' voegde ze eraan toe.

Ik kon zien dat het op het puntje van Betsy's tong lag om een onaangename opmerking te maken, maar ze keek even naar haar vader en kneep toen haar lippen op elkaar als iemand die probeert niet te braken.

Mama had een van Fletchers lievelingsmaaltjes bereid, haar gehakt met knoflook en aardappelpuree. Ze had vers gestoomde snijbonen en zelfgemaakt brood. Voor Betsy, Baby Celeste en mij had ze verse vruchtenlimonade gemaakt. Zij en Fletcher deelden een fles rode wijn die hij had meegebracht. In plaats van alles op tafel te zetten zoals ze gewoonlijk deed, maakte ze ieders bord van tevoren klaar en bracht dat naar binnen.

137

Dave Fletcher begon onmiddellijk op te scheppen over het voedsel. Betsy prikte aanvankelijk wat rond in haar bord, vastbesloten niets lekker te vinden, maar zelfs zij moest er wel van genieten en het duurde niet lang of ze at enthousiast met ons mee. Mama en Dave Fletcher praatten over hun trouwplannen alsof wij niet aanwezig waren.

'Ik verheug me erop je kennis te laten maken met mijn goede vriend Wyman Bogart,' zei mama. 'Hij en ik werken al een tijdje samen. Hij is een oude vriend van de familie, de oudste vriend die ik heb.'

'Ik heb een verrassing voor je,' zei Fletcher met een knipoog naar mij. 'Je hebt het zo vaak over hem en zijn winkel gehad, dat ik er gisteren ben geweest om een mooie trouwring voor je uit te zoeken. En,' zei hij, met schuingeheven hoofd, 'hij vertelde me dat jij hetzelfde voor mij had gedaan.'

'Dat had een geheim moeten zijn,' zei mama, die net deed of het haar verbaasde.

'Aan de tijd dat we geheimen voor elkaar hadden is snel een eind gekomen,' zei Dave Fletcher, en ze moesten allebei lachen. Betsy keek naar mij en trok haar mondhoeken omlaag. Baby Celeste lachte met de anderen mee. Ze bleven praten over hun huwelijk, mama's plannen voor het diner, en de muziek die er gespeeld zou worden. Bogart, die de dominee had gevonden die mama wilde, had ook iemand die accordeon speelde.

'Is dat jullie muziek?' vroeg Betsy, die eindelijk haar mond opendeed. 'Een accordeon?'

'Het is eigenlijk alleen voor wat muziek tijdens het eten,' zei mama.

'Klinkt als een fantastische bruiloft,' zei Betsy en stopte het laatste hapje in haar mond.

'Het is simpel, maar betekenisvol,' zei mama. Fletcher was het met haar eens.

Betsy zei niets meer. Feitelijk keek ze plotseling meer dan verveeld; ze zag er moe, slaperig uit. Haar ogen gingen dicht en weer open, dicht en open.

'We laten de afwas nu maar even staan,' zei mama tegen Fletcher toen hij opstond om haar te helpen. 'Neem iedereen maar mee naar de zitkamer, dan speel ik wat voor jullie.'

'Mooi,' zei hij.

Betsy keek verward toen we allemaal opstonden.

'We gaan naar de zitkamer,' zei ik tegen haar, en wilde Baby Celeste oppakken, maar tot mijn verbazing draaide ze zich om en stak haar armpjes uit naar Dave Fletcher.

'Hopla,' riep hij, en tilde haar van haar stoel om haar te dragen. Betsy kneep haar ogen jaloers en kwaad samen voor ze opstond om hen te volgen. In de zitkamer plofte ze neer in grootvader Jordans schommelstoel en deed haar ogen dicht.

Voordat mama binnenkwam om voor ons te spelen, was Betsy al in slaap. Haar vader had het te druk met Baby Celeste om het te merken.

Ik keek naar mama. Ze trok haar wenkbrauwen op en glimlachte toen.

'Ze zal geen probleem zijn,' fluisterde ze en liep naar de piano.

10. Elliots web

Betsy werd pas wakker toen mama ophield met spelen en het tijd was voor haar en haar vader om te vertrekken. Het leek of mama's muziek haar in een coma had gehouden. Ze keek verward, zelfs een beetje angstig, dat de tijd verstreken was en ze zoveel gemist had. Ze ging rechtop zitten, knipperde met haar ogen en wreef krachtig over haar wangen.

'Voel je je goed, kindlief?' vroeg mama.

'Ja,' zei Betsy snel. 'Ik denk dat ik... me verveelde,' hakkelde ze, in een poging haar verlegenheid van zich af te schudden. Zelfs Baby Celeste staarde haar aan alsof ze een rariteit was.

'Verveelde? Hoe kun je je nu vervelen met die muziek?' vroeg haar vader.

'Bij dat soort muziek val ik in slaap,' hield ze vol. 'Het is liftmuziek.'

'Misschien ben je niet gewend aan een eenvoudige, rustige levensstijl,' zei mama, die haar ergernis verborg onder een bevroren glimlach. 'Ik weet zeker dat je je mettertijd zult aanpassen en je gelukkig zult voelen.'

Betsy trok haar wenkbrauwen op naar mij, alsof ze verwachtte dat ik medeleven zou tonen en het eens zou zijn met haar oordeel over mama's muziek. Toen ze zag dat ik haar niet zou bijvallen, schudde ze haar hoofd.

'Ik popel van ongeduld,' zei ze. 'Kijk maar eens wat het voor Nobleman heeft gedaan.'

'Ik heb liever dat je hem niet zo noemt,' zei mama onmiddellijk, maar ze bleef glimlachen.

'Noble? Je wilt niet dat ik hem Noble noem? Ik dacht dat hij zo heette. Heeft hij soms een bijnaam?'

Ik voelde het bloed naar mijn wangen stijgen.

'Ik wil niet dat je hem Noble*man* noemt.' Mama keek naar mij. 'Hij is een heel nobele man, maar zijn naam is gewoon Noble, zoals die van jou Betsy is en niet Betsy*vrouw*,' legde mama nadrukkelijk en duidelijk uit, alsof ze tegen een vreemde sprak. 'Goed,' zei Betsy. 'Prima. Noble dus.' Ze keek werkelijk alsof ze niet de energie had om tegen te spreken. Op aandringen van haar vader bedankte ze mama voor de avond en liep vóór hem de deur uit, daarmee bewijzend hoe graag ze dit huis wilde verlaten.

'Mijn excuses voor haar gedrag,' zei Dave Fletcher tegen mama toen we gedrieën naar buiten liepen.

'Ze trekt wel bij,' verzekerde mama hem. Hij moest lachen om haar onwankelbare optimisme. 'Je bent ongelooflijk, Sarah. Bedankt voor alles.' Hij gaf haar een afscheidszoen. Hij gaf mij een klopje op mijn schouder, maar omhelsde Baby Celeste en zoende haar op haar wang.

'Dag-dag,' riep ze, en hij lachte.

'Wat een kind,' riep hij achterom naar ons, stapte in zijn auto en reed weg.

We keken de auto na.

'Je hebt me nooit verteld over al het werk dat gedaan is aan wat Betsy's kamer zou worden, mama.' Het brandde op mijn tong sinds mama hem aan Betsy had laten zien.

'Er is ook aan jouw kamer gewerkt, Noble,' zei mama glimlachend. 'We houden allemaal van je en zullen altijd van je blijven houden.'

'Dat weet ik, maar je hebt nooit iets gezegd over die kamer. Ik was gewoon verbaasd.'

Haar glimlach verdween snel. 'Je klinkt meer jaloers dan verbaasd. Je zou geen van beide zijn als je wat meer je best deed,' zei ze beschuldigend, en ging weer naar binnen met Baby Celeste, die over mama's schouder naar me keek met eenzelfde beschuldigende uitdrukking op haar gezicht. Soms deed ze me denken aan een marionet als ze bij mama was.

'Mijn best doen? Hoe bedoel je? Wat heb ik niet goed gedaan?' vroeg ik, terwijl ik haar volgde.

Mama zweeg even en draaide zich toen langzaam naar me om. 'Je doet het niet goed genoeg als iets je verbaasd doet staan. Doe alle lichten uit en ga naar bed.' Ze liep de trap op om Baby Celeste naar bed te brengen. In plaats dat zij boven me uitsteeg, had ik het gevoel dat ik dieper en dieper omlaagzonk met elke stap die ze deed, krimpend alsof ik in de grond zou verdwijnen.

Als iets me verbaasd deed staan? Wat bedoelde ze daarmee? Wat verwachtte ze dat ik zou weten?

Ik deed het licht uit en liep de trap op. Ik voelde me bijna net zo uitgeput en gedeprimeerd als Betsy. Maar alweer, zoals al te vaak tegenwoordig, kon ik moeilijk in slaap komen. Ik lag te draaien en te woelen, viel van de ene droom in de andere, vol gezichten die ik nog nooit had gezien, stemmen die ik nog nooit had gehoord. Daartussendoor zag ik Betsy's spottend grijnzende gezicht en voelde haar ogen over mijn lichaam gaan als twee spinnen die probeerden elke opening binnen te dringen.

De hele volgende week liet ze zich niet bij ons thuis zien. Als haar vader kwam eten, zei hij dat ze zich niet goed voelde of naar vrienden ging. Mama en ik wisten allebei dat hij excuses voor haar verzon, maar mama deed net of het haar niet kon schelen of van streek bracht, terwijl ik opgelucht was dat ik niet al die spanning hoefde mee te maken.

De gesprekken aan tafel gingen altijd over het huwelijk en wat er daarna zou gebeuren. Dave Fletcher en mama hadden nog steeds geen plannen voor een huwelijksreis, maar ze praatten wel over uitstapjes die we in de toekomst met ons allen zouden gaan maken. Ik kon me niet voorstellen dat Betsy daarbij zou zijn.

Misschien omdat er nu zoveel over ons geroddeld werd en de nieuwsgierigheid zo overweldigend was, kwam mama's vaste groep klanten steeds vaker terug, samen met nieuwe klanten. Wat voor kruiden ze ook kwamen halen, het gesprek draaide altijd uit op mama's aanstaande huwelijk met Dave Fletcher. Iedereen wilde Baby Celeste zien, die altijd genoot van hun aandacht. Het was echt alsof ze precies wist hoe ze zich moest gedragen zoals mama dat wilde. Ze lachte, praatte en liet zich door iedereen omhelzen die dat wilde. Als Dave Fletcher er ook was, beschouwden de bezoeksters dat kennelijk als een bonus. Iedereen kon zien hoe snel Baby Celeste zich aan hem was gaan hechten Hoofden knikten als de kleine speelgoeddieren die mensen voor de achterruit van hun auto zetten. En weg renden de kippen, opgewonden kakelend, om het nieuws te verspreiden.

'De mensen praten overal over ons,' zei mama. Ze noemde het 'een symfonie van klakkende tongen' en lachte alsof ze de tevreden dirigent was. Inderdaad leek alles wat mama wilde ook te gebeuren. Ze verwachtte niet anders, en haar zelfvertrouwen versterkte mijn eigen groeiende geloof dat hogere spirituele krachten inderdaad de hand hadden in al haar beslissingen.

Het mooiste kwam daarna. Tien dagen nadat het New Yorkse echtpaar Fletchers huis had bezichtigd, deden ze een bod. Hij deed een tegenbod, en ze werden het met elkaar eens. Iedereen die ons bezocht en hoorde over de betrekkelijk snelle verkoop was verbaasd. Naar wat ik hoorde, werden huizen in onze omtrek niet zo snel verkocht, en zeker geen huis dat zo oud was als dat van Dave Fletcher. Plotseling gebeurde het dat iemand die persoonlijk contact had met mama geluk had in plaats van tegenslag. Samen met de positieve resultaten van haar geneeskrachtige kruiden, moedigde die veelbelovende sfeer rond mama de roddelaars en bemoeials aan om dicht bij haar te willen zijn, haar een hand te geven, haar aan te raken of zich door haar te laten aanraken.

Een van mama's sterke overtuigingen was in feite het geloof in haar vermogen om goede energie op anderen over te dragen. Het was niet precies hetzelfde als wat de mensen handoplegging noemden. Ze beweerde nooit dat ze bovenaardse krachten had. In plaats daarvan sprak ze over een innerlijke warmte. Haar lichaam was gewoon gezegend met het vermogen de positieve spirituele stroom om ons heen op te vangen en te kanaliseren in mensen die het nodig hadden en het wensten.

Hoe vaak had ik haar niet gezien als ze haar handpalmen op iemands slapen legde, haar ogen sloot en haar handen daar hield tot de cliënt, zoals ze hem of haar graag noemde, zijn of haar ogen opende en verklaarde dat de hoofdpijn verdwenen was. Ze genas pijn in schouders en armen, benen en buik, en samen met haar kruidemengsels genas ze slapeloosheid, indigestie, artritis, migraine en bevorderde de genezing van letsel en de gevolgen van een operatie.

Ik kon me nog herinneren hoe ze papa's vermoeide spieren en pijn en spanningen genas door zijn schouders en rug te masseren.

'Ik weet niet of je bijzondere krachten hebt, Sarah,' zei hij dan, 'maar ik weet wél dat ik geniet van die warme aanraking van je.'

Ik moest onwillekeurig glimlachen als ik terugdacht aan die gelukkige tijd, toen Noble en ik nog jong genoeg waren om te geloven in de beloftes van regenbogen en wonderen. Mama fluisterde ons wonderbaarlijke mogelijkheden in het oor. Het was of we in een speciale schoot vertoefden, geliefd en beschermd. De geesten die rond ons huis en onszelf zweefden waren ondoorgrondelijk, onschendbaar en het belangrijkste, liefdevol.

Hoewel Noble niet zoveel gaf om de spirituele wereld als ik, moedigden mama's gesprekken erover hem aan om vertrouwen te hebben in zijn eigen onkwetsbaarheid. Hij kon uit elke boom springen, zo hard lopen als hij maar wilde, zo diep het bos in gaan als hij wilde, zonder de angst van de meeste anderen. Waarschuwingen gleden af langs zijn rug als regendruppels langs een ruit. Zijn eigen dood moest een afschuwelijke onverwachte ervaring voor hem zijn geweest, een verraad dat hij zich nooit had kunnen voorstellen. Ik moest altijd weer denken aan dat moment, dat meedogenloze, vreselijke moment dat het leven van ons allemaal veranderde.

Aan het eind van mijn overpeinzingen en dromerijen, mijn levendige herinneringen aan die heerlijke tijd, had ik meestal een intens gevoel van droefheid en een nog intenser gevoel van eenzaamheid. Eens was Noble de enige vriend in mijn leven. Nu had ik niemand, en het idee dat Betsy een soort vriendin zou kunnen worden, was te onwaarschijnlijk en zelfs angstaanjagend.

Ze had trouwens toch weinig of geen belangstelling voor me. In de tijd die lag tussen de keer dat ze bij ons gegeten had en de volgende keer dat ze bij ons thuis was, had ze zich vermaakt in het dorp en de winkelcentra, had ze oude vriendschappen vernieuwd en nieuwe vriendschappen gesloten. Haar vader klaagde dat ze zich in een paar uur aan een nieuw vriendje hechtte. Zodra ze iemand ontmoette die belangstelling voor haar toonde, nam ze hem mee naar huis en ging met hem om alsof ze elkaar al maanden, zelfs jaren kenden. Ik begreep dat haar vader bedoelde dat ze te snel intiem met iemand werd.

'Ik denk dat het mijn schuld is,' zei hij tegen mama. Hij gaf altijd zichzelf de schuld.

Na het eten zaten ze meestal op de veranda te praten, en bleef ik met Baby Celeste in de zitkamer met het raam open. Ik kon hun gesprek volgen.

'Waarom zeg je dat, Dave?'

'Ik heb haar nooit de liefde en aandacht gegeven die ze nodig had. Ze had altijd veel behoeftes, mijn Betsy, dus zocht ze haar heil elders. Ze loopt nog steeds weg. We drijven uit elkaar. Eigenlijk lijken we meer vreemden voor elkaar tegenwoordig.'

'Misschien zullen we dat binnenkort kunnen veranderen.'

'Als iemand me daarbij zou kunnen helpen, ben jij dat, Sarah. Je moet een geweldige lerares zijn geweest. Ik weet zeker dat de school het heel erg jammer vond toen je ermee ophield.'

'Ik was híér lerares. Ik ben er nooit mee opgehouden,' zei mama, zo bits als ik haar nog nooit tegen hem had horen praten.

'O, natuurlijk. Zeker. Ik bedoel, ik weet het, en iedereen kan gemakkelijk zien wat een fantastisch resultaat je hebt geboekt met Noble. Hij is een voortreffelijke jongen, intelligent, beleefd en met verantwoordelijkheidsgevoel. Waarom heb ik je niet eerder ontmoet?'

Ik wist dat mama naar hem glimlachte. De stilte wees erop dat ze elkaar ook gezoend hadden.

Soms, als ik ze zo hoorde praten en als ik zag hoe Dave Fletcher naar mama keek, zo vol bewondering en liefde, vroeg ik me zelf ook af of ze hem niet onder een soort betovering had gebracht. Was er een kruidenmengsel dat ze hem had gegeven, een liefdesdrank, zoals veel mensen geloofden, die hem nog steeds in haar ban hield? Waren er manieren om zoiets te doen, en zo ja, hoe kon je dan weten of de ander werkelijk van je hield? Was het iets dat hij echt wilde, iets waarvan je hem alleen liet zien hoe hij het kon krijgen, of was het bedrog?

Het lag op het puntje van mijn tong om het aan mama te vragen, maar ik was bang; bang dat ze het op de een of andere manier zou zien als een zwakte of een falen van mijn kant. Hoe kon ik zoiets zelfs maar denken? zou ze misschien vragen, en dan zou ze haar ogen achterdochtig dichtknijpen en me weer vragen wie er in mijn oor gefluisterd had. Nee, het was beter om te wachten en het haar zelf te laten vertellen, dacht ik. Dat was altijd beter.

Maar Betsy bleef bij de theorie dat er sprake was van magie. Ze kwam nooit bij me op bezoek zonder het op de man af te zeggen of het te suggereren. Altijd als ze terugkwam op de farm, kwam ze achter me staan in de schuur of in de tuin, en begon een tirade. 'Mijn vader is heel erg veranderd,' zei ze dan. 'Ik herken hem niet meer. Het is Sarah voor en Sarah na. Hij zegt dat ik moet proberen meer op je moeder te lijken. Stel je voor, mij vergelijken met iemand die nepmedicijnen verkoopt en in geesten gelooft.'

'We geloven niet in geesten,' snauwde ik.

'*We?* O, is het nu *we?* Je gelooft in dit alles, al die spirituele poppenkast waar mijn vader over brabbelt? Energie in de lucht, en evenwicht in de natuur?'

Ik zei niets. Ik wilde niets zeggen, maar ik wist zeker dat ik twee van onze nichten dichtbij zag staan luisteren en hoofdschuddend tegen elkaar fluisteren.

'Als je de waarheid wilt weten,' zei ze, stampvoetend om mijn aandacht te trekken. 'Toen Elliot was gestorven, zei mijn vader dat ik nooit in de buurt van dit huis mocht komen. Ik mocht zelfs niet in jouw richting kijken, en nu zijn we praktisch al bij jullie ingetrokken. Hoe kan dat als ze niet iets raars met hem heeft uitgespookt? Nou?'

Ik wou dat hij nog steeds geloofde dat we slecht waren en wilde wat hij je gezegd had, dacht ik.

'Mensen kunnen van inzicht veranderen, en mensen kunnen verliefd worden,' mompelde ik.

'O, ja, mensen worden verliefd. Moet je horen wie dat zegt, meneer Plantenman. Jouw enige ervaring met seks is het planten van zaad in de grond. Je bent een zielenpoot.'

Als ik niet reageerde op haar gesar, raakte ze verveeld en liep weg, zachtjes vloekend en allerlei beschuldigingen mompelend.

Een paar dagen voor het huwelijk begon haar vader haar spullen naar ons huis over te brengen. Ze had nog steeds de pest in over de verhuizing en weigerde te helpen dozen, koffers en andere dingen naar haar kamer te dragen. Ik hielp hem in haar plaats.

'Betsy moest zich snel settelen, of ze het leuk vindt of niet,' zei hij tegen mama. 'De meubels die de nieuwe eigenaren niet hebben gekocht gaan morgen de deur uit en haar slaapkamermeubilair hoort daarbij.'

Het verbaasde me niet dat te horen. Het plan was dat ze een paar dagen voor het huwelijk bij ons zouden intrekken.

Hij bedankte me voor mijn hulp met het verhuizen van Betsy's eigendommen, die we allemaal naar binnen en naar haar kamer hadden gebracht. Een paar kleren legden we op haar bed.

146

'We laten alles gewoon zo liggen,' zei Fletcher. 'Het is háár taak om haar spullen op te bergen. Dat geldt ook voor het uitpakken van de dozen.'

Toen de dozen op de grond stonden, kon ik de inhoud ervan zien. Eén doos bevatte haar ondergoed en een andere haar blouses. In weer een andere lagen een paar badpakken.

'Ze góóit nooit iets weg en ze gééft nooit iets weg,' merkte Fletcher op toen hij zag hoe nauwkeurig ik alles bekeek. *'Liefdadigheid* is een woord dat Betsy niet kent. God verhoede dat ze eens aan iemand anders zou denken dan aan zichzelf.'

Toen we klaar waren met de verhuizing ging hij een wandeling maken met mama en Baby Celeste. Hij had een late dienst in de apotheek, dus vertrok hij kort daarna. Na het eten, toen Baby Celeste naar bed was gebracht en mama zich had teruggetrokken in haar slaapkamer, dacht ik aan Betsy's spullen. Ik kon er niets aan doen.

Zo stilletjes mogelijk ging ik naar haar slaapkamer en keek naar de kleren die we op het bed hadden gelegd. Toen liep ik naar de dozen en bekeek het ondergoed, de badpakken en andere dingen. Ze had natuurlijk andere kleren dan mama. Mama had niet zulke korte rokken of rokken met splitten opzij. Ik zag mama nooit in een bikini, en ze had beslist niet zulke sexy, kleine slipjes en sexy beha's.

Ik vond een outfit die ik me herinnerde dat Betsy had gedragen toen ik haar, Elliot en Fletcher had bespioneerd. Dat was kort nadat ze naar het huis van de oude Baer waren verhuisd. Jarenlang hadden de mensen geloofd dat Baer iets te maken had gehad met mijn verdwijning, en de valse geruchten en zinspelingen brachten hem er ten slotte toe het huis tegen bijna elke prijs van de hand te doen.

Ik observeerde hen toen ze zaten te eten. Betsy droeg dat zwartrood fijngestreepte pak, een blouse met korte mouwen en een zwarte das die losjes om een openstaande kraag was geknoopt, en een bijpassende broek. Ik vond dat ze er meer als een jongen uitzag dan ik, behalve dat haar borsten opvielen in de halfopen blouse en haar prachtig geborstelde haar dat tot op haar schouders viel. Dat haar kleding toch zo vrouwelijk leek, was fascinerend. Kwam dat alleen omdat *zij* dat pak droeg?

Toen ik die outfit weer terugzag en me herinnerde hoe ze er toen uitzag, maakte dat mijn belangstelling voor mijzelf weer in me wakker, voor dat diep verborgen wezen van me. Hoe zouden die kleren mij staan? Ik had niet zulke grote borsten als zij, maar ik was even lang. De broek zou passen. Zoals ik naar haar spullen keek – haar beha, haar slipje, al haar kleren – voelde ik me weer net de gluurder van vroeger. Er ging een prikkeling door me heen die ik altijd geprobeerd had te onderdrukken.

Betsy kon zich onmogelijk alles herinneren wat ze had, dacht ik. Impulsief en haastig pakte ik een van haar zwarte, sexy slipjes en met het streepjespak over de arm liep ik naar de deur van haar kamer, bleef even staan om me ervan te overtuigen dat mama nog in haar slaapkamer was, en sloop toen zo zacht mogelijk de trap op naar de torenkamer. Daar aangekomen deed ik de deur behoedzaam achter me dicht. Mijn hart bonsde wild.

Er viel genoeg maanlicht door het raam naar binnen om de kamer te verlichten, maar ik wist dat één tafellamp nog werkte. In het gedempte licht voor een van de antieke, lange spiegels begon ik me langzaam uit te kleden. Op een gegeven moment meende ik voetstappen te horen op de kleine trap naar de torenkamer, en bleef stokstijf staan. Het huis kraakte, zoals het vaak deed, maar verder hoorde ik niets, en ik liet mijn ingehouden adem ontsnappen.

Ik trok de jongensonderbroek uit en Betsy's sexy slipje aan. Het was een beetje aan de grote kant, maar het fascineerde me om mezelf zo te zien. Het maakte dat mijn kontje er vrouwelijk uitzag en mijn stevige, harde benen leken zachter, gewelfder dan ik had gedacht. Ik draaide me om en bekeek me van alle kanten voordat ik de broek en blouse aantrok. Ik liet de bovenste knoopjes open, net zoals ik me herinnerde dat zij had gedaan. De blouse was ook te groot, maar niet storend. De broek paste goed. Toen knoopte ik de zwarte das losjes rond de kraag en staarde naar mezelf. Was ik even interessant, even modieus, sexy en aantrekkelijk als Betsy toen? Zelfs de gedachte aan het woord *sexy* deed me huiveren. Lange tijd staarde ik naar mijn decolleté. Mijn borsten waren parmantig, stevig. Ik was mooier dan zij, dacht ik. De mannen zouden eerder naar mij kijken dan naar haar.

Ik glimlachte heimelijk. Zou het niet fantastisch zijn haar op een dag de loef af te steken? Wat zou die zelfingenomen arrogantie van haar snel verdwijnen! Ze zou in een hoekje wegkruipen en zich klein maken. En ze zou het verdienen. Hoeveel mensen had zij gekwetst, in tranen laten uitbarsten? Probeerde ze dat ook niet bij mij? Het geluid van voetstappen onder me bracht me in paniek. Ik kleedde me zo snel mogelijk uit en trok stil en voorzichtig mijn eigen kleren weer aan. Toen wachtte ik en luisterde. Ik hoorde niets en liep naar de trap. De geluiden kwamen van beneden, waar mama was. Ik maakte gebruik van de gelegenheid en liep snel de trap af. Ik ging naar mijn eigen kamer en verborg Betsy's spullen onder een oude koffer op de vloer van mijn kast. Toen kleedde ik me weer uit en stapte in bed. Geen seconde te vroeg.

Mama stond in de deuropening met een brandende kaars in een kandelaar.

'Slaap je?'

Ik deed of ik sliep, maar het was altijd moeilijk om net te doen alsof in aanwezigheid van mama.

'Je slaapt niet, Noble, dus huichel niet.'

Ik draaide me om en ging rechtop zitten. 'Wat is er?'

'Iets heeft me wakker gemaakt. Er is iets niet in orde.' Ze liep verder de kamer in en hief de kaars op, zodat het schijnsel op de muren viel, in elke hoek van de kamer en ten slotte op mij. 'Voel je het?'

Mijn hart begon weer te bonzen. Wat moest ik zeggen? Had een van de geesten haar verteld wat ik had gedaan?

'Nee,' zei ik, 'ik was bezig in slaap te vallen.'

'Maar je sliep niet. Je bent wakker gebleven. Waardoor?' vroeg ze.

'Ik...'

'Nou?'

'Ik maakte me ongerust.'

'Waarover?'

'Betsy maakt me zenuwachtig.' Haar houding verzachtte. Ze liet de kaars zakken en een schaduw bedekte mijn gezicht.

'O, ja. Ze maakt van iedereen een zenuwpees. Kijk maar naar haar vader. Maar zoals ik je gezegd heb, ze zal geen probleem vormen.'

'Ze denkt dat je haar vader betoverd hebt.' Ik dacht dat als mama dat hoorde, ze misschien niet zo verlangend zou zijn om het huwelijk door te zetten. Het zou in ieder geval haar aandacht van mij afleiden.

Ze moest er alleen maar om lachen.

'Natuurlijk denkt ze dat. Ik durf te wedden dat driekwart van de mensen dat denkt. Laat ze. Laat haar dat maar denken. Dan zal ze bang zijn voor me, en dat is wat zo'n product nodig heeft. Angst. 'Arme Noble.' Mama verbaasde me door op mijn bed te gaan zitten. Dat had ze niet meer gedaan sinds ik heel klein was. Ze bewoog de kaars, zodat hij mijn gezicht bescheen. Toen streek ze zacht over mijn wang, gleed met haar vingers over mijn lippen en onder mijn kin.

'Zou ik iemand, vooral jou, ooit pijn of verdriet doen? Zou onze dierbare familie je soms niet meer beschermen? Zolang je gelooft en je vasthoudt aan dat geloof, zul je onkwetsbaar zijn. Ze zal dat al heel gauw inzien en ze zal veranderen, of anders...'

'Anders wat, mama?'

'Of weg zijn.' Ze stond op, staarde op me neer, keek om zich heen en scheen langzaam met de kaars de kamer door. 'Maar er was iets,' zei ze fluisterend. 'Er was iets in huis vanavond.'

Ze deed een paar stappen naar mijn kast en bleef er even naar staan staren. Ik hield mijn adem in. Als ze Betsy's kleren vond, het slipje...

Toen ze zich afwendde van de kast, haalde ik opgelucht adem. Ze keek weer naar mij.

'We moeten waakzaam zijn, Noble, altijd waakzaam. Denk eraan dat we een dierbaar mens moeten beschermen. Als je ooit iets zou doen of willen dat Baby Celeste in gevaar zou kunnen brengen, denk dan goed na. Begrepen?'

'Ja, mama.'

'Goed. Goed. Oké, probeer te slapen,' zei ze ten slotte.

Langzaam liep ze naar de deur, draaide zich om en hief de kaars een laatste keer omhoog. Toen ging ze weg. Het licht sleepte in de duisternis achter haar aan als een verschoten gouden sluier.

Ik ging op mijn rug liggen en staarde naar die duisternis. Ik meende te horen fluisteren, maar toen ik me omdraaide naar de muur, hield het op.

Ik moet braaf zijn, dacht ik. Er is niets dat ze niet kunnen zien. Met die belofte viel ik in slaap.

De volgende dag verscheen Betsy met de rest van haar spullen. Ik hielp haar en haar vader alles naar haar kamer te brengen en toen, zonder een bedankje of iets, deed ze de deur voor mijn neus dicht.

'Ze trekt wel bij,' verzekerde Fletcher me. 'Ze pruilde en mokte altijd als ze haar zin niet kreeg. Mijn vrouw gaf altijd toe. Ik ook, maar die tijd is nu voorbij,' bezwoer hij me en keek me glimlachend aan. 'Maar laten we niet aan iets onaangenaams denken, niet aan het begin van een heel nieuw, fantastisch leven.'

Hij legde zijn arm om mijn schouders. Ik wilde me niet terugtrekken, maar het maakte me nerveus.

'Misschien gaan jij en ik binnenkort naar het meer, hè? We pakken een boot en maken er een leuke dag van. Wat vind je ervan?'

'Misschien.' Ik wist dat ik dankbaarder en enthousiaster hoorde te klinken maar ik kon het niet.

'Het is goed. We doen het dag voor dag. Dit is voor iedereen een grote verandering. Dat besef ik heel goed.'

Daarna hielp ik hem zijn eigendommen naar boven te brengen. Mama had kortgeleden haar kasten opgeruimd. Jarenlang hadden papa's kleren daar gehangen en in de laden gelegen. Alsof het een deel was van een spiritueel ritueel, besloot ze alles zelf 's avonds in te pakken en in de torenkamer op te bergen. Ik had aangeboden haar te helpen, maar ze zei dat het iets was dat ze alleen moest doen.

Door de gesloten deur van de torenkamer heen hoorde ik haar praten, en voorzover ik het kon horen, praatte ze met papa's geest. Ik vroeg me af of ze zich verontschuldigde, of het een triest gesprek was, maar het duurde niet lang of ik hoorde haar lachen. 'Geweldig!' zei ze en toen werd het stil. Ik liep snel weg. Ik wist dat ze heel kwaad zou zijn als ze me erop betrapte dat ik stond te luisteren.

Maar Fletcher helpen zijn kleren op te bergen, was iets anders. Dat kon ik wél. Hij maakte een opmerking dat hij zoveel ruimte had.

'De kasten hier zijn veel groter dan in mijn huis,' zei hij.

Later maakten we met ons vieren, mama, Dave Fletcher, Baby Celeste en ik, plannen waar we de tafels zouden neerzetten voor de bruiloft en hoe we alles zouden regelen. Betsy zat nog in haar kamer te pruilen. Mama en ik hadden een boog gemaakt voor de huwelijksplechtigheid. Ik had hem gebouwd en zij versierde hem met ranken en bloemen. Zij en Fletcher deden daarna net of ze een repetitie hielden van het huwelijk.

'Het lijkt meer op een stomme picknick,' hoorden we een stem. We draaiden ons om en zagen dat Betsy op de veranda stond te kijken. 'En als het regent?'

'Het gaat niet regenen,' verzekerde mama haar.

'O, natuurlijk niet. Je kunt het weer ook al naar je hand zetten,' zei Betsy sarcastisch. 'Ik ga naar het dorp, naar Dirk,' riep ze tegen haar vader. 'Trouwens,' ging ze verder, terwijl ze naar Fletchers auto liep, 'hij is mijn gast op de picknick.'

Ze lachte en stapte in. Ze reed te snel weg en deed het grind opspatten.

'Ik heb haar gewaarschuwd dat ze mijn auto niet mag gebruiken als ze zo rijdt,' zei Fletcher woedend. 'Dat kind heeft al genoeg verkeersboetes gehad. Het is een wonder dat ze geen ernstig ongeluk heeft gehad. Ik zou elke grijze haar die ik heb moeten afknippen, in een envelop stoppen en aan haar opsturen met een kaartje om haar te bedanken.'

Mama lachte.

Hij keek haar glimlachend aan. 'Het spijt me, Sarah, ik hoor niet zo te mopperen, vooral nu niet, maar dat kind...' Hij keek haar na.

Mama ging naast hem staan en haakte haar arm door de zijne.

'Ze verandert wel,' verklaarde ze zo vol overtuiging, dat hij weer moest lachen. Ze knikte. 'Ze zal heus veranderen,' beloofde ze.

De wind die door de bomen woei leek de takken te doen tinkelen alsof ze behangen waren met kleine belletjes. Baby Celeste hoorde het en keek op. Haar lach maakte dat mama en ik ons omdraaiden naar het bos.

Maar Baby Celeste keek nu de andere kant op en staarde naar de boog.

Toen mama haar blik volgde, verdween haar glimlach.

Zag ze hem?

Ik zag hem.

Als iemand die stond te wachten, als een spin die zijn web had geweven, stond Elliot in het midden van de boog en lachte vrolijk naar ons.

11. Een huwelijk zonder franje

De volgende dag kwam dominee Austin, Bogarts vriend, bij ons thuis om de huwelijksplechtigheid met mama en Fletcher door te nemen. Zijn vrouw, Tani, vergezelde hem. Ze was een vriendelijk, aardig, spraakzaam vrouwtje, en ik hoorde dat ze een goede vriendin was van Bogarts vrouw en heel wat wist over ons en onze familiegeschiedenis.

De dominee was een knappe man van een jaar of vijftig met lichtbruin haar en blauwgroene ogen. Zijn optreden was vriendelijk en zachtaardig en hij raakte je hand of je arm aan om je gerust te stellen als hij ook maar iets zei dat enige bezorgdheid zou kunnen wekken. Hij stelde Fletcher onmiddellijk op zijn gemak.

'Als je een huwelijk achter de rug hebt dat mislukt is, denk je natuurlijk dat het jouw schuld is en ben je bang je opnieuw te binden,' zei de dominee. Ze hadden samen een wandeling gemaakt en ik had alles gehoord terwijl ik aan het werk was in de schuur om mijn kettingzaag te scherpen met een kettingzaagvijl.

Later, toen we allemaal thuis waren, zei de dominee dat hij een filosofie had over het huwelijk, dat hij geloofde in het verenigen van gelijkgestemde geesten.

'De man of vrouw die een soulmate vindt, heeft geluk,' zei hij. 'Te veel van ons zijn blind voor de wonderbaarlijke werking van het menselijk hart, maar ik geloof dat voor iedereen geldt dat er iemand is.'

'Voor ons was dat inderdaad zo,' zei Tani. Ze glimlachte naar mij. 'En dan zo'n flinke en verantwoordelijke jongen als Noble en een kind als Celeste te krijgen – u bent echt een gezegend mens.'

'Dat geloof ik ook,' zei Dave. De opmerking over mij deed me blozen.

Mama maakte een heerlijke lunch klaar voor ons, en later gingen

153

we alle aspecten van de huwelijksplechtigheid na. Fletcher had Betsy op de een of andere manier gedwongen erbij aanwezig te zijn, ook al zou ze geen rol spelen in de officiële ceremonie. Ik dacht dat ze alleen bleef omdat ze haar vriendje niet had kunnen overhalen haar te komen ophalen en met haar weg te gaan.

Baby Celeste had maar twee repetities nodig om te leren hoe ze naar de boog moest lopen en mama de ring overhandigen voor Dave. En ze keek de hele tijd erg serieus. Iedereen behalve Betsy moest erom lachen.

'Wat een mooi en fantastisch meisje!' riep Tani uit.

Iedereen kon zien hoe trots Baby Celeste op zichzelf was, vooral op de wijze waarop ze naast mij achteruitliep en de rest van de plechtigheid geduldig bleef wachten. Betsy daarentegen liet ons duidelijk merken hoe vervelend ze het vond, door oortelefoons te dragen en naar haar muziek te luisteren. Het zou me niets verbazen als ze dat tijdens de feitelijke plechtigheid ook zou doen.

Fletcher negeerde haar en concentreerde zich op Baby Celeste.

'Zij zal de show stelen,' zei hij. 'Maar dat laat ik graag doen door zo'n lief gezichtje.'

Op de een of andere manier hoorde Betsy dat ondanks haar muziek en ze keek naar hem met een zelfvoldane grijns. Ze doet net of de genegenheid van haar vader haar koud laat, dacht ik, maar haar jaloezie is duidelijk te merken als hij laat zien hoeveel hij om Baby Celeste geeft. Wat voor goeds kan hieruit voortkomen? bleef ik me afvragen. Waarom was mama daar niet bang voor? Dit alles begon niet met een hoopvolle en goede belofte.

In feite was de eerste nacht dat Betsy bij ons thuis sliep verontrustend en teleurstellend voor haar vader, omdat ze de hele dag wegbleef met haar vriendje Dirk, en belde om te zeggen dat ze niet thuis kwam eten. Ze ging met vrienden naar New York City en zou pas laat terugkomen. Voordat Fletcher kon protesteren, had ze al opgehangen. Hoofdschuddend kwam hij terug in de zitkamer en vertelde mama en mij over het korte telefoongesprek. Ik had het gevoel dat dit het eerste zou zijn van een hoop soortgelijke voorvallen.

'Ze praat zo snel, dat ik nauwelijks een woord ertussen kan krijgen,' kermde hij. 'En als ik begin te klagen of een vraag stel, valt ze me in de rede. Dat deed haar moeder ook altijd. Sorry, Sarah.'

154

Ik vroeg me af of het mogelijk was het aantal keren te schatten dat hij zich in de komende maanden tegen mama zou verontschuldigen voor het gedrag van zijn dochter.

'Nou ja, ze weet hoe ze thuis moet komen. We zullen de deur niet op slot doen en het licht aan laten,' zei mama zonder een zweem van ergernis in haar stem.

Hij knikte en ging verslagen in grootvader Jordans stoel zitten. Toen merkte hij glimlachend op hoe comfortabel de stoel was en hoe hij zich erin thuis voelde. Ik vroeg me onwillekeurig af of zijn huwelijk met mama hem in staat zou stellen de spirituele krachten in ons huis te voelen. Zou hij net als ik kracht eruit putten? Mama keek even met glinsterende ogen naar me. Tot mijn verbazing leek ze nog steeds gelukkig met dit alles, ondanks de problemen die Betsy meebracht.

Ik bleef niet op om op Betsy te wachten. Maar ik wist zeker dat haar vader het wél deed. Hij ging pas heel laat naar bed en bleef bij het raam zitten om uit te kijken naar de koplampen van een auto. Mama lokte hem de trap op, hun slaapkamer in. Het was bijna ochtend toen ik wakker werd en Betsy hoorde thuiskomen.

Ze deed geen poging haar thuiskomst te verheimelijken. Ze sloeg de voordeur zo hard dicht dat de muren trilden, stommelde luid de trap op, rammelde opzettelijk met de leuning.

Haar vader had waarschijnlijk geen oog dichtgedaan. Zodra ze op de overloop was, hoorde ik hem naar buiten komen en luid fluisterend zeggen: 'Besef je wel hoe laat het is en hoeveel lawaai je maakt? Je maakt Celeste wakker.'

'Wat kan het mij schelen hoe laat het is? Ik hoef morgen niet te werken. Ik kan er niks aan doen dat die ouwe, gammele trap zo kraakt. Dit huis is een grote keet.'

'Betsy!' zei hij scherp.

'Nou, het is zo. Zeg tegen iedereen dat ik de hele dag wil slapen en niemand me moet storen.' Ze ging naar haar kamer en smeet de deur dicht.

Ik hoorde mama roepen: 'Kom terug, Dave. Rust nog wat uit. Over een paar uur moet je aan het werk.'

Hij mompelde iets en liep weer naar de slaapkamer.

Niemand probeerde de volgende ochtend rustiger te zijn dan anders om de prinses te behagen. Integendeel, mama smeet opzettelijk met deuren en laden. Ze sprak op luide toon tegen Baby Celeste en kwam de trap af met meer lawaai dan Betsy een paar uur tevoren.

Fletcher glimlachte tijdens het ontbijt en schudde zijn hoofd. 'We kunnen rustig een bom hier af laten gaan. Als dat kind slaapt, heb je een hijskraan nodig om haar uit bed te krijgen.'

Vandaag was de laatste dag dat hij naar zijn werk ging vóór het huwelijk. De volgende dag nam hij vrij en dan was het huwelijk. De dag daarna zou hij ook nog vrij nemen en dan ging hij weer aan het werk. Hij zou pas vakantie nemen als mama had besloten wanneer ze op huwelijksreis zouden gaan. Ze dachten dat het leuk zou zijn om naar de Niagara Falls te gaan, gewoon omdat het de ouderwetse opvatting van een huwelijksreis was. Hij had een paar brochures gehaald en die op de tafel in de zitkamer uitgespreid, kennelijk in de hoop dat Betsy belangstelling zou tonen. Toen hij het haar eerder had voorgesteld, had ze geklaagd dat het zo ver rijden was.

'Ik word misselijk in een auto, en bovendien, wat moet ik daar doen?'

Ze keek lachend naar hem en mij en mama en voegde eraan toe: 'Waarom gaan jullie niet samen en laten ons thuis? Wij kunnen best voor het kind zorgen, hè, Noble?'

Alleen al het idee dat ik alleen met haar in huis zou zijn, deed me rillen.

'Je hebt al moeite met voor jezelf te zorgen, laat staan voor een klein kind,' zei Fletcher

Ze voelde zich niet beledigd. Ze lachte slechts met dat uitdagende lachje van haar en gooide een van de brochures opzij.

'Jullie hoeven niet op mij te rekenen,' zei ze vastberaden. 'Ik blijf hier om voor de planten te zorgen. Dat vertrouwt u me toch wel toe, mevrouw Atwell?'

Ze schepte er genoegen in haar mevrouw Atwell te noemen in plaats van Sarah. Ik twijfelde er niet aan of ze zou, ook als haar vader en mama getrouwd waren, haar zo blijven noemen.

'Ik zou het prettig vinden als je begon Sarah *mama* te noemen,' zei haar vader, waarop ze hem zo woedend aankeek dat hij bofte dat haar ogen geen vuurpijlen konden afschieten.

'Ze is mijn moeder niet, dus waarom zou ik haar zo noemen?'

'Ze zal de beste moeder zijn die je ooit gehad hebt,' antwoordde hij.

'Ik heb geen moeder nodig.'

'Wat heb je dan wél nodig, Betsy?' vroeg mama zacht en vol belangstelling.

'Geld!' schreeuwde Betsy, niet opgewassen tegen mama's kalmte, 'zodat ik hier als de donder weg kan.'

'Zoek dan een baan,' zei haar vader. 'Ik wil je graag helpen er een te vinden.'

Ze leunde achterover en hield haar armen zo stevig over elkaar geslagen dat de aderen in haar nek opzwollen. Ze kreeg een van haar nukkige buien, en niets wat iemand zei of deed kon daar iets aan veranderen. Het was beter haar te negeren en op een ander onderwerp over te gaan. Wat een heerlijk opgewekt gezinnetje zouden we straks hebben, dacht ik.

Zoals haar vader had voorspeld, stond Betsy de dag na haar uitstapje naar New York pas laat in de middag op. We lunchten, en toen ze beneden kwam, stortte ze een stroom van klachten over ons uit die in haar mond leken te nestelen als termieten in vochtig, rottend hout.

'Ik kan niet slapen in die kamer! Het bed is te zacht en de ramen lijken elk moment te kunnen verbrijzelen als de wind erop staat. En ik kan ook die stank niet uit mijn kamer krijgen. Als ik de ramen daar opendoe, komen de muggen binnen door de gaten in de horren. Ik moet een ventilator hebben of zoiets.'

'Je schijnt toch goed geslapen te hebben,' zei mama, verbazing veinzend.

'Ik heb niet goed geslapen. Ik heb geslapen. Waarom stinken die kasten zo?'

'Mottenballen,' zei mama.

'Mottenballen? Wat zijn mottenballen?'

'Die houden de motten uit onze kleren, zodat ze er geen gaten in eten.'

'Jakkes! Is er ongedierte in dit huis? We hadden niet veel insecten in ons oude huis.'

'Die hebben wij ook niet. Daarom heb ik die mottenballen,' antwoordde mama nuchter.

Ik weet niet of het verbeelding was, maar soms als mama tegen haar sprak, speelde er een flauw glimlachje om haar mond.

'Als je het mij vraagt, moet het hele huis worden bespoten met iets dat de stank verjaagt,' snauwde Betsy.

Ze zocht in de keukenkasten en de bijkeuken naar iets eetbaars en morde over de levensmiddelen die mama in huis had.

'Er is niet eens een donut.'

'Dat is geen voedzaam ontbijt,' zei mama. 'Ik zal wat toast met jam voor je maken. Het is eigengemaakte jam.'

'O, hemel. Kun je me naar het dorp rijden of kan ik je auto lenen?'

'Nee, je kunt niet mijn auto lenen. Je vader heeft me daar geen toestemming voor gegeven, en ik heb nog een en ander te doen voor ik naar het dorp ga. Amuseer jezelf maar intussen.'

'Waarmee?'

'Waarom help je Noble niet?' opperde mama. Ik keek snel op. Waarom stuurde ze Betsy mij op mijn dak?

'Waarmee?'

'Noble, wat ga je vandaag doen?'

'Ik wilde beginnen met kachelhout te verzamelen, mama.'

'Kachelhout? Het is nog zomer!' riep Betsy uit.

'Het hout moet drogen en gehakt worden,' vertelde ik haar. Ik had met opzet werk gekozen waartoe ze niet in staat zou zijn.

'Ik ga geen hout hakken. Wil je soms dat ik net zulke handen krijg als jij, mijn nagels breek?'

Ik wendde mijn blik af. Nee, ik wil niet dat je net zulke handen krijgt als ik, *ik* wil geen handen hebben zoals ik, dacht ik.

'Je kunt toekijken. Misschien kun je wat lezen. Ik zal je een boek geven om aan Baby Celeste voor te lezen, als je wilt. Ze moet je beter leren kennen,' zei mama.

Betsy staarde naar mama en toen naar Baby Celeste. 'Ik begrijp nog steeds niet waarom jullie haar Baby Celeste noemen en niet gewoon Celeste.'

Mama had een bepaalde houding als iemand anders dan ik haar kwaad maakte. Ze liet haar woede niet graag blijken, maar omdat ik haar zo goed kende, elke haarlok, elke rimpel in haar gezicht, kon ik de subtiele veranderingen zien. Haar mondhoeken verstrakten enigszins, haar ogen versomberden en knepen samen, en de spieren in haar nek verstijfden voor ze een koele glimlach toonde.

158

'Als je het zo graag wilt begrijpen, zal ik het je uitleggen. Ik had vroeger een dochter die Celeste heette.'

'Daar weet ik alles van. Mijn vader heeft het er vaak genoeg over gehad.'

'Dus weet je ook op wat voor tragische manier ik haar ben kwijtgeraakt. Mijn nichtje was zo lief haar nieuwe baby naar mijn verloren dochter, Celeste, te noemen, maar we willen voorlopig een onderscheid maken. Dat maakt het minder pijnlijk. Herinneringen kunnen als doornen in je hart zijn,' zei mama, die dichter bij Betsy kwam staan. 'Ik weet zeker dat jij pijnlijke herinneringen hebt aan je broer, na het dramatische verlies dat jij en je vader hebben geleden. Het is niet iets om je voor te schamen, maar wel iets waaronder je niet voortdurend te lijden wilt hebben, hè?' Mama stond nu op centimeters afstand van Betsy, dreigend, alsof ze dat waar zou kunnen maken, alsof ze Betsy zou kunnen laten lijden.

Betsy's woede zakte onder mama's intense blik. Voor het eerst zag ik een glimp van angst in haar ogen. Ze deed een stap achteruit.

'Zo'n honger heb ik niet,' verklaarde ze, pakte een stuk brood en beende de kamer uit. Even daarna hoorden we haar naar buiten gaan.

'Oude gewoontes zijn hardnekkig,' zei mama, haar nakijkend. 'Ze draait bij of ze zal het moeilijker krijgen dan ze het nu heeft.'

Ik zei niets, bang dat wat ik ook zei, mama het verkeerd zou opvatten. Ik ging gewoon doen wat ik beloofd had, liep het bos in en begon hout te hakken. Betsy keek naar me vanaf de veranda en ging toen naar binnen. Korte tijd later wist ze haar vriendje zover te krijgen dat hij haar kwam halen. Ze vertelde mama niet dat hij kwam of dat ze wegging. Later kwam ze terug met haar vader, ging regelrecht naar haar kamer, en ging toen weer naar buiten voor een volgende afspraak met haar vriend. Ze kwam vroeger thuis, maar maakte evenveel lawaai. Deze keer negeerde haar vader het. Ik vermoedde dat mama hem dat gezegd had.

De volgende dag ging hij, omdat hij niet hoefde te werken, met Betsy winkelen. Hij vroeg me of ik mee wilde. Even kwam ik in de verleiding, maar toen wierp ik een blik op mama en schudde snel mijn hoofd en bedankte hem.

'Wat, Noble zou zijn dierbare planten en het werk op de farm in de steek laten?' sarde Betsy. 'Hij zou niet weten wat hij tegen mensen moest zeggen, tenzij ze bladeren hadden voor oren en wortels voor benen.'

Ik kwam niet voor mezelf op. Die genoegdoening gunde ik haar niet. Ze grijnsde spottend en zei dat ze er zelf ook niet zo happig op was om te gaan winkelen. Ze wilde niets moois kopen voor de huwelijksplechtigheid en het diner, maar haar vader wist haar om te kopen met de belofte dat ze de dag na het huwelijk zijn auto mocht lenen. Toen we later zagen welke jurk ze had uitgezocht, beseften we dat hij dat beter niet had kunnen doen.

'Doe je best om aardig te zijn, Betsy, ter wille van ons allemaal,' zei hij overredend.

Ik vond het vreselijk om een volwassen man zijn eigen dochter op zo'n manier te horen smeken. Het zou waarschijnlijk beter zijn als hij strenger was geweest. Onder het antiek in de torenkamer bevond zich een houten wandbord. Mama vertelde me dat haar overgrootvader het vroeger in de gang had opgehangen. Er stond: *Spaar de roede en bederf het kind.* Ze zei dat haar grootvader slechte herinneringen had aan de harde straffen van zijn vader, en toen zijn vader gestorven was, had hij het bord van de muur gehaald en in de torenkamer gedumpt. Mama vroeg zich nu af of ze het niet op een van de muren van Betsy's kamer had moeten hangen.

We ontdekten pas op de dag van het huwelijk wat Betsy had gekocht. Ze had het haar vader ook niet laten zien. Hij had haar gewoon zijn creditcard gegeven en alles was in een doos verpakt toen ze hem op de parkeerplaats van het winkelcentrum ontmoette. Zodra ik haar zag wist ik dat ze het gekocht had om te shockeren.

Twintig minuten voordat de plechtigheid zou beginnen, kwam ze beneden in een zwarte jurk van stretch-jersey met ontblote navel, waarvan de rok ruim vijf centimeter boven haar knieën eindigde. De stof zat zo strak om haar boezem dat er weinig aan de verbeelding werd overgelaten. Ze had bijna net zo goed topless kunnen verschijnen.

Ze had haar haar opgestoken en zoveel make-up op haar gezicht dat het voldoende zou zijn voor de hele cast van een Broadwaymusical. Dat zei haar vader tenminste. Haar eyeliner was te dik en met de lagen felrode lippenstift leek ze op een vampier die zich net tegoed had gedaan.

Mama gunde haar niet de voldoening om blijk te geven van haar woede. Ze glimlachte naar haar en wijdde toen al haar aandacht aan de bruiloftsgasten, van wie de belangrijksten in mama's ogen waren: meneer Bogart en zijn vrouw, en onze advocaat, Meneer Derward Lee Nokleby-Cook, en zijn vrouw, die overal met intense nieuwsgierigheid om zich heen keek. Ze had zich blijkbaar voorgenomen zoveel mogelijk details in zich op te nemen om haar vriendinnen een volledig verslag te kunnen geven van het huwelijk. Iedereen was razend nieuwsgierig.

Dat wisten we omdat Dave Fletcher was thuisgekomen met verhalen van klanten in de apotheek. 'Ze denken dat we trouwen met een soort vreemd ritueel. Sommige mensen hebben een wilde fantasie.'

'Wat zeggen ze?' vroeg mama.

'O, gewoon stomme dingen,' antwoordde hij. Hij wilde er kennelijk niet over uitweiden.

'Sommige mensen die ik heb gehoord denken dat jullie eerst een geit offeren en dan het bloed op jullie gezicht smeren,' vertelde Betsy gretig.

Haar vader keek haar bestraffend aan, maar Betsy haalde haar schouders op. 'Ik kan er niks aan doen dat ze dat denken. Dat moet je mij niet verwijten.'

'Het verbaast me dat ze erachter zijn gekomen,' zei mama met een uitgestreken gezicht.

'Pardon?'

'De geit wordt 's morgens afgeleverd.' Mama keek naar Fletcher en ze begonnen allebei te lachen.

'Toe maar, steek de draak er maar mee,' zei Betsy kwaad. 'Maar dat is het soort dingen dat de mensen hier van je geloven. En nu geloven ze het ook van jou,' ging ze verder tegen haar vader voordat ze de kamer uit holde.

'Wat zullen ze teleurgesteld zijn,' zei mama hoofdschuddend.

Dat zouden ze. Niets aan de plechtigheid was extreem of ongewoon. Niemand droeg een bizar kostuum. Dominee Austin kwam in een donkerblauw pak, en zijn vrouw Tani droeg een mooie, rode, mouwloze jurk. In hun gezelschap bevond zich de accordeonspeler, Bob Longo, een gezette, donkerharige man, die een sportjasje droeg dat hij geleend leek te hebben van iemand die twee maten groter was. Hij had zwart haar dat krulde aan de uiteinden en laag in zijn nek hing.

Onder de rest van de gasten bevonden zich de twee managers van Fletchers apotheek en hun vrouwen; nog een apotheker, Larry Schwartz, en zijn vrouw Joan; en de makelaar die Fletchers huis had verkocht, Judith Lilleton, en haar man.

Een minuut of zo voordat de plechtigheid zou beginnen, kwam Betsy's nieuwe vriend, Dirk Snyder, met de auto aangescheurd en deed een wolk van stof oplaaien toen hij stopte. Hij sprong uit de auto alsof hij bang was dat die onder hem zou ontploffen. Hij was slank, had donker haar, een paar dicht bij elkaar staande bruine ogen en een smalle scheve mond die met een kromme zaag in zijn gezicht leek gekerfd. Een onaangestoken sigaret bungelde in zijn mondhoek, en hij had zijn sportjasje over zijn schouder geworpen. Hij trok het haastig aan toen hij naar ons toeliep. Betsy ging hem begroeten en fluisterde iets in zijn oor dat hen allebei deed bulderen van het lachen. Ik meende te zien dat hij haar een pil toestopte.

Ik keek naar Dave Fletcher. Hij stond met gebogen hoofd naast de dominee en wachtte tot mama naar buiten zou komen. Alle ogen waren gericht op Betsy en haar vriend, die hun plaats innamen. Longo begon de bruiloftsmars te spelen en iedereen keek naar de voordeur van het huis, waar mama verscheen met Baby Celeste aan de hand. Ik kon de omstanders een kreet horen slaken van verrukking en verbazing.

Mama had het jurkje van Baby Celeste van hetzelfde materiaal vervaardigd als van haar eigen jurk en ook haar haar op dezelfde manier gekapt. Niemand die naar hen keek zou zelfs maar een ogenblik kunnen denken dat het het kind van een ander was, en omdat ze een paar van Fletchers gelaatstrekken had geërfd, was het voor iedereen een uitgemaakte zaak.

Mama en Baby Celeste liepen de trap af naar de boog, waar dominee Austin, Fletcher en ik stonden te wachten. Aan het begin van het korte middenpad tussen de stoelen voor onze gasten, liet mama Baby Celestes hand los en hurkte bij haar neer om haar iets toe te fluisteren. Ze knikte en keek naar ons met zo'n volwassen uitdrukking dat iedereen glimlachte. Mama liep verder over het middenpad en ging zitten.

De plechtigheid begon, en op het juiste moment liep Baby

Celeste naar ons toe, zoals ze had geoefend, en gaf mama de trouw-ring. Toen deed ze een stap achteruit en gaf mij een hand. Ik wis-selde een blik met Bogart. Iets in zijn gezicht zei me dat hij meer over ons wist dan wie dan ook. Maar zijn gezicht stond heel vrien-delijk. Ik voelde geen dreiging, geen verwijt of beschuldiging.

Ik hoorde Betsy's gesmoorde lach en keek achterom. Zij en haar vriend zaten samen te giechelen. Ze leken dronken of al high. Waarschijnlijk door de pil die hij haar had gegeven.

Na de plechtigheid kwamen de gasten om mama en Fletcher heen staan om hun geluk te wensen. Ik tilde Baby Celeste op en ging met haar in mijn armen een eindje achteruit om toe te kijken.

'Ik neem aan dat dit betekent dat ik een nieuwe broer heb,' hoor-de ik Betsy zeggen en ik draaide me om naar haar en Dirk. 'Of ik het leuk vind of niet. Zeg mijn broer Nobleman goedendag, Dirk.'

'Hoi,' zei hij en drukte hard mijn hand. Ik gaf geen krimp en hij lachte en streek over Baby Celestes haar. 'Hé, goed gedaan, meid, met die ring.'

Ze staarde hem aan zoals mama zou doen, met een ijskoude blik in haar ogen.

'Noble was de vriend van mijn echte broer, tot hij stierf, niet-waar, Noble?'

'Ja.'

'Noble kweekt planten en hakt de hele dag hout.'

'Ik ga helpen het eten te halen,' zei ik.

'Noble is perfect. Een perfect kind, dat zijn moeder geen mo-ment verdriet doet,' zei Betsy tegen Dirk, zo luid dat ik het wel móést horen.

Ik bleef even staan en draaide me naar haar om. 'Als je wilt hel-pen, kom dan mee.'

'Goed,' zei ze. 'Ga maar voor.'

Ik liep naar het huis en hoorde ze achter me lachen. Bogarts vrouw en Tani Austin waren al binnen om de voorbereidingen te treffen voor het opdienen van het eten.

'Ik hou van een simpel huwelijk zoals dit,' zei Tani Austin. 'Te veel gelegenheden waar we komen zijn zo onpersoonlijk.' Ze draai-de zich om naar Baby Celeste en mij. 'Je kleine nichtje is het schat-tigste kind dat ik ooit heb gezien. Ik kan de familiegelijkenis zien,' ging ze verder, maar niet op de toon van een bemoeial.

'Dank u,' zei ik en hielp toen met het naar buiten brengen van de schalen. Mama had alles klaargemaakt met haar speciale kruiden. We hadden kalkoen en rosbief, in room gestoofde uien, aardappelpuree, diverse groenten en eigengemaakt brood. Bogart had witte en rode wijn meegebracht, en mama had Dave Fletcher toegestaan de bruidstaart te laten verzorgen door een bakker, een van zijn klanten, die iets bijzonders wilde doen. Hij bestond uit drie verdiepingen met chocolade eromheen. Bovenop stonden de twee figuurtjes onder een boog van suikergoed.

Voordat we begonnen met het diner stond de dominee op om een toast uit te brengen. 'Er bestaat geen magischer woord dan *familie*. Het is als een menselijke tuin waarin de planten moeten worden gekoesterd met liefde en zorg. Jullie beiden' – hij keek naar mama en Fletcher –'hebben meer dan jullie portie van verdriet en leed gehad, maar jullie hebben alles doorstaan en zijn sterker uit de strijd tevoorschijn gekomen. Niets zal jullie beiden sterker maken dan de verbintenis die jullie vandaag zijn aangegaan, en niets zal een grotere zegen zijn voor jullie kinderen dan de liefde waarmee jullie hen omgeven. Op jullie geluk.'

Iedereen dronk.

Ik keek even naar Betsy. Ze lachte niet. Ze staarde zo vol woede en afkeer naar mama en haar vader, dat de schrik me om het hart sloeg.

Toen draaide ze zich om naar Dirk, fluisterde iets in zijn oor, en ze begonnen weer te lachen. Ze aten tot ze er genoeg van hadden en plotseling besloten weg te gaan.

Betsy vroeg me of ik meeging. 'We hebben afgesproken met een paar vrienden en maken er een feestje van. Ga mee.'

'Ze hebben de bruidstaart nog niet aangesneden,' zei ik.

'Nou en? Het is maar een taart. Waar wij naartoe gaan hebben ze iets veel beters.'

Ik schudde mijn hoofd. 'Het is hun huwelijk en het is nog niet voorbij.'

'O, jee. Wat moet ik met die nieuwe broer van me beginnen, Dirk?'

Hij schudde zijn hoofd. 'Als hij zich gelukkig voelt, laat hem dan met rust.'

Ze kwam dichter naar me toe. 'Voel je je gelukkig, Noble? Moet ik je met rust laten?' Ze streek met opzet met haar borsten langs mijn schouder.

Ik keek in paniek om me heen.

Ze lachte. 'Wees maar niet bang.' Ze pakte Dirks hand. 'Ik zal me ten doel stellen je over je verlegenheid heen te helpen.'

Het klonk meer als een dreigement dan als een belofte.

Een spoor van gelach achterlatend, liepen ze haastig naar de auto, zonder zelfs de tijd te nemen haar vader en mama geluk te wensen of ze te vertellen dat ze weggingen.

Opnieuw bood Fletcher zijn verontschuldigingen voor haar aan en weer zei mama dat hij zich geen zorgen moest maken.

'Ik hoop dat je gauw aan me zult gaan denken als je nieuwe vader,' zei hij later tegen mij. Hij had veel wijn gedronken en keek een beetje triest, vond ik. 'Ik hoop dat je dit alles, net als ik, als een nieuw begin zult beschouwen, een nieuwe kans op geluk.'

Ik bedankte hem en keek toen naar mama en zag een uitdrukking van grote voldoening op haar gezicht. Ze had de eerste stap gezet in haar plan om een veilige en perfecte wereld te creëren voor Baby Celeste. Maar zou die ook veilig en perfect zijn voor mij? vroeg ik me af.

Later, toen iedereen ontspannen luisterde naar Longo's muziek, had ik even tijd voor mezelf. Ik slenterde naar het oude kerkhof en stond vlak voor de plaats waar ik wist dat Noble lag. De schemering was gevallen; het was het moment van de dag waarop schaduwen elkaar een por gaven en wakker werden en zich uitrekten. Toen we klein waren, dachten Noble en ik dat het avond werd omdat alle schaduwen samensmolten en de aarde in duisternis hulden. Het ochtendlicht zou ze weer uiteen doen vallen en doen krimpen.

'Maar waar gaan de schaduwen overdag dan naartoe?' wilde hij altijd weten. Hij vroeg het ook aan papa, maar papa had geen bevredigend antwoord voor hem. Papa's antwoorden waren te wetenschappelijk om een jonge jongen met een levendige fantasie tevreden te stellen.

'Waar gaan de schaduwen naartoe?' hield hij vol, zich nu tot mama richtend. Als Noble nieuwsgierig was naar iets, echt nieuwsgierig, hield hij niet op. 'Ze komen toch altijd op dezelfde manier terug, in dezelfde vorm?' merkte hij op.

Het was goed gezien, dacht ik, en zelfs al was ik tevreden met papa's antwoord, toch was ik benieuwd wat mama zou zeggen.

'Ze gaan slapen,' vertelde ze hem ten slotte. 'Overdag slapen ze.'

'Waar?' vroeg Noble.

'In de aarde.'

Ook dat was niet voldoende voor hem. Als ze in de aarde sliepen, waarom kon hij ze dan niet opgraven?

Zou hij zich zulk soort dingen nog steeds afvragen? Is een geest nieuwsgierig of weet een geest alles? Wanneer zou ik echt zo zijn als mama en lange gesprekken kunnen hebben met onze spirituele familie, en niet slechts een paar woorden horen en ze een paar seconden zien of ze zien als iemand die een luchtspiegeling waarneemt? Zou ik het ooit kunnen? Was het allemaal aan mij voorbijgegaan en had alles zich geconcentreerd op Baby Celeste?

De stemmen van de bruiloftsgasten werden meegevoerd door de zachte, koele avondwind. De sterren verschenen twinkelend in de lucht.

Ik keek naar het bos, maar zag niets.

'Waar ben je vanavond, papa?' vroeg ik. 'Ben je hier? Ben je van streek? Kom alsjeblieft bij me terug,' smeekte ik.

Ik hoorde gelach en weer muziek.

Ik draaide me om en liep langzaam terug naar de tafels en de mensen. Mama zong voor ze. Ze zong 'La Vie en Rose'. De dominee en zijn vrouw Tani zaten hand in hand als een jong verliefd stel. Dave staarde vol liefde naar mama.

Ik hoor blij te zijn voor haar, dacht ik. Ze is zo gelukkig. Haar stem heeft zo'n mooie, volle klank.

Maar toen ik omhoogkeek naar het huis en naar een van de ramen van mijn kamer, zag ik de weerspiegeling van het licht in de gang en in de ruit zag ik duidelijk afgetekend het gezicht van Elliot. Ik wist zeker dat hij glimlachte.

Hij voelde zich nu veilig in het huis en niet alleen meer in mijn verontruste hart.

12. Jij en ik samen tegen al die vrouwen

Een tijdje dacht ik dat Fletcher gelijk kon hebben: dit was een nieuw begin, een nieuwe kans op geluk voor ons allemaal, zelfs voor Betsy. Ze werd in beslag genomen door haar nieuwe sociale leven en verraste haar vader en ons op een avond toen we aan tafel zaten met de mededeling dat ze naar het college in het dorp wilde. Haar vader was zo blij dat hij bijna opsprong van zijn stoel om haar te omhelzen. 'Dat is geweldig nieuws, Betsy, fantastisch. Als je het er op dat college goed af brengt, zul je naar een vierjarig college in de stad kunnen en je diploma halen. Wat wil je worden?' De woorden rolden zo snel uit zijn mond dat het leek of er een dam van hoop doorbrak. Ik kreeg het idee dat die woorden, dat optimisme, die ideeën zo lang in zijn hoofd opgesloten waren geweest, dat ze nu naar buiten stroomden over zijn tong en hem bijna deden stikken in zijn enthousiasme.

'Weet je, je zou eens serieus erover na moeten denken of je niet in het onderwijs wilt. Sarah kan je een paar aanwijzingen geven in die richting, want zij is zelf lerares geweest. Of misschien een medische loopbaan? Daar zou ik je bij kunnen helpen. Of een studie economie?'

Hij staarde haar met een dom lachje aan. Mama en ik en zelfs Baby Celeste keken naar Betsy, wachtend op haar reactie. Nu keek zij alsof ze zich overweldigd voelde. Ze keek naar ons en toen weer naar hem.

'Ik weet het niet,' mompelde ze ten slotte. 'Wind je niet zo op, papa. Ik zei dat ik erover dacht. Ik zei niet dat ik er definitief toe had besloten.'

'Ik hoop dat je besluit om het te doen,' zei hij. 'Aarzel niet om me iets te vragen als ik wat kan doen om je te helpen. En Sarah ook,' ging hij verder, naar mama kijkend.

'Natuurlijk,' zei ze. 'Ik zou erg blij zijn als ik je kon helpen met je toekomst. Het is nooit te laat om daaraan te denken, of te vroeg.' Betsy keek of ze een stap had gedaan in een richting die ze eigenlijk niet wilde nemen, maar later, toen ik Betsy hoorde praten met een meisje dat ze had leren kennen, besefte ik de ware reden waarom ze naar het college wilde. Ze had een andere jongen leren kennen, Roy Fuller, die daar studeerde, een ster van het basketballteam, en volgens Betsy knap en sexy. Blijkbaar had ze Dirk al gedumpt en zat ze nu serieus achter Roy Fuller aan.

Twee dagen later schreef ze zich er daadwerkelijk in. Haar vader was meer dan bereid al haar onkosten te betalen, inclusief een tweedehands auto van een nieuw model. Per slot moest ze op en neer naar college, had ze hem verteld, en daar kon ze 'die arme Sarah, die voor een klein kind moest zorgen en een kruidenfarm runnen', niet mee opzadelen.

Altijd als ze aardig was, of in mijn ogen een complot smeedde, noemde ze mama *Sarah*; anders was het nog steeds mevrouw Atwell, vooral als haar vader er niet bij was.

'Ik ben niet langer mevrouw Atwell,' zei mama dan kalm. 'Je vader en ik zijn getrouwd.'

'Wat dan ook,' was Betsy's gebruikelijke reactie.

De week daarop gingen zij en haar vader op zoek naar een geschikte auto, en ze kwamen terug met een rood sportwagentje.

'Als je aardig tegen me bent, Nobleman, zal ik een ritje met je maken,' zei ze toen ze thuiskwamen met de auto. Hij zag er splinternieuw uit en had leren stoelen en overal chroom. 'Misschien laat ik jou er zelfs in rijden. Hoe zou je dat vinden?'

'Dank je, maar toch maar niet.'

Ze kneep haar ogen halfdicht en vroeg: 'Heb je een rijbewijs?'

Ik wendde mijn blik af.

'Nee, hè? Hoe kun je nou geen rijbewijs willen hebben? Het is het eerste wat iedereen van jouw leeftijd wil, vooral jongens. Je bent een rare,' zei ze beschuldigend, alsof ik haar beledigde door geen rijbewijs te willen.

'Ik wil het wel. Ik ben er alleen niet aan toegekomen,' mompelde ik om van haar af te zijn.

'Niet aan toegekomen! Je bent te oud om van je mammie afhankelijk te zijn om je rond te rijden. Wat gaat ze doen, je vriendinnetje voor je afhalen als je besluit er een aan te schaffen? Ik zie het al voor me!' Ze lachte me uit. 'Je gaat parkeren en dollen op de achterbank terwijl mammie voorin zit en wacht en je misschien bespiedt in de achteruitkijkspiegel.'

'Hou je mond,' zei ik ten slotte. Tot op dat moment had ik een driftaanval weten te onderdrukken.

'Sorry? Hou je mond?'

'Laat me met rust!' riep ik en liep haastig weg.

'Raar gedrocht!' schreeuwde ze me achterna.

Gelukkig had ze het die eerste weken van ons nieuwe leven zo druk met zichzelf en haar liefdesaffaires en haar nieuwe auto, dat ze nauwelijks enige aandacht besteedde aan mij en Baby Celeste. Zo vaak was ze er ook niet. Ze at zelden met ons samen en sliep altijd te lang uit om met ons te ontbijten, maar ik kon zien dat ze steeds ongeduldiger werd en zich steeds meer ergerde aan het feit dat ik haar zoveel mogelijk vermeed en geen belangstelling toonde voor haar en haar perikelen.

Ik was echt verbaasd dat ze zich daadwerkelijk inschreef voor het college en de nodige boeken en schriften kocht. Ze had haar vader al eerder beloftes gedaan waaraan ze zich niet had gehouden. Waarom zou het nu anders gaan? Maar ze zette door en maakte er een hoop ophef van, voornamelijk om haar vader een plezier te doen.

Ik merkte dat mama een neutrale houding aannam ten opzichte van Betsy's nieuwe studie. Ze zei er tegen niemand van ons iets positiefs of iets negatiefs over. Toen Fletcher Betsy prees omdat ze, al was het laat, een intelligent besluit had genomen in haar leven, luisterde mama met een vage glimlach en keek nu en dan naar mij. Haar blik gaf me het griezelige gevoel dat de dingen nog steeds gingen zoals zij wilde en zoals een hogere macht had gepland. Ik begreep niet waar het allemaal toe moest leiden. Ik was blij met Betsy's besluit, omdat ik dacht dat ik daardoor nog minder contact met haar zou hebben, maar verder had ik geen idee wat ik ervan moest verwachten.

Toen verraste Betsy ons, vooral mij, op een avond tijdens het eten met het voorstel dat ik haar voorbeeld zou volgen.

'Jij kunt je net als ik inschrijven. Je hebt een highschool-diploma. Je zou dezelfde colleges kunnen volgen als ik en ik zou je op en neer rijden tot je je rijbewijs hebt gehaald. Nou?' vroeg ze. 'Wat vinden jullie daarvan? Goed idee, hè?' Ze dwong me bijna om ja te zeggen.

Het bracht me lichtelijk in paniek. Ik keek naar mama, die erbij zat als een boeddha, wachtend tot ik met een goed antwoord zou komen, zonder me te laten merken wat ze wilde horen.

'Dat is helemaal niet zo'n gek idee,' zei Fletcher. 'Wat vind jij, Sarah?'

'Als Noble er klaar voor is, zal hij het ons vertellen,' zei ze ten slotte.

'Waarom zou hij er niet klaar voor zijn?' zei Betsy uitdagend. Ze draaide zich weer naar mij om. 'Je kunt hier niet de rest van je leven rondhangen en plantjes verzorgen en voor babysitter spelen.'

Ik gaf geen antwoord, wat haar frustreerde. Ze keek naar mama. 'Hij is toch niet achterlijk, hè?' vroeg ze.

Mama glimlachte. 'Nou, nee. Ik ben er zelfs van overtuigd dat je hem zult vragen je te helpen met je huiswerk.'

Betsy kreeg een kleur. 'Nou, als hij zo slim is, waarom wil hij dan niet iets met zijn leven doen?'

Mama keek liefdevol naar mij. 'Noble is een heel bijzondere jongeman. Hij beschikt over meer dan alleen wat boekenkennis. Hij heeft heel hoge cijfers gehaald bij al zijn examens en hij weet dat hij kan doen wat hij wil wanneer hij het wil, maar hij heeft ook nog iets anders.'

'En dat is?' vroeg Betsy meesmuilend.

'Wijsheid. Wijsheid. Dat is iets dat je niet uit boeken leert of op school of van leraren. Het komt hiervandaan,' zei mama en legde haar hand op haar hart.

'Hou me vast,' mompelde Betsy hoofdschuddend. 'Zie je nou met wat voor griezel je getrouwd bent en wat een griezelige familie je hebt gekregen, papa?'

Hij kreeg een vuurrode kleur. 'Betsy! Dat is een heel ongepaste opmerking. Ik wil dat je onmiddellijk je excuses aanbiedt,' snauwde hij.

Gewoonlijk zou ze hem in zijn gezicht hebben uitgelachen, dacht ik, maar hij gaf haar geld; hij had haar een auto gegeven en zou de verzekering ervoor betalen. Ze deed nog steeds haar best om goede maatjes met hem te blijven.

170

'Oké, oké,' zei ze. 'Het spijt me. Het leek me alleen leuk als mijn nieuwe broer samen met me naar college ging. We zouden samen huiswerk kunnen maken, samen studeren, elkaar beter leren kennen. Was het zo verschrikkelijk wat ik voorstelde?' vroeg ze vol zelfmedelijden.

Het gezicht van haar vader verzachtte. 'Dat zijn goede motiveringen, Betsy.' Hij keek naar mij. 'Je moet iedereen alleen wat meer tijd gunnen.'

'Tijd? Waarvoor?'

'Tijd om relaties zich behoorlijk te laten ontwikkelen. Relaties bouwen we langzaam, zorgvuldig op, als we willen dat ze blijvend zijn en voor alle betrokkenen waardevol,' preekte hij.

Het was een lesje dat ze nooit eerder gehoord had en ook niet wilde horen. Ik kende haar al goed genoeg om te weten dat ze met mensen, vooral jongens, omging zoals iemand een nieuw geurtje van de maand zou uitproberen.

'Oké, papa,' zei ze liefjes. 'Ik zal het allemaal de nodige tijd geven. Als je iets wilt weten over college, Noble, dan vraag je het maar.'

Mama bleef zitten met die ondoorgrondelijke glimlach om haar lippen. Maar ik kon haar inwendig horen lachen. Het zou lang duren voor ik Betsy iets zou hoeven vragen, dacht ze. Ze sloeg de plank niet zo ver mis. Zoals ze had voorspeld, kwam Betsy toen ze met haar studie begonnen was, bij mij om haar te helpen dingen te begrijpen, vooral wiskunde.

Tot die tijd was ze nog nooit in mijn kamer geweest. Nu zij en haar vader bij ons woonden, deed ik de deur van mijn kamer dicht. Op een avond klopte ze aan en opende hem voor ik kon reageren. Ik lag op bed te lezen.

'Jij bent toch zo slim,' begon ze, 'misschien weet jij wat dit betekent.'

Haar vrijpostigheid maakte dat ik me niet op mijn gemak voelde, maar tegelijk nieuwsgierig. Er was zoveel dat me niet in haar beviel, maar toch bewonderde ik het gemak waarmee ze mensen tegemoet trad, vooral jongens. Ze had geen enkele moeite met kleine intieme gebaren, met fysiek contact, elkaars hand vasthouden, haar lichaam langs dat van een jongen schuren, met ze spelen, oogcontact maken en interesse tonen. Was dat stupiditeit en roekeloosheid, of zelfvertrouwen?

Ze kwam binnen, ging op mijn bed zitten en gooide het wiskundeboek op mijn schoot. Ik trok mijn wenkbrauwen op en sperde mijn ogen open. Ze interpreteerde het verkeerd.

'O, heb ik je pijn gedaan?' vroeg ze flirtend. 'Las je iets erotisch, waar je opgewonden van werd? Ik weet dat dit erg pijnlijk kan zijn voor jongens. Was dat het?'

'*Nee!*' zei ik te fel en te snel. Ze lachte. 'Wat wil je?'

Ze knikte naar het opengeslagen boek. 'Kijk eens naar die onzin en vertel me wat het betekent. Ik hoor al die sommen vanavond te hebben opgelost.'

Ik keek even naar de pagina's. 'Heeft je docent het niet uitgelegd?'

'Ik weet het niet. Misschien wel. Ik was bezig.' Ze glimlachte. 'Roy zat vlak naast me, en je kunt je hand onder je lessenaar houden. Snap je wat ik bedoel?'

'Nee.' Dat deed ik echt niet.

'Misschien, als je aardig voor me bent, zal ik het je op een dag eens voordoen. Nou? Hoe zit het met die wiskundeproblemen?'

Ik ging rechtop zitten en las de pagina's door, in de hoop dat ze niet zou merken hoe mijn handen beefden. Ze hing over me heen. Haar warme adem sloeg in mijn gezicht, de geur van haar shampoo drong in mijn neusgaten. Zo zou ik een jongen kunnen beïnvloeden als me werd toegestaan te zijn wie ik werkelijk ben, dacht ik. Het maakte me zenuwachtig.

'Dat is elementaire algebra. Is dat een collegevak?

'Dat moet wel. Ik ga naar college om te leren. Ik heb eerst een test gedaan en ze zeiden iets over inhalen, wat ze daar ook mee mogen bedoelen.'

'Waarom zit Roy Fuller in die klas? Die heeft hij verleden jaar toch al doorlopen?' Ik herinnerde me een paar dingen die ik haar aan de telefoon tegen haar vriendin had horen vertellen.

'Hij zit eigenlijk niet in die klas. Hij kwam alleen om bij mij te zijn.'

'En de docent vond dat goed?'

'Dat weet ik niet. Ja. Wat maakt het uit? Wie kan het wat schelen?' Ze staarde me even aan. 'Weet je, jouw probleem wordt heel serieus, Noble. Je moet met mensen van je eigen leeftijd omgaan. Je moet een vriendinnetje hebben.'

Bijna onmiddellijk moest ik weer denken aan de tijd met haar broer. Hij had meisjes op school verteld dat hij me goed kende en dat hij me kon meenemen naar een party met die meisjes. Hij gebruikte mij om een meisje dat hij aardig vond te versieren, en toen ik tegenstribbelde, zeurde hij net zo door als Betsy nu.

'We zouden een dubbele afspraak kunnen maken,' zei ze. 'Ik heb een vriendin die graag een keer met je uit zou willen... Nou? Zit me niet zo aan te kijken. Je hoort me dankbaar te zijn, niet zo stom te doen.'

'Ik zoek mijn eigen vrienden wel.'

'O, ja. Waar wil je die vandaan halen? Waar wil je die vinden, in het bos? In de tuin? De schuur?'

'Wil je dat ik je dit uitleg of niet?' vroeg ik bits.

Ze haalde haar schouders op. 'Ik denk het wel, ja. Ik wil niet de eerste de beste week al afgaan. Papa zou dat vreselijk vinden. En Roy zou erg teleurgesteld zijn.' Ze lachte.

Ik begon. Onwillekeurig nam ik mama's docentenhouding aan. Het leek me heel natuurlijk af te gaan, maar ik kon voelen dat Betsy's ogen op mijn gezicht gericht waren toen ik het zo eenvoudig mogelijk begon uit te leggen. Het was algauw duidelijk dat ze niet echt luisterde of zelfs maar enigszins geïnteresseerd was.

'Scheer je je nog niet?' vroeg ze plotseling. Er ging een elektrische schok door me heen.

'Ja,' zei ik. 'Als je niet naar me wilt luisteren, waarom kom je me hier dan lastigvallen?' voegde ik er bits aan toe.

'Stil maar. Ik was gewoon nieuwsgierig. Je boft dat je kennelijk geen zware baard hebt.'

Ze leunde achterover, met haar handen op het bed, haar lichaam gewelfd. Wat heerlijk om zo totaal niet geremd te zijn, zo zonder enige verlegenheid wat je lichaam betrof. Als ze naar me keek, kon ze dan de afgunst in mijn ogen zien?

'Roy laat zijn baard graag twee dagen staan. Dat vindt hij cool. Ik moet toegeven dat het sexy is. Ik vind het alleen niet prettig als hij met zijn wang langs de mijne strijkt. Dat schuurt. Weet je,' ging ze verder met een knikje naar mij, 'de meisjes zullen je aardig vinden. Zal ik eens met Fredda Sacks praten over een afspraakje? Ze zou je aardig vinden, en geloof me' – Betsy glimlachte koket – 'je zult veel plezier met haar hebben.'

'Nee,' zei ik snel en vastberaden.

Ze haalde haar schouders op 'Oké, wil je me dan een grote gunst bewijzen? Los die sommen voor me op. Ik moet me gaan optutten om uit te gaan. Ik heb met Roy afgesproken in het winkelcentrum. Je kunt mee als je wilt.'

'Als ik die sommen voor je maak, schiet je er niets mee op. Dan leer je niets.'

'Ik leer het later wel. Leg het maar in mijn kamer als je klaar bent.'

Ze sprong van het bed en liep naar de deur. 'Als je eenmaal seks hebt, zul je minder belangstelling hebben voor je planten en dat soort dingen.' Ze lachte. Toen ze de deur achter zich dichtdeed, was het of ze alle lucht uit de kamer had weggezogen en meegenomen.

Voornamelijk om mijn gedachten af te leiden van wat ze gezegd en gedaan had, loste ik de wiskundeproblemen voor haar op. Ze was al weg toen ik klaar was, maar toch klopte ik op de deur van haar kamer voor ik naar binnen ging.

Ik had haar kamer niet meer gezien sinds haar vader en ik haar spullen verhuisd hadden.

Ze had alle lichten laten branden. Het bed was niet opgemaakt en haar kleren lagen in de hele kamer verspreid: op stoelen, over de bedstijl en gewoon op een hoop bij de kast, alsof de kast zelf uitpuilde. Haar toilettafel was een al even grote puinhoop, met open potten crème en tubes, borstels en haarspeldjes. Iets wat eruitzag als een natte badhanddoek hing over de rugleuning van een stoel, en een vuil washandje lag op de grond ernaast. Aan het voeteneind van haar bed stonden drie paar schoenen, twee ervan op hun kant liggend, waarschijnlijk uitgeschopt.

Om wat Betsy een rottingslucht noemde te verdrijven, moest ze een hele fles eau de cologne hebben uitgegoten over het kleed. De lucht was zo doordringend, dat ik me niet kon voorstellen hoe ze hier kon slapen. Het raam was gesloten en de gordijnen waren dichtgetrokken.

Ik zocht naar een plaats om het wiskundeboek en het schrift neer te leggen en besloot er plaats voor te maken op de toilettafel. Toen ik wat dingen opzij schoof en het deksel op een paar open potten schroefde, zag ik een doos met tientallen pillen in vakjes. Onder elk tablet stond de dag van de week. Ik pakte het doosje op en zag dat het anticonceptiepillen waren. Ik weet niet waarom, maar alleen al het vasthouden van dat doosje joeg me angst aan, en mijn vingers trilden zo hevig, dat ik het uit mijn hand liet vallen. Het kwam op de toilettafel terecht en de pillen wipten uit de vakjes op de grond en vlogen door de kamer. Ik raakte in paniek en er liep een ijskoude rilling over mijn rug. Even leken mijn voeten aan het kleed gekleefd. Ik kon me niet bewegen. Mijn hart bonsde van angst en ik had het benauwd. Zo snel ik kon, begon ik de pillen op te rapen. Sommige waren onder het bed gerold. Toen ik alle pillen bij elkaar had die ik kon zien, stopte ik ze terug in de lege vakjes, maar er moesten er nog zeven gevuld worden, of, zo vroeg ik me af, waren die al leeg geweest? Op welke dag begonnen de pillen? Ik kon het me niet herinneren.

Ik ging weer op mijn knieën liggen en speurde het kleed nog nauwkeuriger af, centimeter voor centimeter. Toen ik nog een pil vond, werd mijn angst nog groter. Als ik deze niet had gezien, had ik er gemakkelijk nog meer kunnen missen. Hoe belangrijk was het om alle pillen op te maken, en in de juiste volgorde? Als ik de boel eens zo in de war schopte, dat ze zwanger werd? Was dat mogelijk? Ik wilde dat ik meer over dit soort dingen wist.

Met het puntje van mijn neus bijna in het kleed, ging ik zo methodisch mogelijk heen en weer om er zeker van te zijn dat ik geen plekje oversloeg. Ik knielde neer en duwde mijn arm zo ver ik kon onder het bed en trok mijn hand toen terug. Tot mijn schrik vond ik weer een pil. Haastig stopte ik hem in een leeg vakje en ging weer op mijn knieën liggen.

'Wat doe jij hier?' hoorde ik mama vragen. Ik keek naar de deur.

Ze stond er met Baby Celeste, die het erg grappig scheen te vinden mij op mijn knieën te zien. Ik had de deur open laten staan, omdat ik geen reden had die dicht te doen. Per slot was ik alleen naar Betsy's kamer gegaan om haar boek daar neer te leggen. Ik had meteen weer weg willen gaan.

'Nou? Geef antwoord, Noble.'

Ik stond op en keek naar de toilettafel. 'Ik... ik heb haar geholpen met haar wiskunde en heb het boek teruggebracht.'

'Waarom lag je dan op je knieën? Wat zoek je, Noble?'

Ik schudde mijn hoofd en ze liep de kamer in.

'Wat is er?' vroeg ze.

'Toen ik het boek op de toilettafel legde, stootte ik per ongeluk iets om… een doosje met pillen, en er vielen een paar op de grond. Ik probeerde ze allemaal terug te vinden,' zei ik snel.

'Doosje?'

Ze liep naar de tafel en keek naar het doosje. Toen keek ze naar mij en haar lippen verstrakten.

'Ik begrijp het. En heb je ze allemaal gevonden?'

'Ik weet het niet. Ik geloof het wel.'

'Je hoort niet in deze kamer te komen, Noble, en zeker niet Betsy's spullen aan te raken.'

'Ik… ze zei dat ik het boek in haar kamer moest leggen.'

Mama bleef de pillen bestuderen. Toen keek ze naar mij.

'Heb je ze allemaal in de oorspronkelijke volgorde teruggelegd?'

'Ik geloof het wel. Ik weet het niet zeker.'

'Heel goed. Verdwijn nu.'

Ik liep weg.

'Ga met Baby Celeste naar buiten om wat frisse lucht te happen,' ging ze verder toen ik bij de deur was.

'Frisse lucht?'

'Ja, Noble. Ga wat met haar wandelen. Schiet op,' beval ze en ging weer terug naar de toilettafel. Ik wist het niet zeker, maar het leek me dat ze glimlachte.

Omdat het een bewolkte lucht was die avond, ging ik met Baby Celeste niet ver van huis. Zoals altijd, was ze nieuwsgierig naar alles wat ze zag. Ze wilde dat ik de naam zei van alles wat ze vastpakte of waarnaar ze wees, zodat ze het kon herhalen en opslaan in haar geheugen. De laatste tijd was haar vocabulaire enorm toegenomen. Ze formuleerde zinnen en gedachten met het vermogen van iemand die jaren ouder was. Steeds vaker, als ik nu naar haar keek, zag ik een diepzinnige blik in haar ogen.

Ik was trots op haar en amuseerde me met haar, maar soms had ik ook ontzag voor haar. Betekende het feit dat ze zo snel leerde en blijkbaar superintelligent was, dat ze zo bijzonder was als mama geloofde, of was ze gewoon een vroegwijs kind, een intelligent klein meisje dat over de moeilijkheden heen kon springen waar iemand van haar leeftijd gewoonlijk mee kampte? Ikzelf had bepaalde dingen sneller onder de knie gekregen dan normaal. Waarom zou ik het belangrijker maken dan het was?

En toch lag er nog iets meer in Baby Celestes ogen, iets meer in de manier waarop ze alles en iedereen bestudeerde. Ze kon best het gezegende kind zijn dat mama voorspeld had dat ze zou zijn.

'Wat zal er van ons worden, Celeste?' vroeg ik haar, half geamuseerd en half nieuwsgierig of ze het me werkelijk zou kunnen vertellen. Ik zat op de trap van de veranda.

Ze keek me even aan. Ze hield een grassprietje in haar hand en probeerde er geluid mee te maken, zoals ik haar geleerd had. Dat had Noble vroeger zo goed gekund. Hij speelde korte deuntjes op grassprietjes.

Ze liep haastig naar me toe en drukte zich tegen mijn been, alsof ze wist dat ik haar naast me wilde, om me te troosten. Toen ontlokte ze de grashalm een muzikale toon, en ze lachte. Ik gaf haar een zoen op haar wang. Ze had zulke lichte en subtiele gelaatstrekken, wenkbrauwen die nauwelijks zichtbaar waren, maar lange, mooie wimpers. Als je van iemand kon zeggen dat ze een verrukkelijk, aantrekkelijk gezichtje had, dan was het van onze Celeste.

Ze blies weer op het grassprietje, luider deze keer.

'Je wordt er net zo goed in als je oom vroeger,' fluisterde ik. Ik had altijd het gevoel dat ik haar de waarheid kon vertellen, haar dicht bij de onthulling brengen zonder een van ons beiden in gevaar te brengen. Ze zou het niet begrijpen en ze herhaalde nooit wat ik tegen haar fluisterde. Het was of ze wist wat een geheim was, het bijna wist op het moment dat ze het kon horen of zien.

Plotseling draaide ze zich om en sloeg haar armpjes om mijn hals. Ik tilde haar op en gaf haar een zoen op haar wang en ze legde haar hoofd op mijn schouder. We staarden allebei voor ons uit in het duister. Ik hoorde duidelijk het gekraak van takken in het bos. Mijn lichaam verstijfde terwijl ik ingespannen naar de schaduwen tuurde.

'Hert,' zei Baby Celeste, en een ogenblik later verscheen een klein vrouwtjeshert.

Ze bleef zo doodstil staan terwijl ze naar ons keek, dat het leek of er een standbeeld was neergezet.

Baby Celeste maakte zich los uit mijn armen en liep langzaam naar het hert. Het bewoog zich nog steeds niet. Ze hief haar hand op en het hert hief haar kop op, maar vluchtte nog steeds niet weg. Ze deed nog een stap en nog een. Ik stond op.

'Ga niet te ver,' waarschuwde ik.

Ze keek achterom, glimlachte, en liep door. De staart van het hert ging heen en weer als van een hond. Baby Celeste hief haar beide armpjes omhoog naar het dier, en tot mijn verbazing deed het hert een paar stappen in haar richting. Ik hield mijn adem in.

En toen verschenen de koplampen van Fletchers auto op onze oprijlaan en doorboorden de duisternis.

Het hert maakte een sprong naar rechts en verdween in het bos. Haastig pakte ik Baby Celeste op en keek naar de auto van Fletcher die voor de deur stopte.

'Hallo, Noble,' zei hij toen hij uitstapte. 'Wat is er aan de hand?'

'Mama wilde dat ik even met Celeste naar buiten ging voor wat frisse lucht,' zei ik snel.

'Ja, het is een mooie avond. Warm voor de tijd van het jaar.' Hij zweeg even. 'Hoi, Celeste.'

Ze stak haar armen naar hem uit en hij tilde haar op en gaf haar een zoen op haar wang.

'Wat heb je vandaag gedaan?'

'O, niks bijzonders. Ik schiet al aardig op met het hout sprokkelen,' zei ik, zwijgend over het feit dat ik Betsy had geholpen met haar huiswerk.

Hij keek me zo strak aan, dat ik me niet helemaal op mijn gemak voelde.

'Ik heb veel over je nagedacht de laatste tijd, Noble. Betsy's suggestie aan tafel die avond was nog niet zo slecht weet je, Noble. Heb je er nog over gedacht?'

'Een beetje,' jokte ik.

'Nou ja, we hebben er geen haast mee, gelukkig, maar ik hoop dat je niet vindt dat ik buiten mijn boekje ga als ik je een goede raad geef. Per slot hoor ik nu bij de familie.' Hij glimlachte.

Ik schudde mijn hoofd.

'Je kunt niet opgroeien en je ontwikkelen door je moeder te blijven helpen voor het kind te zorgen en het doen van eenvoudig werk op de farm. Dat is geen leven voor een jongen. Je moet met mensen van je eigen leeftijd omgaan, je horizon verbreden, misschien doorstuderen. Zoek een bestemming. Ik zal je graag zoveel ik kan helpen.'

Ik knikte en sloeg mijn ogen neer. Hij leefde in een huis vol leugens, en altijd als hij zo vriendelijk tegen me sprak, dansten ze voor mijn ogen. Hij had zoveel in goed vertrouwen geaccepteerd, met zoveel overgave, dat ik me onwillekeurig afvroeg of hij niet echt in mama's ban was. Wat zou er gebeuren als en wanneer hij geconfronteerd werd met de waarheid? Zou zijn hart verscheurd worden? 'Ik weet ook hoe moeilijk het is voor een jongen om op te groeien zonder vader op wie je kunt vertrouwen en die je kan adviseren, niet alleen in dingen die je moet doen, maar over jezelf, je eigen emotionele behoeftes. Ik weet dat we elkaar niet zo lang kennen als ik graag had gewild, maar ik wil dat je me gelooft als ik zeg dat ik je vertrouwen altijd zal respecteren, als je me dat vertrouwen wilt schenken.

'Per slot,' zei hij, Baby Celeste op en neer wippend in zijn armen, 'zijn het alleen jij en ik tegen al die vrouwen hier.'

O, ik zou niets liever willen dan hem de hele waarheid vertellen. Nee, had ik willen uitroepen. Je kent me helemaal niet. Je hebt me nog nooit ontmoet.

'Kijk niet zo ongerust, jongen,' zei hij, en streek met zijn hand over mijn haar. 'Ik oefen geen druk op je uit of om iets te doen of te zeggen. Ik wil je alleen maar duidelijk maken dat ik er voor je ben wanneer je me maar nodig hebt. Oké?'

Ik knikte.

'Mooi. Zo,' ging hij verder, 'ik zie dat mijn dochter er weer vandoor is. Heeft ze gezegd waar ze naartoe ging?'

Ik schudde mijn hoofd. 'Ze zei iets over het winkelcentrum, geloof ik.'

'Hmm.' Hij keek achterom naar de oprijlaan. 'Ze is daar zo vaak, dat ze een baan zou moeten zoeken in een van die winkels.'

Hij draaide zich weer naar mij om. 'Denk eraan, Noble, kleine kinderen, kleine zorgen, grote kinderen... dat kun je zelf aanvullen door naar Betsy en mij te kijken. Ga je naar binnen?'

'Straks.'

'Oké. Ik neem Celeste mee. Kop op, kerel. Alles komt op zijn pootjes terecht. We hebben nu te veel goeie dingen om naar uit te kijken.'

Ik glimlachte en keek hem na toen hij naar binnen liep.

'Wat een idioot,' hoorde ik, en ik draaide me met een ruk om.

Ik kon hem niet zien in het donker, maar ik wist zeker dat het Elliots geest was.

'Denk je dat hij stom is of blind als hij naar Celeste kijkt en niet zichzelf ziet?'

Ik bestudeerde de schaduw en liep langzaam naar voren.

'Misschien weet hij het wel,' ging hij verder. 'Misschien is hij degene die de waarheid verborgen houdt, in een leugen leeft. Heb je daar ooit wel eens aan gedacht, Nobleman?'

Zijn lach werd meegevoerd door de klapwiekende vleugels van een opgeschrokken uil.

En in de stilte daarna hoorde ik slechts het bonzen van mijn eigen angstige hart.

13. Het probleem met Betsy

In de dagen en weken die daarop volgden werd de relatie tussen Betsy en haar nieuwe vriend steeds heftiger. Vaak kwam ze 's nachts niet meer thuis en áls ze kwam opdagen, zag ze eruit of ze de hele nacht niet geslapen had. Ze sliep overdag en liep rond alsof ze nog niet gewend was aan het wonder dat ze leefde. Zij en haar vader hadden er herhaaldelijk ruzie over en ze dreigde altijd om het huis uit te gaan. Hij en mama spraken er vaak over, en tot mijn verbazing raadde ze hem aan een stapje terug te doen, Betsy de tijd te geven tot inzicht te komen en haar eigen conclusies te trekken. Mama leek altijd Betsy's kant te kiezen. Als het de bedoeling was dat Betsy haar aardiger zou vinden, was het resultaat nihil.

Ik kon zelfs al heel in het begin zien dat een van de redenen waarom Betsy zo vastbesloten was haar eigen romance te hebben, haar afkeer was van de steeds hechter wordende relatie tussen haar vader en mama. Fletcher, die er nu op stond dat ik hem Dave noemde, kwam nooit het huis of een kamer binnen zonder haar te kussen. Wat hij daarvóór ook gedacht had of in wat voor stemming hij was als hij terugkwam van zijn werk, zodra hij mama zag, begonnen zijn ogen te stralen. Elke avond na het eten, als hij geen late dienst had in de apotheek, maakten ze samen lange, romantische wandelingen. Hij bracht altijd onverwachte cadeautjes voor haar mee, en te oordelen naar wat ik ervan zag, kocht hij veel bij Bogart.

Altijd als hij mama iets gaf in aanwezigheid van Betsy of als hij haar kuste en Betsy was erbij, keek ik naar haar gezicht. Haar ogen trilden nerveus en ze trok haar lippen in. Ze wendde haar hoofd af en als haar vader haar iets vroeg, mompelde alleen *ja* of *nee* of negeerde hem. Ze keek alsof ze niet kon wachten tot ze bij ons, of moet ik zeggen bij *hen*, weg kon.

Op een avond, toen mama en Dave een van hun avondwandelingen maakten, kwam Betsy, die wachtte op een telefoontje van haar vriend Roy, de zitkamer binnen, waar ik Baby Celeste zat voor te lezen. Ze stond voor ons, met haar handen op haar heupen, en schudde haar hoofd.

'Lieve hemel, hoe kun je zoveel tijd doorbrengen met zo'n klein kind?' vroeg ze.

'Ik vind het leuk dat ze de dingen zo snel leert. Dat zou jij ook vinden.'

'O, natuurlijk. Ik popel van ongeduld. Waar zijn ze?' wilde ze weten, uit het raam starend. 'Wat doen ze daar trouwens?'

'Ze lopen de straat af, denk ik. Er is een plek waar de weg een bocht maakt en even verder kun je het punt zien waar de beek het breedst is.'

'Je meent het! Wauw!' Ze draaide zich weer naar me om en grijnsde. 'Ik weet zeker dat ze daar niet naartoe gaan om naar de beek te kijken. Waarschijnlijk liggen ze te vrijen onder een boom of te rollebollen in het gras.'

'Waarom zouden ze naar buiten gaan om dat te doen?' Mijn stem klonk nieuwsgierig.

'Ze denken natuurlijk dat het romantischer is of zo. Misschien zien ze dat de manier waarop ze elkaar onder mijn ogen afslobberen, me misselijk maakt.'

Ik staarde haar aan. Ze kneep haar ogen samen en deed een stap naar me toe, haar armen over elkaar geslagen.

'Stoort het je niet om te zien dat je moeder met mijn vader naar bed gaat, hem de hele dag zoent, zijn hand vasthoudt en over hem zwijmelt?'

'Waarom zou het? Ze houden toch van elkaar?'

'Alsjeblieft. Houden van elkaar!' Ze wendde haar blik af.

Baby Celeste was altijd gevoelig voor de toon waarop iets gezegd werd. Ze voelde de spanning in Betsy's stem en staarde haar aan, haar gezichtje onbeweeglijk, haar ogen vol belangstelling.

'Ik vind het gewoon gênant en walgelijk zoals mijn vader je moeder aflebbert waar wij bij zijn. Ze gedragen zich als... als tieners. Ik kan me niet herinneren dat hij zich ooit zo heeft gedragen tegenover mijn moeder, en toen ze weg was, maakte hij nooit een serieuze afspraak met een andere vrouw.'

'En?'

'Dat zei ik je! Het maakt me kotsmisselijk!' Betsy zweeg en keek naar Baby Celeste. 'Waarom kijkt dat kind me zo aan?'

'Ze voelt je woede.'

Betsy meesmuilde. 'Ze voelt mijn woede? Wat ben je, kinderpsycholoog? Moet je jezelf eens zien, zoals je daar op de grond een kinderboek zit te lezen. Dat is jouw opvatting van een gezellige avond. Zielig, hoor.'

Haar woorden waren als wespensteken, maar ik weigerde te laten merken hoeveel pijn ze deden.

'Ik zal je behalve met wiskunde, ook moeten helpen met je vocabulaire,' zei ik. 'Je hebt synoniemen nodig.'

'O, ja? En wat wil je daarmee zeggen, genie dat je bent?'

'Het betekent dat je andere woorden zult moeten gebruiken als je probeert me te beledigen. Deze raken versleten.'

Ze wilde iets zeggen, zweeg toen en blies haar adem uit.

'Weet je wat ik denk,' bracht ze er eindelijk uit. 'Ik denk dat je homo bent.'

Op dat moment ging de telefoon.

'Eindelijk!' schreeuwde ze en holde erheen. Ik keek weer naar het kinderboek.

'Zeg tegen mijn vader dat ik vanavond niet thuiskom,' riep ze uit de gang. 'Niet dat hij het zal merken. Hij gaat veel te veel op in zijn nieuwe liefde.'

Ik hoorde de deur open- en dichtgaan. Even later zat ze in haar auto en deed het grind opspatten toen ze wegscheurde, de oprijlaan over. Ik luisterde en keek toen naar Baby Celeste.

'Betsy is ziek,' zei ze.

Ik lachte. 'Ja, Betsy is ziek. Het punt is dat ze het niet weet en misschien nooit zal weten.'

'Ziek.'

'Waarom zeg je dat, Celeste?'

Ze gaf geen antwoord. Ze keek weer naar haar boek en pakte het verhaal op waar we gebleven waren voordat Betsy ons kwam storen. Later, toen mama en Dave terugkwamen, werd hij kwaad toen ik hem Betsy's boodschap overbracht.

'Dat gaat zo niet langer,' raasde hij. 'Het kan me niet schelen hoe oud ze is. Ze dient me enig respect te tonen en een paar verantwoordelijkheden op zich te nemen. Ze heeft het zo gemakkelijk op college, dat er geen enkele reden is waarom ze niet een parttime baan zou nemen en helpen voor zichzelf te zorgen en vooral voor die auto.

'En ze vraagt niet eens of jij hulp nodig hebt in het huishouden en met het eten, Sarah. Je bent veel te aardig voor haar.'

'Ik weet het, Dave,' zei mama. 'Wind je nou niet weer zo op.'

'Ik weet niet of ik beter af ben als ze thuis woont of wegloopt met een of ander waardeloos vriendje,' mompelde hij. 'Ik dacht dat als ik haar een goed thuis gaf, een echte familie, een kans op een betere ontwikkeling, ze misschien...'

'Ze draait wel bij, Dave. Dat doen ze altijd.'

'Ik ben niet zo optimistisch als jij, Sarah.' Hij keek naar mij. 'Sorry, Noble. Ik weet dat ze niet bepaald een leuke zus voor je is of je helpt met het kind,' ging hij verder, met een blik op Baby Celeste. 'Moet je dat kind toch eens zien lachen. Hoe kan iemand weigeren aandacht aan haar te schenken? Wat gaat er om in dat lege hoofd van mijn dochter?'

'Ontspan je, Dave. Het is niet goed om naar bed te gaan met zoveel spanning in je,' zei mama.

'Ja, ik weet het.'

'Ik zal wat voor je klaarmaken.'

Ze maakte een drankje voor hem klaar dat zijn zenuwen volgens haar zou kalmeren en hem helpen in slaap te vallen. Zoals alles wat ze met een bepaald doel deed, had het succes, en even later lag hij rustig in bed. Toen hij sliep, kwam mama de badkamer uit en liep de trap af. Ik dacht dat ze misschien op zoek was naar mij. Baby Celeste sliep en ik zat op de veranda. Ik had het gevoel dat ik het huis bewaakte.

Ze kwam naar buiten, ging zonder iets te zeggen in de stoel naast me zitten en staarde in het donker voor zich uit. Hoewel ze me niet aankeek, voelde ik me zenuwachtig, zelfs een beetje bang. Was ze zo zwijgzaam omdat ze kwaad was over iets dat ik had gedaan of gezegd?

'Je zult je misschien afvragen,' begon ze eindelijk, 'waarom we de afgelopen weken alleen zijn geweest.'

'Alleen?'

Ze draaide zich om en keek naar me. 'Heeft iemand met je gesproken?' vroeg ze snel.

Ik schudde mijn hoofd. Ik wilde haar niet over Elliot vertellen, niet nu, misschien nooit.

'Het is niet omdat we iets verkeerd hebben gedaan of omdat iemand kwaad op ons is. Er is een kwaad in ons huis.'

Ik hield mijn adem in. Wist ze het toch van Elliot?

'Maar dat zal niet lang duren,' ging ze verder. Ze knikte. 'Niet veel langer.'

'Wat voor slechts, mama?'

'Dat weet je heel goed. Stel je alsjeblieft niet weer zo stom aan,' snauwde ze.

Ik wendde mijn blik af, maar keek van terzijde naar haar. Een ogenblik later glimlachte ze. 'Baby Celeste begint echt iets bijzonders te worden, hè, Noble? Je ziet het nu toch ook, hè?'

'Ja, mama.'

'Goed. Dan begrijp je waarom het zo belangrijk is dat we haar blijven beschermen en koesteren als een kostbare bloem.'

'Ja, mama.' Dat zou ik in ieder geval doen, dacht ik. Per slot van rekening was ze mijn kind.

Mama stond op. 'Ga wat rusten. Er liggen moeilijke dagen voor ons in het verschiet.'

Ze liep de veranda af en wandelde langzaam in de richting van het oude kerkhof. Ik keek haar na tot ze was opgeslokt door de duisternis en ging toen naar binnen en naar bed.

In de moeilijke dagen waarover ze het had was er steeds meer spanning in huis door de aanhoudende, heftige ruzies tussen Betsy en haar vader. Ik zag de toenemende vermoeidheid in zijn gezicht, hoorde de steeds groter wordende uitputting in zijn stem. Altijd als hij naar haar keek, lag er een bezorgde blik in zijn ogen. Hij probeerde het geld dat hij haar gaf afhankelijk te maken van haar taken in huis, ondanks mama's advies dat te laten. Als hij haar dwong te helpen in de keuken en aan tafel, brak ze borden en schalen en maakte een nog grotere troep in de keuken. Ze kon niet behoorlijk tafeldekken, en als ze iets schoonmaakte, moest dat toch overnieuw worden gedaan. Hij waarschuwde haar voortdurend dat ze haar kamer op moest ruimen, maar ze maakte nooit haar bed op of verschoonde het beddengoed, tenzij hij haar ertoe dwong. Als ze in huis iets at, liet ze haar bord staan waar ze had gezeten of gelegen. Ze morste op de grond, bedierf dingen, maakte vlekken op de meubels. Hij was drukker bezig met achter haar aan op te ruimen en schoon te maken dan iemand zou doen met een onzindelijke puppy.

En al die tijd bleef mama kalm, begripvol, koos nog steeds Betsy's partij met de belofte dat ze gauw genoeg zou veranderen. Maar hoe meer begrip en sympathie ze toonde, hoe kwader Dave werd op Betsy.

'Kijk eens hoe aardig Sarah voor je is. Hoe kun je zo ondankbaar en onhebbelijk zijn?' zei hij dan bestraffend.

Betsy's reactie op het geraas en getier van haar vader was meestal haar hoofd afwenden, net doen of ze hem niet hoorde of mij iets vragen alsof hij niet eens in de kamer was. Zijn gezicht werd rood van frustratie. Hij begon er steeds gekwelder uit te zien, en als iemand hem vroeg waarom hij zo moe leek, begon hij uit te weiden over alle problemen die hij had met zijn dochter. Mama en ik waren vaak getuige van zijn tirades in de apotheek, omdat onze aanwezigheid zijn ergernis ten top dreef.

'Die vrouw,' zei hij met een knikje naar mama, 'is een engel. Een absolute engel. Waar zij mee te kampen heeft zou ieder ander gek maken. Ik verdien haar niet, en Betsy zeker niet. Tieners!' barstte hij uit, en de omstanders knikten vol medeleven.

'Ze draait wel bij,' zei mama vriendelijk. Het bleef me verbazen. Uit welke bron putte ze al dat geduld en begrip? Ik wist maar al te goed hoe driftig en kwaad ze kon zijn. Waarom bedacht ze geen manier om Betsy te veranderen? Waarom was ze zo tolerant?

Ik kon het niet oneens zijn met Dave dat Betsy ondankbaar was. Hoe aardiger mama tegen haar was, hoe meer ze mama verfoeide en hoe onbeschofter ze werd. Betsy koesterde allerlei belachelijke verdenkingen, dacht ik.

'Ik weet precies wat je moeder in haar schild voert,' zei ze op een middag tegen me toen ze net weer ruzie had gehad met haar vader en mama het voor haar had opgenomen. Ze kwam het huis uit gestormd en vond mij bezig met het stapelen van hout.

'Wat bedoel je nou weer?' Ik trok mijn handschoenen uit en veegde het zweet van de achterkant van mijn hals.

'Ik bedoel dat ze zich goed en aardig voordoet, zodat mijn vader me nog meer zal haten.'

'Dat is niet waar. Ze probeert alleen te beletten dat hij ziek wordt van alles wat jij doet.' Ik trok mijn handschoenen weer aan.

'O, verdorie. Jij zou haar verdedigen wat ze ook deed. Zal ik je eens wat zeggen?' vervolgde ze met een kille, valse blik in haar ogen. Ik draaide haar mijn rug toe en ging verder met het hout, maar ze pakte mijn schouder beet en draaide me om. 'Ik zei: Zal ik je eens wat zeggen?'

'Zeg het dan.'

'De mensen denken niet alleen dat je raar of homo bent. Ze denken dat jij en je moeder een onnatuurlijke relatie hebben.'

Ik wilde haar slaan, want het was of zij mij zojuist een klap had gegeven. Onwillekeurig steeg het bloed naar mijn gezicht. Ze moest erom lachen.

'Heb ik een gevoelige plek geraakt, Nobleman? Schuilt er waarheid in die geruchten? Misschien zou papa je moeder minder toegewijd zijn als hij dat wist, hè?'

'Hou je mond,' snauwde ik, en met de kleine bijl in mijn hand kwam ik zo woedend op haar af dat ze achteruitweek.

'Raak me niet aan. Denk er niet aan!' waarschuwde ze, maar voor het eerst verscheen er een barst in de muur die ze had opgetrokken. 'Dat hoef je maar te doen en ik zal allerlei verhalen over je verzinnen,' dreigde ze. 'Dat dóé ik! Ik zal iedereen vertellen dat je probeerde me te verkrachten of zoiets.'

Ik deed een stap achteruit. Dat gaf haar weer nieuwe moed en ze kwam weer op me af. 'Weet je, Elliot heeft me verteld over die keer dat hij je me liet bespioneren.'

Het bloed dat naar mijn gezicht was gestegen, zakte tot in mijn tenen. Ik bleef met mijn rug naar haar toe staan.

'Hij heeft je mee naar zijn kamer genomen en je door dat gat in zijn muur laten kijken. Toe dan, ontken het eens. Ik wil graag horen wat je daarop te zeggen hebt.'

Ik bleef het hout stapelen. Ik doe hetzelfde wat zij doet, dacht ik. Ik zal net doen of ze er niet is, net doen of ik haar niet hoor.

'Ik vond het niet erg. Ik voelde me zelfs gevleid. Heb je me goed kunnen zien? Werd je er opgewonden van? Heb je over me gefantaseerd en met jezelf gespeeld? Ik wil graag denken dat een hoop jongens dat hebben gedaan en nog steeds doen. Was ik het eerste naakte meisje dat je zag? Wat is er? Is de kat er met je tong vandoor gegaan? Nou ben je niet zo dapper meer, hè? Weet je lieve moeder, die je zo perfect vindt, dat allemaal?'

Hoe ik me ook draaide of keerde, ze bleef pal voor me staan.

'Laat me met rust,' zei ik, smeekte ik praktisch. Ze lachte nog harder.

'Je kunt niet geloven dat hij het me verteld heeft, hè? Hij deed het om me iets betaald te zetten, en hij was verbaasd dat ik niet kwaad werd. Wie vind je aantrekkelijker, mij of je moeder?'

'Dat is een stomme vraag.'

'O, vind je? Waarom stom? Omdat je geen enkele andere vrouw kunt waarderen? Is dat de reden?'

'*Nee!*' schreeuwde ik tegen haar. '*Dat kan ik niet!*'

Ze keek geschokt. Het was niet mijn bedoeling geweest het op die manier te zeggen en ze zou toch nooit begrijpen wat ik bedoelde. Hoe kon ze begrijpen dat ik geen enkele andere vrouw kon waarderen zoals zij dat verwachtte?

'Je bent ziek,' zei ze, schudde haar hoofd en week achteruit. 'Ik ga hier gauw vandaan, weg bij jullie. Dan hebben jullie papa helemaal voor jullie alleen.' Ze draaide zich om en liep met grote passen terug naar huis.

Opgeruimd staat netjes, dacht ik. Hoe eerder je weggaat, hoe beter. Ik twijfelde er niet aan of ze zou gauw genoeg vertrekken, maar niet voordat ze nog meer verwoestingen had aangericht in wat haar vader had gehoopt dat een gelukkig thuis zou zijn, een nieuwe start.

Het begon met het nieuws dat ze erin geslaagd was een onvoldoende te krijgen voor elk vak waarvoor ze zich op het college had ingeschreven. Mijn hulp met wiskunde had weinig geholpen, want ze begreep niets van het huiswerk dat ik had gemaakt, probeerde het zelfs niet te begrijpen. Haar docent had al snel door dat een ander haar huiswerk maakte, en net als alle andere keren dat ze was ontmaskerd als een leugenaarster of bedriegster, haalde ze haar schouders op of deed het voorkomen en klinken als iets van weinig of geen belang.

David hoorde het nieuws eerst van een van haar docenten die medicijnen kwam halen in zijn apotheek, en toen vernam hij het uit een officieel schrijven van het college. Zijn confrontatie met Betsy naar aanleiding van dat bericht ontaardde in een storm van woede die de muren van ons huis omver dreigde te blazen. Halverwege volgde wat mensen het oog van de storm noemen, de stilte vlak voordat een orkaan opnieuw losbarst.

Het grootste deel van de middag was ik buiten geweest. Ik zag Dave terugkomen uit zijn werk. Hij was vroeg naar de apotheek gegaan en kwam terug met de post in zijn hand. Hij zwaaide naar mij en ging naar binnen. Iets meer dan een uur later kwam Betsy aangereden, haar radio schallend als gewoonlijk. De auto liet het grind als altijd opspatten toen ze over het laatste stuk van de oprijlaan scheurde. Ze trapte op de rem vlak achter Daves auto.

Het was al laat in de herfst. De dagen waren korter, vooral de middagen. Een jarenlange ervaring in de natuur zei me dat de koelere winden een vroege winter voorspelden. Er waren jaren waarin het in oktober al hard begon te sneeuwen en de temperatuur snel onder het nulpunt daalde.

Ik borg mijn gereedschap zorgvuldig op en liep naar huis. Onder het lopen dacht ik aan mijn hond Cleo, hoe enthousiast die me overal was gevolgd en hoe heerlijk ik het vond als hij naast me liep. Hij had de donkere hiaten van de eenzaamheid opgevuld en mijn leven hier meer dan net draaglijk gemaakt. Misschien moest ik mama overhalen me een andere hond te geven, maar toen bedacht ik dat het mijn hart zou breken als ze weer dezelfde achterdocht zou gaan koesteren als tegen Cleo.

Ik begon echt medelijden met mezelf te krijgen. Ondanks de dappere, onverschillige façade die ik oprichtte tussen mijzelf en Betsy, bleven haar voortdurende kritiek, sarcasme en uitdagingen, niet zonder effect. Ik begon te merken dat ik er niet meer tegen kon. Ik had een aantal keren op het punt gestaan driftig te worden sinds haar beschuldigingen over mij en mama. Ik had er genoeg van dat ze de baas over me speelde, dreigde dit of dat te doen om ervoor te zorgen dat mama kwaad zou worden. Ik begon er een hekel aan te krijgen dat mama haar verdedigde, vooral dat ze zo begripvol en tolerant was. Waarom sloot ze haar ogen voor de slechte, schadelijke uitwerking die Betsy op ons allemaal had, vooral op Dave?

Voordat ik bij de veranda was, hoorde ik hem al schreeuwen. Kort daarna zou ik horen dat hij meteen naar haar kamer was gerend toen hij de brief van het college had opengemaakt waarin hem werd meegedeeld dat ze van college was gestuurd. Niemand van ons wist dat ze uit twee klassen was weggestuurd omdat ze niet vaak genoeg aanwezig was geweest, en blijkbaar was ze al twee keer bij de decaan geroepen om haar situatie te bespreken. Alle beloftes die ze had gedaan, had ze gebroken.

Ik opende de voordeur en liep naar binnen, luisterde naar de litanie van beschuldigingen en klachten die Dave haar boven in haar kamer toeschreeuwde. Ik deed de deur zacht achter me dicht en liep naar de zitkamer. Mama zat in de schommelstoel met Baby Celeste op schoot, haar hoofdje tegen mama's borst, haar ogen open. Ze leek ook te luisteren. Mama draaide zich niet naar me om. Ze bleef uit het raam staren, met een opmerkelijk rustig gezicht.

Dave had de deur van Betsy's kamer open laten staan, zodat je elk woord wel moest horen.

'Waarom ben je hiermee begonnen als je wist dat je het toch niet zou afmaken? Alleen om een auto van me los te krijgen? Was dat het, Betsy?'

'Nee,' hoorden we.

'Waarom dan? Waarom? Om mij voor gek te zetten?'

'Ik hoef niks te doen om jou voor gek te zetten. Daar zorg je zelf wel voor,' kaatste ze terug.

Even bleef het stil.

Mama's glimlach verbreedde zich. Waarom?

Ik dacht dat hij gewoon weg zou lopen en Betsy's deur achter zich zou dichtslaan, maar ik hoorde geen voetstappen.

'Wat ben je van plan nu te gaan doen, Betsy?' vroeg hij ten slotte met bevende stem.

'Ik weet het niet. Ik heb andere problemen. Grotere problemen.'

Wat zouden die kunnen zijn? vroeg ik me af.

Mama draaide haar hoofd langzaam naar me om en we keken elkaar in de ogen. Ook Baby Celeste staarde me aan.

'Wat voor grotere problemen?' vroeg Dave aan Betsy.

'Het is niet mijn schuld. Het is jouw schuld!' gilde ze.

'Hè? Wat heeft dat nu weer te betekenen, Betsy? Wat is mijn schuld?'

Ik draaide me om naar de trap en luisterde gespannen.

'Die pillen die je me hebt gegeven. Die deugen niet. Ze waren waarschijnlijk te oud of zo.'

'Wát? Je bedoelt... heb je het over de anticonceptiepillen?'

'Welke andere pillen heb je me gegeven, papa?' Een nieuwe, loodzware stilte volgde.

'Mijn god,' zei Dave ten slotte. 'Toch niet weer?'

'Het is jouw schuld!' gilde ze. 'Je hebt me waarschijnlijk monsters gegeven of iets dat niet goed meer was.'

'Je hebt ze niet gebruikt? Je hebt onbeschermde seks gehad en verzuimd je pillen in te nemen? Wil je dat soms beweren?'

'*Nee!* Kijk dan,' schreeuwde ze. 'Ik heb de aanwijzingen gevolgd. Zie je wel, elke pil die ik moest nemen, heb ik genomen.'

Ik keek weer naar mama. Ze glimlachte. De pillen die ik heb laten vallen, dacht ik.

'Mama?'

'Neem Baby Celeste mee, Noble, en knap haar op voor we aan tafel gaan. Ik moet naar de keuken om eraan te beginnen,' zei ze, en stond op uit haar stoel.

Ik hoorde boven de deur dichtslaan en even later Daves voetstappen op de trap. Hij zag eruit als iemand die naar zijn eigen begrafenis gaat, dacht ik, met gebogen hoofd en hangende schouders. Ik pakte Baby Celestes hand en liep met haar naar de trap. Hij bleef staan en keek naar mij, en op dat moment zag ik zo'n verdriet in zijn ogen, dat mijn eigen hart ineenkromp. Zijn gekwelde, vertrokken gezicht was doodsbleek. Hij liep hoofdschuddend naar beneden. Hij wist natuurlijk dat we de hele ruzie tussen hem en Betsy hadden gehoord.

De deur van Betsy's kamer was gesloten. Ik ging met Baby Celeste naar de badkamer en hielp haar zich te wassen en haar haar te kammen. Ze vond het nu leuk om zelf haar haar te kammen en wist precies hoe ze eruit moest zien, ook wat betreft haar kleren en haar schoenen.

Betsy kwam niet beneden voor het eten. Dave at nauwelijks. Mama drong er voortdurend op aan dat hij moest eten en zich niet ziek moest laten maken door deze toestand.

'We zullen doen wat we moeten doen, Dave,' zei ze, en legde haar hand op de zijne.

Hij knikte. 'Het spijt me, Sarah. Het was niet de bedoeling dat het zo zou gaan. Het was niet de bedoeling dat ik je nieuwe en grotere problemen zou bezorgen.'

'In goede en in slechte tijden,' reciteerde mama. 'In ziekte en gezondheid.'

Hij glimlachte en keek wat opgewekter. Mama wierp me een blik toe die me even deed huiveren. Het was meer een samenzweerde-rige blik. Wat dacht ze dat ik wist of begreep? Ik had echt medelij-den met Dave, en ik begon het gevoel te krijgen dat ik deel uit-maakte van een immens verraad. Ook al voelde ik geen enkele sym-pathie of liefde voor Betsy, ik vond het vreselijk hem zo verslagen en wanhopig te zien.

Toen we gegeten hadden, maakte mama een bord met eten klaar en zei dat ik dat boven moest brengen voor het geval Betsy wilde eten.

'Dat hoef je niet te doen, Sarah,' zei Dave. 'Ze is oud genoeg om te weten dat ze beneden moet komen als ze wat wil eten. We gaan het haar niet achterna dragen. Niet meer.'

'Dat zullen we ook niet doen,' verzekerde mama hem. 'Maar ze mag haar gezondheid niet verwaarlozen, Dave, vooral nu niet. Nee toch?'

Hij kon niet anders dan knikken en toegeven dat ze gelijk had. 'Ik breng het wel boven.'

'Nee. Laat Noble dat maar doen. Bovendien doet ze voor jou misschien niet open. Ze is in paniek. Ze voelt zich natuurlijk be-schaamd en erg schuldig, en als ze jou ziet, wordt ze alleen maar herinnerd aan haar falen.'

'Waarschijnlijk heb je gelijk, Sarah. Je moeder is veel wijzer dan ik, Noble. Misschien krijgt ze inderdaad goed advies van een ho-gere macht.'

Mama glimlachte en keek strak naar mij. Ik wilde niets met Betsy te maken hebben, maar ik nam het bord mee naar boven en klopte op haar deur.

'Ik heb iets te eten voor je,' zei ik toen ze niet reageerde.

Ik verwachtte dat ze geen antwoord zou geven en ik me weer kon omdraaien en naar beneden gaan, maar tot mijn verbazing ging de deur plotseling open. Ze stond in haar beha en slipje.

'Je verkneukelt je, hè? Jij en je moeder,' zei ze beschuldigend.

'Nee, natuurlijk niet. Waarom zouden we ons verkneukelen?'

'Het doet er niet toe. Ik heb een grote verrassing voor jullie al-lemaal.' Ze draaide zich om naar haar kast, pakte een blouse en trok die aan. Ze glimlachte naar me terwijl ze hem dichtknoopte. 'Kijk je graag toe als een meisje zich aankleedt?'

'Ik kwam hier om je dit te geven.' Ik knikte naar het bord. 'Wil je het of niet?'

192

Ze keek naar het eten. 'Ik ben kotsmisselijk van het eten dat je moeder maakt. Niks is normaal. Ik wed dat je nog nooit een pizza hebt gegeten.' Ze draaide zich weer om en zocht een spijkerbroek om aan te trekken.

'Dus je wilt het niet?' Ik had genoeg van haar hatelijke opmerkingen.

'Heel slim van je,' zei ze, en ging zitten om haar schoenen aan te trekken.

Ik zag rechts van haar een koffer staan. 'Wat doe je?'

'Wat ik doe? Ik ga mijn eigen leven leiden, weg uit dit krankzinnigengesticht.'

'Hoe kun je nu weggaan?' vroeg ik, meer nieuwsgierig dan verheugd.

'Let maar goed op, dan snap je het wel. Misschien zul je op een goede dag wakker worden, beseffen dat je steeds abnormaler wordt, en zelf weggaan, al betwijfel ik het. Per slot, hoe kun je stoppen met het lezen van kinderboeken en praten tegen schaduwen?'

Ze moest lachen om de uitdrukking op mijn gezicht. 'O, je wist niet dat ik je daarbuiten soms heb horen fluisteren, hè? Of dat ik mijn oor tegen je deur legde en je hoorde praten tegen niemand. Je bent gek, hè? Zag je dode mensen?' vroeg ze lachend. 'Ik weet dat je moeder denkt dat ze dat doet. Dat weet iedereen.

'En dat,' ging ze verder terwijl ze een borstel door haar haar haalde, 'maakt dat ik me afvraag wat mijn vader in vredesnaam bezielde toen hij haar vroeg met hem te trouwen.'

'Je kunt niet zomaar weglopen. Je hebt een groot probleem.'

'Een groot probleem?'

'We hebben het gehoord. We moesten het wel horen, zoals je tegen je vader stond te schreeuwen.'

'O, dus je maakt je zorgen over mij, Nobleman? Nou, dat hoeft niet,' snauwde ze en smeet haar borstel op de toilettafel. 'Ik heb je hulp niet nodig, en die van je moeder of mijn vader ook niet.'

Ze pakte haar koffer op.

'Waar ga je naartoe?'

'Weg.'

'In je eentje?'

'Nee, niet in mijn eentje, stommerd. Ik heb iemand ontmoet met wie het leuk is om samen te zijn.'

'Je bedoelt Roy?'

'Nee, niet Roy. Die is veel te verliefd op zichzelf en zijn roem als de grote basketballer van het college. Hij gaat nergens heen.'

'Maar… van wie…'

'Wiens baby? Je wilt weten wiens baby ik in me draag? Nou, dat is iets wat ik weet en waar jij naar mag raden.' Ze lachte. 'Kijk niet zo verbaasd. Dan zie je er nog dommer uit dan je al bent. Hier, ik heb me bedacht. Geef me dat eten maar.'

Ze stak haar hand uit en nam het bord van me aan.

'Zo denk ik over de kookkunst van je moeder.' Ze gooide het op de grond. Toen liep ze langs me heen, de trap af, haar koffer bonkend tegen de leuning.

Dave kwam uit de zitkamer en zag haar naar beneden gaan.

'Waar ben jij van plan om naartoe te gaan?' vroeg hij.

'Hier vandaan!' schreeuwde ze en deed de voordeur open.

Ik stond boven aan de trap en keek haar na.

'Betsy, waag het niet om weg te gaan,' waarschuwde Dave. 'Ik meen het. Als je nu wegloopt met al die problemen, zal ik je niet meer helpen. Ik stuur je geen geld. Ik zal –'

'Hou je mond!' gilde ze. Haar ogen puilden bijna uit haar hoofd. 'Ga jij hier maar dood.'

Ze liep naar buiten en smeet de deur zo hard dicht, dat de muren trilden.

Dave boog zijn hoofd als een vlag die halfstok hangt. Ik liep langzaam de trap af. Mama kwam uit de keuken tevoorschijn en veegde haar handen af aan een keukendoek. Ze keek naar Dave, die bij de gesloten voordeur stond, en toen naar mij.

Ze glimlachte.

En die glimlach deed mijn bloed in ijs veranderen.

14. Dave wordt ziek

De wetenschap dat zijn dochter zwanger was en was weggelopen met een nieuwe onbekende vriend die ze net had leren kennen, kort na wat hij dacht dat een nieuw begin zou zijn voor hemzelf en voor haar, maakte dat Dave weer net zo depressief werd als toen hij hoorde dat zijn zoon, Elliot, was gestorven. Hij bekende het aan mama.

'Wat ik ook doe of probeer te doen, ik ben mislukt als vader, Sarah. Ik heb allebei mijn kinderen verloren. Mijn hele gezin is verdwenen. Ik voel me als iemand die in de rouw is.'

Ik had hem zo graag willen vertellen dat alles nog niet verloren was, dat hij in feite voor zijn eigen kleinkind zorgde, maar ik had geen idee wat het afschuwelijke resultaat van een dergelijke onthulling zou kunnen zijn. Van het een zou het ander komen, en onze wereld zou worden ontrafeld als een kluwen wol. Alleen mama kon de geheimen in onze wereld uit de doeken doen. Alleen zij wist wat verteld moest worden en wanneer. Haar trotseren was of je de spirituele familie trotseerde die ons beschermde en liefhad. Ik zou er beslist zwaar voor gestraft worden. Misschien zelfs wel naar de hel worden gestuurd.

Mijn tranen voor Dave moesten achter mijn ogen verborgen blijven. Ik wist dat hij zich meer zorgen zou maken over míjn droefheid dan over die van hem, en dat zou maken dat ik me nog slechter zou voelen, nog meer een leugenaarster en een bedriegster. Misschien was de ware reden waarom mama het aantal spiegels in huis beperkte, dat ik niet naar mijzelf zou kijken, zou zien wie ik was en wat ik was. Ze was altijd ongerust dat mijn gezicht te veel zou verraden, al was het maar aan mijzelf.

'Je lijkt wel de voorpagina van een krant, met schreeuwende koppen, Noble. Hou op met dat gefrons,' zei ze dan, of: 'Hou op met dat gepruil. En in godsnaam, als we ergens naartoe gaan, hou dan eens op met je neus tegen het raam te drukken en met zo'n intense belangstelling naar alles en iedereen te kijken. Je zou denken dat je je levenlang in een souterrain opgesloten hebt gezeten.'

Zou ik het wagen haar te vertellen dat ik soms inderdaad dat gevoel had? Móést ik dat nog zeggen? Kon ze niet aan mijn gezicht zien wat ik dacht?

Dave was gemakkelijk te doorgronden. Hoe wanhopiger hij werd, hoe bleker en ingevallener hij eruit ging zien, en hoe ongeruster ik me begon te maken. Ik keek afwachtend naar mama of ze hem niet wat meer hulp zou bieden, maar ze leek zich geen zorgen te maken. Overdreef ik? Zij kon beslist meer zien dan ik, dacht ik. Toch wist ik dat hij niet goed at of sliep. Ik hoorde hem vaak 's avonds laat opstaan en op zijn tenen naar beneden gaan om een beker warme melk te maken, of, zoals ik op een avond ontdekte toen ik naar hem op zoek ging, in de oude schommelstoel te zitten en naar buiten te staren, alsof hij zat te wachten op Betsy die een afspraak had gehad met haar vrienden. Werd hij wakker met de gedachte, de hoop, dat alles wat er gebeurd was, niet meer dan een droom was, een boze droom? Ga beneden in de schommelstoel zitten, hield hij zich voor. Straks komt ze thuis.

Hij voelde zich meer en meer aangetrokken tot de oude schommelstoel. Hij ging er zelfs na het eten in zitten, in plaats van op de bank of in de grote fauteuil. Ik vroeg me af waarom. Kreeg hij eindelijk een spirituele band met dingen in dit huis, zoals mama vaak had, dingen die van onze voorouders waren? Voelde hij zich dan opgelucht of kon hij zich er niet tegen verzetten? Hield het hem gevangen in zijn eigen depressie?

De schaduwen in de hoeken werden zwarter, muren kraakten en de kroonluchters schommelden heel even heen en weer als er een deur open- of dichtging. Soms knipperden hun lampjes als ogen. Het gefluister dat ik in het donker hoorde werd luider en veelvuldiger. Hoorde Dave het ook? Dacht hij dat hij bezig was gek te worden? Ik zag zijn ogen vreemd donker worden als hij in de richting van een geluid keek. Hij leek werkelijk iemand die in een poel van depressie was gestapt, in drijfzand van wanhoop, dat hem neertrok, steeds verder omlaag.

Hij vroeg mama niet langer om na het eten hun beroemde romantische wandeling te maken in het licht van de maan of de sterren, en ik merkte dat hij vaak verzonken was in zijn eigen sombere gedachten, zo snel en zo lang, dat hij zelfs niet merkte dat Baby Celeste aan zijn broekspijp trok om zijn aandacht te trekken.

'Dave,' zei mama dan.

'Wat is er?' Hij knipperde met zijn ogen en keek om zich heen in de kamer.

'Baby Celeste.' Mama knikte naar het kind aan zijn voeten dat naar hem staarde.

'O, sorry. Hoi, Celeste,' zei hij eindelijk, en nam haar op schoot, maar hij was er niet bij met zijn gedachten. Dacht hij aan zijn gestorven zoon of zijn afgedwaalde dochter?

Weken en weken gingen voorbij. Betsy belde en schreef niet, wat volgens Dave niet ongebruikelijk was.

'Altijd als ze op zo'n manier wegliep hoorde of wist ik niets van haar tot ze terugkwam.'

'Als ze eenmaal doorheeft in wat voor moeilijkheden ze verkeert, komt ze gauw genoeg terug,' verzekerde mama hem, maar hij schudde zijn hoofd.

'Deze keer is het anders,' mompelde hij. 'Ze koestert te veel wrok. Ik heb fouten gemaakt, heel veel fouten.'

Mama verzekerde hem dat dat niet waar was, maar hij leek ontroostbaar. In de weken daarop ging hij steeds minder eten, werd mager en kreeg donkere kringen onder zijn ogen. Hij sjokte voort, met gebogen hoofd, hangende schouders, en ging automatisch, als een soort robot, naar zijn werk. Hij kwam zelden meer thuis met een interessant verhaal of vertelde ons over een grappig voorval in de apotheek.

'Ik weet dat je je vitaminen neemt,' zei mama, 'maar je hebt ook hiervan wat nodig.' Regelmatig liet ze hem een van haar kruidenmengsels drinken om hem wat meer energie te geven. Alleen leken ze deze keer niet zo snel te werken als ze meestal bij anderen deden, ook bij mij.

Ten slotte begon Dave zijn werk te verzuimen. Hij werd wakker met een hevige migraine, nam het middel in dat hij anderen gaf en sliep het grootste deel van de dag. Mama gaf hem ook haar eigen geneesmiddelen, en soms hadden ze een snelle uitwerking en stond hij op en ging weer naar zijn werk, maar vaker nog bleef hij lethargisch. En nooit leek hij meer dat geluk en enthousiasme uit te stralen waarmee hij in ons leven was gekomen.

Als hij eens interesse voor iets toonde, vooral als hij iets met mij samen wilde doen, stemde ik altijd onmiddellijk toe. Ik maakte ritjes met hem om dingen voor de farm te kopen, ging met hem lunchen in een fastfoodrestaurant, ook al had mama daar een hekel aan, en liet bereidwillig alles in de steek waarmee ik bezig was, als hij me vroeg hem te vergezellen. Ik ging zelfs 's middags met hem wandelen. Hij bleef staan om naar zijn oude huis te kijken en vertelde me hoe hij zich had gevoeld toen ze daar introkken.

'Het zag er toen heel verwaarloosd uit. Betsy had er natuurlijk een hekel aan, maar Elliot leek enthousiast genoeg. Hij was niet zo'n goede hulp als jij voor Sarah bent, maar hij was niet somber of negatief. Na een tijdje leek hij goed te kunnen opschieten met zijn nieuwe vrienden. Dat is toch zo, hè?' vroeg hij, alsof hij het niet zeker wist. 'Uiteindelijk voelde hij zich hier gelukkig, ja toch?'

'Dat geloof ik wel, ja,' antwoordde ik.

Daar was hij blij om, en het was een weldaad hem tegenwoordig weer eens een keer te zien glimlachen.

'Ik had niet zo'n mooie omgeving om in rond te hollen toen ik jong was, Noble. Ik ben opgegroeid in Newark, New Jersey. We hadden een aardig huis, maar geen echte tuin. Mijn ouders waren niet rijk, maar we hadden een goed leven. Ik kon natuurlijk naar een van de parken of een trektocht maken, maar dat is heel iets anders dan je voordeur uit te kunnen lopen en dit alles te hebben' – hij maakte een gebaar om zich heen. 'Tja, je bent een gelukkig kind, Noble, een gelukkig kind. Je voorouders wisten wat ze deden toen ze zich hier settelden.'

'Mama vertelde ons dat het hart van onze betovergrootvader Jordan sneller begon te kloppen, zoals dat van een man die een mooie vrouw ziet, toen hij dit land in het oog kreeg. Ze zei dat hij verliefd werd op elke boom, elk grassprietje, elke steen die hij zag en gewoon wist dat hij hier moest komen wonen en het land bewerken en zijn huis hier bouwen,' herhaalde ik mama's woorden. We hadden het vaak genoeg gehoord toen Noble en ik opgroeiden.

'Ja, ik kan begrijpen hoe hij zich voelde. Ik bofte enorm dat ik dat huis kon kopen, en zo goedkoop. Natuurlijk kende ik niet het volledige verhaal over de vorige eigenaar en wat de mensen dach-

.

ten dat hij met je zusje kon hebben gedaan, maar ik denk dat ik het toch zou hebben doorgezet. Ik ben blij toe.' Hij lachte naar me. 'Anders zou ik je moeder en jou niet hebben ontmoet.'

We maakten onze wandeling laat in de middag. We hadden een oud pad gevolgd door het bos, een pad dat ik heel lang gemeden had. Dat wilde ik nu eigenlijk ook, maar hij drong aan. Het pad was overwoekerd, maar hinderde ons niet bij het lopen. Ik wist waar het heenleidde en mijn hart begon te bonzen. Het duurde niet lang of we waren bij de beek, niet ver van de plek waar mijn broer was verongelukt. Het leek nu een droom, een nachtmerrie.

Het water stond niet hoog in de beek, maar was helder als altijd, de stenen onder het water glansden in de middagzon. We zagen kleine vissen in wilde kringen rondzwemmen en een schildpad die probeerde op een rots te klauteren.

'Hij denkt waarschijnlijk dat hij de Mount Everest beklimt,' zei Dave, en haalde toen diep adem. 'Hier kun je ademhalen. Hier kun je voelen dat je leeft. Ja, je was een gelukkig kind, een gelukkig kind,' mompelde hij. 'Als Elliot maar niet zo wild en roekeloos was geweest. Dan zouden we een fijn gezin hebben gehad, hè, Noble? Jullie zouden broers zijn geweest in de ware zin van het woord. Misschien zouden jullie samen een positieve invloed hebben gehad op Betsy.

'Nou ja.' Hij zuchtte. 'Ze zeggen dat het leven toeval is en de dood een afspraak waaraan je je moet houden. Sommige dingen zijn gewoon voorbestemd. Wat vind jij?'

'Ik weet het niet.' Ik wist het echt niet.

'Waarom zou je op jouw leeftijd zo filosofisch moeten zijn? Je hebt je hele leven nog voor je.'

Hij zweeg even en legde zijn handen op mijn schouders terwijl hij me recht in de ogen keek.

'Ik zou je echt willen helpen, Noble. Misschien kan ik tenminste één ding goed doen. Je moet nooit aarzelen om me in vertrouwen te nemen als je heimelijke wensen, begeertes, ambities hebt. Ik zal je nooit om wat dan ook uitlachen, en als je iets echt graag wilt, zal ik mijn uiterste best doen je te helpen, ook al betekent het dat ik dan je moeder zou moeten overhalen. Oké?'

'Ja, meneer.'

'Dave, Dave. Noem me Dave of papa, maar niets anders.'

Ik betwijfelde of ik hem ooit *papa* zou kunnen noemen. Misschien was ik in dat opzicht net als Betsy, die het nooit kon opbrengen mama *moeder* of *mam* te noemen.

Ik knikte slechts en we liepen door, pratend over de natuur, de vegetatie, de vogels, het weer, over alles en nog wat, behalve over Betsy en Elliot. Mama was verbaasd dat ik tegenwoordig zoveel met Dave optrok. Eerst zei ze er niets over. Ik dacht natuurlijk dat ze het prettig zou vinden, omdat het hem een beetje troost gaf. Maar toen we deze keer terugkwamen van onze lange boswandeling, zat ze op de veranda te wachten met een ontdaan en geërgerd gezicht. Baby Celeste sliep.

'Waar zijn jullie geweest?' vroeg ze onmiddellijk. Ze gaf me het gevoel dat ik een afspraak gemist had.

'O, Noble heeft me een paar mooie plekken in het bos en bij de beek laten zien. Er ligt een groot, leeg veld in het zuidwesten. Ik heb me nooit gerealiseerd dat we zo dicht bij Spring Glen woonden. Vanaf een heuvel kun je achter dat stuk land de snelweg zien. We hebben ook heel wat herten gezien, hè, Noble?'

'Ja.'

'Overbevolking, denk ik,' zei Dave. 'Slaapt Baby?'

'Ja. Haar middagslaapje.'

'Goed idee. Ik denk dat ik dat ook maar even ga doen. Het is een tijd geleden dat ik zo lang gelopen heb, Noble. Bedankt voor de wandeling.'

'Graag gedaan,' zei ik, en hij ging naar binnen.

Mama keek naar me en staarde toen even voor zich uit. Ik draaide me om en wilde naar de schuur gaan.

'Noble,' riep ze.

Ik bleef staan en keek achterom. 'Wat is er, mama?'

'Word niet te intiem met Dave.'

'Waarom niet?'

Ze gaf geen antwoord en keerde me haar rug toe.

'Mama?'

Ze keek weer naar me en ik wist dat ze niets meer zou zeggen. Het beangstigde me. Waarom zou ze dat zeggen? Was ze bang dat ik al onze duistere geheimen zou onthullen, haar zou verraden? De rest van de dag hield ik soms plotseling op met mijn werk en realiseerde me dat ik zo erg beefde, dat mijn handen trilden. Ik kon de blik in haar ogen niet van me afzetten.

Die speciale avond bleef Dave tijdens het eten doorslapen. Mama zei dat ze boven bij hem was gaan kijken en besloten had hem niet wakker te maken.

'Ik breng hem later wel wat te eten,' zei ze, en dat was precies wat ze deed.

De volgende dag meldde hij zich weer ziek en ging niet naar zijn werk. Hij bleef in bed, en mama bracht hem eten en drinken.

'Wat heeft hij?' vroeg ik voor we aan tafel gingen. Ik had hem de hele dag niet gezien.

'Hij denkt dat hij griep heeft. Je weet hoe apothekers zijn. Ze denken dat ze dokters zijn. Hij heeft erom gevraagd, dus heb ik wat knoflooksoep voor hem gemaakt. Ik geloof niet dat het griep is maar ik heb het gedaan om hem tevreden te stellen, en goede knoflooksoep heeft ook andere medicinale en voedingswaarden.'

'Misschien kan hij beter naar een dokter gaan.'

'Dokters,' mompelde ze, alsof het allemaal charlatans waren. 'Hij zal er gauw genoeg overheen zijn als hij doet wat ik zeg en eet en drinkt wat ik hem voorzet. En,' voegde ze er nadrukkelijk aan toe, 'als hij eens ophoudt met aan dat verwende nest te denken.'

Mama verrichtte altijd wonderen als ik ziek was, dat kon ik niet ontkennen. Ik had nooit een van die inentingen gehad die kinderen horen te krijgen, maar niemand kon het wat schelen of controleerde of het gebeurd was. Ik was nooit op school geweest, waar ze het waarschijnlijk wel gecontroleerd zouden hebben.

De volgende dag stond Dave op, kleedde zich aan en kwam beneden, maar hij zag er veel zwakker en bleker uit. We kregen onze eerste echt winterse neerslag in de vorm van sneeuwbuien. Al was het koud geweest, toch bleek het een van de droogste winters in de geschiedenis. Ik legde een mooi vuur aan in de haard en Dave zat er naast om zich te warmen. Hij scheen die kou maar niet kwijt te kunnen raken. Mama liet hem een dikke trui dragen en gaf hem kruidenthee en kruidenmengsels, maar hij voelde zich de hele dag niet lekker.

Baby Celeste deed nog meer haar best zijn aandacht te trekken. Hij wilde haar niet negeren of bedroefd maken, maar hij was bang dat hij misschien iets besmettelijks had opgelopen en vroeg me ervoor te zorgen dat ze niet te dicht bij hem kwam. Hij had weinig of geen eetlust als we aan tafel zaten. Hij prikte rond op zijn bord en probeerde iets te eten om mama een plezier te doen. 'Het is allemaal even heerlijk, Sarah,' zei hij verontschuldigend. 'Het is mijn maag. Ik heb het gevoel alsof er een ketting omheen zit en stevig wordt aangetrokken.'

Ze knikte en zei dat hij zich er niet om moest bekommeren hoeveel hij at, maar ik maakte me ongerust. Waarom ging hij niet naar een dokter, vooral met die symptomen? Hij zou zelf toch ook wel weten dat hij dat hoorde te doen. Toen mama buiten gehoorsafstand was, vroeg ik het hem.

'Je moeder zal wel gelijk hebben, Noble. Het is gewoon een of andere bacterie. Haar middelen zijn net zo effectief als alles wat ik in de apotheek ervoor heb of wat de dokter je kan voorschrijven,' hield hij vol. 'Dank je dat je zo bezorgd bent.'

Toen mama terugkwam uit de keuken, draaide ik me snel om, en ze keek me achterdochtig aan. Later, toen Dave naar bed was en Baby Celeste sliep, nam ze me onderhanden in de zitkamer. Ik zat te lezen in *Rebecca* van Daphne du Maurier, een roman waarvan ik wist dat mama die niet geschikt vond voor mij. Ze zei het niet rechtstreeks. Ze vroeg slechts: 'Waarom lees je *dat*?' Ze sprak het woord *dat* uit of het pornografie was. Het ergerde haar dat ik het weer zat te lezen.

'Als je dat soort boeken leest, doe het dan als niemand erbij is. Je hoort iets… robuusters te lezen.' *Mannelijk* was wat ze bedoelde.

Ik deed het boek snel dicht en legde het opzij.

'Waarom,' ging ze verder, nog steeds kwaad naar me kijkend, 'zeg je steeds weer tegen Dave dat hij naar een dokter moet?'

'Hij ziet er slecht uit, mama, en hij heeft zich zo vaak ziek gemeld op zijn werk, en hij lijkt zo zwak.'

'Zijn ziekte heeft oorzaken waar dokters geen weet van hebben. Ik heb je gezegd dat je je er niet mee moet bemoeien.'

'Ik bemoei me er niet mee. Ik dacht alleen –'

'Niet doen.' Ze snauwde het, ik voelde het als een zweepslag. 'Je moet niet denken. Er gebeuren dingen die je niet in de hand hebt. Ik ook niet trouwens.'

'Wat voor dingen?'

Ze gaf geen antwoord.

'Mama, wat voor dingen?'

Ze wendde haar blik af en draaide zich toen langzaam weer naar me om. 'Ik had gelijk wat Baby Celeste betreft. Zelfs *ik* heb haar onderschat. Ze is uitverkoren. Wat we voor haar gedaan hebben is fantastisch. Tot nu toe ben je een grote steun geweest, heb je uitstekend geholpen. Doe niets om dat nu te bederven, Noble. Niets, begrijp je?'

Ik wilde mijn hoofd schudden, maar bedacht me.

Het was beter om instemmend te knikken, het met haar eens te zijn.

'Wordt Dave gauw beter?' vroeg ik.

'Dat ligt niet aan ons.'

'Aan wie dan?'

Ze keek me weer aan. 'Niet brutaal worden, Noble. Dat bevalt me niet, en het is niets voor jou,' voegde ze eraan toe, op zo'n dreigende toon dat ik het benauwd kreeg.

'Maak je je niet bezorgd over hem?' waagde ik het toch haar te vragen.

Ze deed een stap naar me toe, met een keiharde blik in haar ogen. 'Ik maak me alleen zorgen over Baby Celeste, en dat hoor jij ook te doen.'

'Dat doe ik ook.'

'Ik bedoel alleen over haar. Al het andere zorgt voor zichzelf of er wordt voor gezorgd, Noble.'

Wat bedoelde ze daarmee? Er zal voor worden gezorgd? De vraag stond op mijn gezicht te lezen en ik wist dat het haar ergerde.

'Betsy zei één ding over je waar ik het mee eens ben,' vervolgde ze. Haar stem klonk plotseling een stuk vriendelijker.

'En dat is?'

'Ik wil dat je je rijbewijs haalt. Ik weet dat je kunt rijden, Noble, maar ik ben van plan je in de toekomst, de nabije toekomst, boodschappen voor me te laten doen. Het zal goed voor je zijn als je dat kunt.'

Ik wist dat ik met open mond zat te kijken, want ze zei onmiddellijk daarop dat ik vliegen zou kunnen vangen als ik haar zo bleef aanstaren.

'Oké, mama. Natuurlijk,' zei ik, en deed mijn best om niet al te opgetogen te klinken. 'Wanneer?'

'Morgen.'

'Morgen? Maar gaat dat niet op afspraak?'

'Die afspraak is al gemaakt. Je doet examen om twee uur 's middags. Ik rij je er zelf naartoe.' Met die woorden draaide ze zich om en liep weg.

Die had ze al gemaakt? Hoe lang geleden had ze dit gepland? Waarom had ze het me nu pas verteld? Waarom had ze me niet wat meer laten oefenen? Had ze nog getwijfeld en pas op het laatste moment besloten het door te zetten? Het was erg verwarrend, maar ik was er te blij mee om te klagen. In plaats daarvan ging ik naar de auto en oefende me op onze oprijlaan in het fileparkeren. Het schriftelijke examen over verkeersregels en -wetten zou ik gemakkelijk halen.

Die nacht kon ik niet slapen; de gedachten tolden door mijn hoofd. Ik werd heen en weer geslingerd tussen de opwinding van het zelf kunnen rijden, zodat ik wanneer ik dat maar wilde ergens naartoe kon, en mijn ongerustheid over de zich snel ontwikkelende situatie rond Dave. Terwijl ik lag te draaien en te woelen, begon ik plotseling achterdocht te krijgen ten aanzien van mama's ware bedoelingen. Ik was te veel van Dave gaan houden om hem te zien lijden. Hij hoorde in ieder geval beter voor zijn gezondheid te zorgen, dacht ik.

Maar wat kon ik doen? Mama had gelijk dat mijn gezicht alles verried. Het was me nooit gelukt iets langere tijd voor haar geheim te houden. De geesten die door mijn gedachten zweefden en alles in mijn hoofd zagen, zetten hun tocht voort naar haar en drongen ook bij haar binnen. Spionnen waren overal, luisterden zelfs als ik sliep, en keken naar mijn dromen.

De volgende ochtend was Dave enthousiast toen mama hem vertelde wat we die middag gingen doen. Hij voelde zich nog steeds niet goed genoeg om op te staan en naar zijn werk te gaan en besloot dat hij nog een of twee dagen langer rust nodig had. Ik wendde snel mijn hoofd af, zodat mama me niets kon verwijten. Maar hij ving mijn blik op en verklaarde dat als hij zich over vierentwintig of zesendertig uur niet veel beter voelde, hij naar zijn dokter zou gaan.

'Niet dat jij niet alles voor me doet wat je kunt, Sarah,' voegde hij er snel aan toe. 'Ik waardeer het en ik geloof in je geneeskundige kruiden. Maar misschien heb ik toch een antibioticum nodig.'

Ze schudde haar hoofd. 'Doe wat je wilt,' zei ze, op een toon alsof ze het een persoonlijke belediging vond voor haar en haar reputatie.

'We zullen zien,' zei hij.

Het klonk als een overgave en dat verbaasde me. Zijn liefde voor mama was groter dan zijn bezorgdheid voor zichzelf. Hij vond het belangrijker haar gevoelens niet te kwetsen dan zich om zijn gezondheid te bekommeren. Ik keek naar haar en dacht dat Betsy misschien gelijk had. Misschien had mama de macht een banvloek over iemand uit te spreken.

Voor we vertrokken naar het bureau van de dienst motorrijtuigen, maakte mama een van haar drankjes voor hem klaar en zei dat hij naar bed moest gaan om te rusten. Ze liet mij rijden naar het bureau.

'Zodra je je rijbewijs hebt, Noble, zal ik jou alle levensmiddelen laten kopen. Ik wil meer tijd vrijmaken voor mijn kruidensupplementen en geneesmiddelen. Meneer Bogart brengt me in contact met een andere nationale distributeur van natuurvoeding en we zullen het straks nóg drukker krijgen.'

Het leek allemaal prachtig. Ik verheugde me erop voor de eerste keer in mijn eentje inkopen te doen in het winkelcentrum. Ondanks alles wat ik geleerd, gezien en gehoord had, voelde ik me onwillekeurig toch als een gevangene die wordt vrijgelaten met een werkprogramma. De vrijheid was tegelijk opwindend en beangstigend, maar dat mama het mogelijk maakte gaf me vertrouwen. Het zou goed met me gaan. Alles zou in orde komen.

De rijexaminator was een kleine, kalende man met ronde, glazige ogen en een paar zachte dofrode lippen die permanent leken te pruilen. Zijn naam, Jerome Carter, stond op zijn badge, en hij knikte ernaar toen hij zich voorstelde met een vluchtige, verlegen handdruk, de handdruk van iemand die bang was dat hij besmet zou worden als hij een ander aanraakte. Uit hetgeen hij tegen mama zei, meende ik af te leiden dat hij niemand onder de eenentwintig en boven de zestig een rijbewijs toevertrouwde. We hadden Baby Celeste meegenomen, en hij keek wat vrolijker toen hij zag hoe ze tegen hem glimlachte. Mama en zij wachtten in de hal van het bureau toen ik mijn rijexamen ging afleggen.

Carter zei niets, behalve om me aanwijzingen en opdrachten te geven. Terwijl ik reed schreef hij in zijn notitieboekje en op zijn klembord. Ik dacht dat hij heel ontevreden was over mijn prestatie, en ik had me er al bij neergelegd dat ik zou zakken en een nieuwe afspraak zou moeten maken, maar tot mijn verbazing en blijdschap, zei hij tegen mama dat ik een heel verantwoordelijke jongeman leek.

Zij leek nog enthousiaster dan ik. Ik wilde het liefst meteen naar huis om Dave te vertellen over mijn succes. Maar hij was niet beneden zoals ik gehoopt had.

'Slaapt hij niet te lang? vroeg ik mama toen ze naar de slaapkamer was gegaan en terugkwam met de mededeling dat hij sliep.

'Als je bezig bent te herstellen van een ziekte, slaap je. Je lichaam heeft de rust nodig,' zei ze, maar zonder de overtuiging die ik gewend was in haar stem en woorden te horen. Het verontrustte me, maar ik zei niets. Later op de avond, blijkbaar op Daves verzoek, belde ze de manager van de apotheek en vertelde hem dat Dave de rest van de week niet zou komen. Ik hoorde haar zeggen dat hij verzwakt was door zijn ziekte en dat het beter voor hem was om eens goed uit te rusten.

Daarna keek ze me zo strak aan, dat ik mijn ogen afwendde en net deed of ik in iets anders geïnteresseerd was. Ik hoorde Dave die hele nacht niet opstaan en de volgende ochtend kwam hij niet beneden om te ontbijten. Eindelijk stond hij 's middags op, maar kleedde zich niet aan. Hij droeg zijn badjas en liep rond op slippers.

Ik vond dat hij er versuft uitzag. Als ik iets tegen hem zei, hoorde hij me niet tot ik het herhaalde, en het enige wat hij deed als hij opstond was in huis rondschuifelen, uit het raam kijken en in de schommelstoel zitten, waar hij voortdurend indutte.

'Hij hoort in een ziekenhuis,' zei ik tegen mama.

'Ben jij plotseling een dokter geworden? Die man is echt zelf wel in staat om te beoordelen of hij al dan niet in een ziekenhuis hoort, Noble. Hij heeft een betere medische opleiding gehad dan de meeste mensen, en zeker meer dan jij.'

Wat moest ik daartegen inbrengen?

De volgende dag kwam mijn rijbewijs. Mama vond dat we het

moesten vieren. Dave leek wat op te vrolijken toen hij het hoorde, en ze vertelde over haar voorbereidingen voor een van zijn lievelingsgerechten, Kip Kiev. En natuurlijk zou ze de rabarbertaart maken. Dave was zo opgewonden, dat hij zwoer dat hij zich zou scheren en zich zou aankleden. Hij zag er inderdaad wat sterker uit. Misschien is dit het begin van zijn echte herstel, dacht ik. Wat een geluk dat al die goede dingen tegelijk gebeurden.

'Voorzichtig, Noble,' riep Dave. 'Geen boetes voor te hard rijden, oké?'

'Ik beloof het,' zei ik.

'Zodra ik weer op de been ben, ga ik een eindje met je rijden, oké?'

'Oké, Dave,' zei ik, en hij keek me zo stralend aan dat ik me weer vrolijker voelde.

Met mijn nieuwe rijbewijs in de hand, werd ik naar de winkel gestuurd voor de levensmiddelen en ingrediënten die mama nodig had.

Hoewel het wegrijden over ons land voor de meeste mensen van mijn leeftijd niets bijzonders zou zijn, voelde ik me als een astronaut. Opgewonden en avontuurlijk gestemd stopte ik bij het begin van onze oprijlaan, haalde diep adem, keek achterom naar het huis en reed toen de weg op. Ik wist zeker dat niemand enige speciale aandacht aan me besteedde, maar toch leek het me of iedereen die ik onderweg passeerde, elke man of vrouw in elke auto die langs me of me tegemoet reed, geschokt en verbaasd naar me keek. Het maakte me zo zenuwachtig dat ik bijna tegen de achterkant van een pick-up reed toen de bestuurder onverwacht op de rem trapte om zonder enige waarschuwing rechtsaf te slaan. Het bracht me terug in de werkelijkheid en ik concentreerde me meer op mijn rijkunst. Het zou een ramp zijn als ik de eerste de beste keer een ongeluk kreeg.

In de supermarkt lette niemand erop dat ik alleen was. Sommige verkopers herkenden me van de keren dat ik er geweest was met mama en Baby Celeste. Ze glimlachten of knikten. Ik werkte het lijstje af dat mama me gegeven had en liep naar de kassa. De caissière was een mollige, jonge vrouw met kort, donkerbruin haar en kleine, doffe bruine ogen die bijna leken weg te zinken in haar marshmallow-gezicht. Toen ze me aankeek, sloeg ik snel mijn ogen neer en begon mijn boodschappen uit de kar te laden.

'Hallo, Noble,' zei ze, wat me verbaasde. Ik keek op en las de naam op haar plaatje: *Roberta Beckman.*

Ze stond met haar armen over elkaar geslagen onder haar grote borsten, die daardoor omhooggeduwd werden. De herinneringen kwamen terug. Ze was de blind date die Elliot jaren geleden voor me had geregeld. Ze was toen al behoorlijk mollig, maar ze leek inmiddels nog vijfentwintig, dertig pond te zijn aangekomen. Ik had een angstaanjagende seksuele ervaring met haar gehad en was praktisch weggevlucht. Mama kwam erachter dat ik bij haar en Elliot en een vriendin van hem was geweest en dat we hasj hadden gerookt. Dat was de eerste keer dat ze enig contact had gehad met Dave. Ze was gaan klagen en had hem verteld dat Elliot en zijn vrienden marihuana hadden gerookt. Elliot haatte me daarna. Ik kon het hem niet kwalijk nemen.

'Hallo,' zei ik ten slotte.

'Je kijkt of je niet weet wie ik ben.'

Ik schudde mijn hoofd en bleef de boodschappen uitladen. Ze begon ze aan te slaan op de kassa.

'Hoe gaat het ermee? Ik heb je nooit ergens gezien,' zei ze.

'Ik ben vaak genoeg hier geweest.'

'O, ik heb deze baan pas. Mijn laatste baan ben ik kwijtgeraakt omdat ze bezuinigden op personeel. Ik werkte in het winkelcentrum in die kippentent. Wat heb jij gedaan?'

'Niks bijzonders.' Helaas lagen alle boodschappen nu bij de kassa en moest ik haar wel aankijken.

'Vreselijk van Elliot. Ik was echt erg op hem gesteld. Je kon enorme pret met hem hebben. Harmony was een tijdlang volkomen van de kaart, weet je. Ze ging naar college. Mijn cijfers waren niet goed genoeg om door te studeren. Ze gaat naar een college in het Middenwesten. Heb jij nooit naar college gewild? Ik herinner me dat je erg intelligent was.'

Ze bleef de boodschappen aanslaan. Toen hield ze even op. Er stond niemand achter me te wachten, dus ze had alle tijd.

'Natuurlijk weet ik dat je moeder met Elliots vader is getrouwd. Iedereen vond het heel gek. Hoe gaat het met ze?'

'Goed,' zei ik. 'Ik heb nogal haast.'

'O, natuurlijk.' Ze zei hoeveel het was en ik overhandigde haar het geld dat mama me gegeven had. Ze gaf me het wisselgeld terug en begon de boodschappen in te pakken. Ten slotte kwam er een klant achter me staan, maar ze maakte geen haast en werkte niet sneller. Ze zal deze baan ook niet lang houden, dacht ik. 'Misschien kunnen we eens iets samen doen,' zei ze. 'Ik ben niet zo'n wilde meer als vroeger, geloof me.'

Ik knikte, maar zei niets. De manager kwam langs en keek haar kwaad aan, zodat ze wat sneller doorging met haar werk. Ik begon de boodschappentassen in de kar te laden.

'Je kunt me altijd bellen,' zei ze. 'Als je wilt, kom ik naar je toe.'

'Ik heb het erg druk op het ogenblik.'

Ze keek beteuterd, maar glimlachte toen flauwtjes naar me. 'Als je tijd hebt of je bedenkt, bel me dan. Oké?'

'Oké.' Ik legde de laatste tas met boodschappen in de kar. Ik had het gevoel dat ik wegvluchtte toen ik naar buiten liep. Dat deed ik eigenlijk ook, al zou ze nooit kunnen begrijpen waarom.

De ontmoeting met Roberta Beckman en al die herinneringen die weer terugkwamen, wierpen een schaduw over mijn vreugdevolle dag. Ik was altijd erg op mijn hoede geweest voor zogenaamde toevalligheden. Niets gebeurde toevallig in onze wereld. Alles had een betekenis. Soms lag die begraven onder andere dingen, maar hij was te vinden als je maar lang en goed genoeg zocht.

Op goede dagen leken er altijd verrassende leuke dingen te gebeuren, of het nu de ontdekking van een nest jonge kolibri's was of gewoon een prachtige en interessante nieuwe wilde bloem. Van mama had ik geleerd dat er duidelijke, aanhoudende energieritmen bestonden. In staat zijn daarop af te stemmen, ze aan te voelen en te profiteren van die kennis was de speciale kracht die onze familie bezat, nu en in de toekomst.

Omdat die toevallige ontmoeting met Roberta zo onaangenaam en enerverend was geweest, was ik extra blij toen ik veilig en wel thuis was. Mama was niet beneden toen ik met de boodschappen binnenkwam. Ik vroeg me af waar ze was en waar Baby Celeste was. Toen ik alles had opgeborgen wat meteen in de ijskast moest, ging ik naar hen op zoek. De deur van mama en Daves slaapkamer was dicht. Ik luisterde, hoorde niets en klopte zachtjes aan.

'Mama?'

Even later deed ze open. Ik zag Dave met gesloten ogen in bed liggen.

'Wat is er gebeurd? Ik dacht dat hij aan de beterende hand was. Ik dacht dat hij zich zou aankleden en beneden komen.'
Ze liep de gang op en sloot de deur achter zich. 'We zullen zien. Hij was plotseling heel erg moe, dus heb ik hem naar bed geholpen.'
'Mama, dat is vreselijk.'
'Heb je alles gekocht wat op het lijstje stond?'
'Ja, natuurlijk.'
'Goed. Dan begin ik vast met koken.'
'Waar is Baby Celeste?'
'Zij voelde zich plotseling ook erg moe en viel op ongeveer hetzelfde moment als Dave in slaap,' zei mama boven aan de trap. Ze lachte. 'Het was eigenlijk heel bijzonder.'
'Wat, mama?'
'De manier waarop ze... op Dave reageerde.'
'Hoe bedoel je?'
'Toen hij gelukkig was, was zij gelukkig, en toen hij somber en moe werd, werd zij dat ook. Heel bijzonder.' Ze knikte.
Ze draaide zich om en liep de trap af. Haar woorden leken me te verlammen. Wat was zo bijzonder? Baby Celeste reageerde altijd gevoelig op de mensen in haar omgeving.
Ik liep terug naar de deur van hun slaapkamer en bleef op de drempel staan. Dave was in diepe slaap. Wat was er gebeurd? Hij was zo enthousiast geweest over ons kleine feestje. Hij had zich geschoren en aangekleed en leek zich beter te voelen.
Hij moest nu meteen naar het ziekenhuis, dacht ik vastberaden. Ik zou hem zelf erheen rijden als hij wilde gaan. Ik aarzelde even, luisterde of mama niet op de trap was, en liep toen de slaapkamer in om hem wakker te maken en het hem te vertellen. Maar zodra ik een voet in de kamer had gezet, hoorde ik het ijselijke geschreeuw van Baby Celeste. Het was een gil die ik nog nooit van haar gehoord had en die door merg en been ging.
Even later hoorde ik mama roepen en de trap opkomen. Snel trok ik me terug en liep naar de kinderkamer.
'Wat is er?' vroeg mama.
'Ik weet het niet. Ze gilde,' zei ik, en liep door naar de kamer.
Baby Celeste zat rechtop, met een van angst vertrokken gezicht. Ze strekte haar armpjes naar ons uit.

Mama sprong naar voren en omhelsde haar, zoende haar wangetjes en streek over haar haar om haar gerust te stellen. Baby Celeste kalmeerde algauw. Toen mama me met beschuldigende ogen aankeek, huiverde ik en deed een stap achteruit.

'Wat heb je gedaan?'

'Niks, mama. Echt niet.'

Ze kneep haar ogen achterdochtig samen. 'Er is iets mis. Iets kwaadaardigs heeft haar angst aangejaagd. Ze waarschuwt ons.'

Ik schudde mijn hoofd. Ik niet, dacht ik. Het heeft niets met mij te maken.

'Ik zou niet weten waarvoor,' zei ik.

'Breng haar naar beneden en houd haar rustig,' zei mama na een seconde te hebben nagedacht. 'Ik heb iets te doen.'

Snel pakte ik Baby Celeste op en liep de kamer uit.

'Noble,' riep mama.

'Ja?'

'Pas heel goed op. Pas op.'

Pas op waarvoor? vroeg ik me af, maar ik knikte slechts, keek even naar haar en Daves deur en liep toen de trap af met Baby Celeste, die haar armpjes om mijn hals had geslagen.

Achter me hoorde ik de deur van mama en Daves slaapkamer dichtvallen.

Toen ik onder aan de trap was, keek ik naar Baby Celeste. Ze keek net zo kwaad als mama en om een mijzelf onverklaarbare reden wendde ik schuldig mijn ogen af van mijn eigen kind. Mijn hart kromp ineen.

15. Het was voorbestemd

Ik heb bloemen en planten zien verdorren en verdrogen als er niet voldoende regen, zon of voeding in de bodem was. Even lijken ze gezond en sterk. Hun toekomst ziet er goed uit, maar dan doet de realiteit haar intrede en ze beginnen te verwelken. Hun blaadjes krullen om en hun stelen beginnen te buigen.

Zo ging het ook met Dave.

Toen hij pas bij ons thuis kwam, was hij vrolijk en hoopvol, krachtig en vol energie. Hij was verknocht aan mama en zelfs aan mij, en hij geloofde dat zijn toewijding hem versterkte, ons allemaal versterkte. Hij sprong met een paar treden tegelijk de trap op, boog zich liefdevol over Baby Celeste om haar in zijn armen te nemen en haar te bedelven onder zijn lach en zijn zoenen. Zijn optimisme werkte aanstekelijk. De dagen leken helderder; de schaduwen leker minder donker. Ons oude huis kreeg een tastbare nieuwe energie. Misschien had mama het toch goed gedaan, dacht ik toen.

Maar later zag ik dat de wortels van die nieuwe hoop, als de wortels van een slecht geplante bloem, naar plaatsen reikten waar niets was om ze vooruit te helpen, niets om ze te voeden, ze in leven te houden, vooral na Betsy's terugkomst. Nu ze weer weg was, maar zoveel verdriet en spijt had achtergelaten, ging het nog slechter met Dave.

Ik voelde me hulpeloos, ik stond aan de zijkant en zag hem verzwakken, zag het licht in zijn ogen steeds verder verduisteren. Elke ochtend, zodra ik wakker werd, dacht ik erover na wat ik zou kunnen doen. 's Avonds luisterde ik naar mijn stemmen en zocht in de schaduwen naar papa, in het vertrouwen dat hij een oplossing zou weten. Het was zo lang geleden dat ik iets had gehoord of gezien van de spirituele wereld. Het was of er een gordijn was dichtgetrokken. Was het mijn schuld? Hadden mijn twijfels en zorgen iedereen verdreven zoals mama eens had gesuggereerd? Was het omdat er weer een slechte geest rondwaarde in ons huis?

Daves afwezigheid bleef niet onopgemerkt op zijn werk. Mama's vaste klanten belden en kwamen langs en informeerden naar hem. Sommigen hadden in de apotheek of waar dan ook gehoord dat hij ziek was.

'Hij is herstellende van een zware griep,' zei mama. 'Hij moet aansterken.'

Dat een apotheker mama's geneeskrachtige kruiden gebruikte, versterkte het vertrouwen en geloof van mama's klanten in haar producten.

'Ik wed dat ze bij de apotheek altijd bang zijn dat hij hun klanten van hun middelen en recepten afbrengt en ze naar jou lokt,' zei mevrouw Paris tegen mama.

Mama glimlachte slechts alsof het iets was dat Dave had gedaan, maar waarover ze niet kon praten. Ik wist dat Dave dat niet had gedaan of zou doen. Als mama me erop betrapte dat ik luisterde naar die gesprekken, keek ze naar me met een blik die zei: 'Ga weg,' of ze vond iets voor me te doen in huis.

De laatste tijd moest ik trouwens elke dag voor haar een boodschap doen in het winkelcentrum. Behalve de boodschappen liet ze me ook haar producten afleveren bij Bogart. Altijd als ik naar Dave informeerde en aanbood iets voor hem te doen, wist ze iets anders te bedenken dat eerst moest gebeuren. Sommige dagen kreeg ik hem nauwelijks te zien. Op een ochtend hoorde ik de telefoon overgaan en mama tegen de manager van de apotheek zeggen dat Dave eindelijk besloten had zijn dokter te raadplegen. Ze zei dat ze hem de uitslag zou laten weten.

Het deed me goed dat te horen, maar de dag ging voorbij, en ik deed weer boodschappen, en toen ik terugkwam repte mama met geen woord erover dat Dave naar de dokter was geweest of van plan was dat te doen. Ik durfde niet te zeggen dat ik haar telefoongesprek had afgeluisterd, maar besloot dat als ze er de volgende ochtend nog niets over zei, ik haar ermee zou confronteren.

Die avond bood ik aan Daves eten boven te brengen. Ze keek me vreemd aan, niet zozeer kwaad dan wel nieuwsgierig.

'Waarom zou je dat willen doen, Noble?'

'Ik wil je taak wat verlichten, mama.'

Ze glimlachte. 'Dat is heel attent van je, maar het is geen last voor me. Jij kunt beter Baby Celeste bezighouden.' Ze pakte het blad op.

De laatste dagen hield ze de deur van de slaapkamer altijd gesloten. Ik kon niet eens even naar binnen kijken en naar hem zwaaien of naar zijn gezondheid informeren. Ik was verstandig genoeg om niet te protesteren en wist dat ik mijn vragen zo achteloos mogelijk zou moeten stellen. Ik sloop op mijn tenen om haar heen, bang dat ze me van het een of ander zou beschuldigen.

'Hoe gaat het met hem?' vroeg ik toen ze terugkwam na hem zijn eten te hebben gebracht.

'Hetzelfde.' Het was het enige wat ze tegenwoordig zei, maar in mijn hart wist ik dat het niet hetzelfde was.

Na het eten, toen Baby Celeste sliep, ging ik ondanks de ijzige kou naar buiten. Het was zo koud dat je je eigen adem zag. Ik droeg een trui, een sjaal, mijn jas en handschoenen. Een tijdje liep ik doelloos rond, zo nu en dan omhoogkijkend naar de lucht. De sterren leken op ijskristallen. Noble dacht altijd dat ze dat echt waren en dat er daarom overdag geen sterren waren. Misschien had hij wel gelijk, dacht ik.

Ik liep om het huis heen en keek naar het raam van mama en Daves kamer op de eerste verdieping. Het licht brandde, maar zwak, en de gordijnen waren dicht.

'Hij is stervende, weet je,' hoorde ik. Ik draaide me om en keek naar de donkere schaduwen waaruit de woorden waren voortgekomen. 'Dat is wat ze wil. Hij heeft geen nut meer voor haar.'

Ik zei niets. Die stem was me te vertrouwd. Ik tuurde in het duister en geleidelijk, heel geleidelijk nam Elliot vorm aan in de schaduw.

'Ik heb de bron vergiftigd. Zoals ik je gezegd heb. En je kunt er niets aan doen, Nobleman,' zei hij opgewekt.

Was hij er? Hoorde ik hem echt?

Ik liep naar hem toe en hij trok zich terug, verdween steeds meer in de duisternis, tot hij er niet meer van te onderscheiden was. Hij is bang voor me, dacht ik. Ik ben niet hulpeloos. Ik kan nog iets doen.

Vastbesloten haastte ik me terug naar huis. Mama was aan het opruimen in de keuken. Ik hoorde haar tegen iemand mompelen en even joeg dat me angst aan. De geesten waren overal. De geesten

214

die zij kon zien en ik niet, sloegen me gade, observeerden elke stap die ik deed, maar Elliots woorden dreunden door mijn hoofd als een zware kerkklok. *Hij is stervende. Hij heeft geen nut meer voor haar. Hij is stervende... stervende.* Ik liep zo zacht mogelijk de trap op, maar het huis was mama veel trouwer dan mij. De treden kraakten nog luider; de leuning trilde en rammelde. Ik bleef even staan en luisterde of ik haar voetstappen hoorde, maar het enige wat ik hoorde was een constant gemompel in de keuken. Ze ging veel te veel op in wat ze zei.

Ik ging sneller lopen en toen weer op mijn tenen door de gang naar de kamer van mama en Dave. Het klonk me in de oren alsof ik over een stapel losse stenen liep, hoe zacht ik mijn voeten ook neerzette. Opnieuw bleef ik staan om te luisteren, maar weer hoorde ik geen voetstappen op de trap achter me. Voorzichtig, langzaam, heel langzaam, draaide ik de deurknop om en deed de deur open. De scharnieren, net zo trouw aan mama als de treden en de vloer, knarsten.

Er brandde alleen een kleine bureaulamp. Hij wierp een gigantische schaduw op het bed, een schaduw die meer op een lijkwade leek. Daves voorhoofd werd vaag verlicht. Het leek zo geel als boter. Toen ik dichterbij kwam, zag ik dat de deken tot aan zijn kin was opgetrokken. Een bijna vol glas water stond op het nachtkastje en daarnaast een klein schoteltje van oud porselein, dat zelden of nooit gebruikt werd. Daarop zag ik kleurige kruimels van een of andere kruidensubstantie die mama bereid had. De lepel naast het schoteltje wees erop dat ze porties ervan aan Dave gevoerd had.

Hij lag doodstil en staarde met wijdopen ogen naar het plafond alsof hij daar iets verbluffends zag. Wat het ook was, het nam zijn aandacht volledig in beslag, want hij hoorde of zag me niet binnenkomen. Ik liep naar het bed en bleef ernaast staan om naar hem te kijken. Zijn ogen gingen niet in mijn richting, al knipperde hij wel met zijn oogleden.

'Dave,' zei ik, luid en behoedzaam fluisterend.

Hij bleef naar het plafond staren.

'Dave,' zei ik weer. Ik bukte me en raakte zijn schouder aan. Langzaam, heel langzaam, ging zijn blik omlaag en richtte zich op mij. Hij reageerde niet. Hij keek naar me alsof hij niet zeker wist dat ik er was, dat hij me had horen spreken. Misschien dacht hij dat ik een van mama's geesten was.

'Dave, ik ben het, Noble. Kun je me verstaan? Wat is er met je?'
Zijn lippen bewogen even en zijn ogen knipperden.

'Je moet onmiddellijk naar een ziekenhuis, Dave. Je bent heel erg ziek. Begrijp je wat ik zeg? Ik breng je erheen, oké? Dave?'

Hij schudde zijn hoofd met een lichte, bijna onmerkbare beweging, en zijn lippen trilden even, maar hij zei niets. Ik keek naar het schoteltje, pakte het op en rook aan het kruidenmengsel. Ik had geen idee wat het was, maar toen ik aandachtiger naar het glas water keek, zag ik dat daar ook iets doorheen gemengd was; er lag bezinksel op de bodem. En op het nachtkastje stonden flesjes en tabletten van geneesmiddelen die zonder recept verkrijgbaar waren, en ook iets dat eruitzag als een medicijn op recept.

Zijn ogen waren weer dichtgevallen. Ik schudde wat harder aan zijn schouder.

'Dave, kun je me verstaan? Begrijp je wat ik zeg? Je bent ernstig ziek.'

Hij opende zijn ogen en draaide zijn hoofd een klein eindje naar me toe, maar in zijn ogen lag geen herkenning.

Ik hoorde lachen en keek rond in de kamer.

Elliot stond bij het raam. 'Het is te laat. Snap je dat dan niet? Ik zei je toch dat het te laat is.'

'Nee!' schreeuwde ik terug.

Zijn glimlach verdween en hij keek woedend. 'Hij dacht dat jij de zoon zou zijn die ik niet was, dat jij mijn plaats zou innemen. Hij is een idioot die op sterven ligt,' zei Elliot voldaan. 'Een stommeling.'

Ik schudde mijn hoofd. 'Nee, dat zal ik niet dulden.' Ik liep naar Elliot toe, net als ik buiten had gedaan, en hij week achteruit. Zijn lach volgde hem toen hij verzonk in de muur en verdween.

Uit mijn ooghoek zag ik Dave beven, alsof er een ijskoud mes door hem heen sneed.

Ik bukte me en pakte zijn hand onder de deken vast. De hand voelde koud en stijf. Ik moest hem duidelijk zien te maken wat er met hem gebeurde. Ik voelde me wanhopig. Ik moest hem helpen.

'Dave, luister naar me. Baby Celeste is in werkelijkheid je kleindochter. Ik ben Noble niet. Noble is er niet meer, al heel lang niet meer. Elliot en ik... we... ik ben de echte Celeste.' De tranen stroomden over mijn wangen. 'Baby Celeste is mijn dochter. *Mijn*

216

dochter. Begrijp je me? Begrijp je wat dat betekent? Je moet beter worden. Je bent niet je hele familie kwijt. Dat ben je niet.'

Hij keek naar me op, maar zijn ogen waren dof en geen spier van zijn gezicht vertrok.

Ik liet zijn hand los en bracht mijn vingers naar mijn blouse. Hoewel hij verward en suf bleef kijken, draaide hij zijn hoofd niet om toen ik de knoopjes los begon te maken. Toen trok ik de strakke band om mijn boezem weg en liet hem mijn borsten zien. Zijn oogleden flikkerden en zijn lippen bewogen, maar zijn tong leek verlamd. Toen sloot hij zijn ogen.

'Dave!' Ik raakte zijn gezicht aan. Zijn ogen gingen niet open. Hij bewoog zich niet. 'Dave, gaat het goed met je? *Dave?*' gilde ik.

'Wat doe jij hier?' vroeg mama in de deuropening.

Ik draaide me om en keek haar aan.

'Waarom is je blouse opengeknoopt?'

'Mama, hij is doodziek. Hij kan niet eens praten. Het lijkt of hij in een coma ligt of zo.'

'Ik weet heel goed hoe ziek hij is. Ik heb geregeld dat hij morgenochtend naar het ziekenhuis wordt gebracht als hij dan nog niet beter is. Ga nu weg en laat hem met rust.'

'Maar ik vind dat hij er nu meteen heen moet.' Ik keek weer naar hem. Zijn ogen knipperden en gingen open.

'Hij heeft iets genomen om te slapen en te rusten. Het is zijn eigen beslissing, dus ga nu. Je verstoort de rust die hij zo hoognodig heeft. Ga, Noble, nu!' beval ze. 'Je hoort hier niet.'

Ik aarzelde.

'Je maakt het voor iedereen alleen maar erger. Ik hou niet van deze ongehoorzaamheid, Noble. Wat heeft dat te betekenen? Wie heeft gezegd dat je hier naar binnen mocht?'

'Niemand,' zei ik met bonzend hart. 'Ik was gewoon bezorgd over hem, dat is alles.'

'Als je bezorgd over hem bent, ga dan weg.'

Ik keek nog even naar hem en liep toen met gebogen hoofd de deur uit.

Ze pakte mijn arm vast. 'Ga slapen. En kom hier niet terug tenzij ik je dat zeg.'

Toen ik naar buiten ging, deed ze de deur achter me dicht. Ik

217

bleef in de gang staan, aarzelend of ik naar de telefoon zou hollen en zelf een ambulance bellen, of doen wat ze zei. Als ik de telefoon zou oppakken, zou ik me feller en duidelijker tegen haar verzetten dan ik ooit gedaan had. Ik had geen idee waar dat toe zou leiden, wat voor impact het zou hebben op ons leven. Onze wereld zou ineenstorten en ik zou Baby Celeste onherstelbare schade kunnen berokkenen.

Ik kon mijn tranen niet bedwingen, al wist ik mijn snikken te temperen. De tranen rolden over mijn wangen terwijl ik me gereedmaakte om naar bed te gaan, en zelfs nog toen ik onder de dekens kroop.

'Papa, help ons,' bad ik in stilte. 'Alsjeblieft, alsjeblieft, help ons.'

Ik wachtte en luisterde.

Ik hoorde mama's voetstappen toen ze langs mijn deur liep en vervolgens de trap af. Even later kwam ze terug, bleef bij mijn deur staan en ging toen naar haar eigen slaapkamer. Emotionele uitputting deed me ten slotte in slaap vallen en hield me gevangen in een tumultueuze nacht vol dromen. Ik lag te woelen en te draaien en werd 's nachts zo vaak wakker dat ik, toen het ochtend werd, te suf en moe was om mijn ogen open te houden. Ik sliep veel langer dan normaal, maar toen ik eindelijk wakker werd, zag ik hoe laat het was en sprong mijn bed uit om me te wassen en aan te kleden.

Het was zo stil in huis dat ik even dacht dat iedereen weg was. Zou de ambulance al zijn gekomen en weer vertrokken? Daar zou ik toch niet doorheen hebben kunnen slapen?

Zoals gewoonlijk was de deur van mama en Daves slaapkamer gesloten, maar ik bleef aarzelend staan en besloot dat ik, voor ik naar beneden ging, nog even bij hem binnen zou kijken om te weten hoe het met hem ging. Ik liep naar de deur en klopte zachtjes aan.

'Mama, ben je daar?'

Ik wachtte.

Ik hoorde Baby Celeste beneden lachen en wist dat mama dus beneden was. Weer stond ik in tweestrijd. Zou ik ook naar beneden gaan of zou ik even bij hem binnenkijken, net als gisteravond? Uiteindelijk kon ik me niet bedwingen, ondanks haar verbod en haar waarschuwing. Ik deed de deur open. Dave lag nog in dezelfde houding als gisteren, maar ik voelde dat er iets veranderd was. Ik luisterde of ik mama hoorde en liep toen naar het bed. Hij staarde met koude ogen naar het plafond. Zijn oogleden trilden niet en zijn gezicht zag doodsbleek.

'Dave?'

Langzaam boog ik me over hem heen en raakte zijn gezicht aan. De schok van een ijzige kou was zo groot dat het meer leek of ik mijn vingers in een kaarsvlam hield. Ik deed letterlijk een sprong achteruit en stopte toen mijn gebalde vuist in mijn mond om een gil te smoren. Lange tijd had ik het gevoel dat ik me niet kon verroeren, dat ik met mijn voeten aan de vloer stond genageld. Maar eindelijk draaide ik me om, holde de kamer uit en de trap af naar beneden.

Mama zat in de eetkamer te ontbijten met Baby Celeste. Ze glimlachte naar haar en lachte om iets wat ze gezegd had. Ze keken allebei op toen ik in de deuropening verscheen.

'Wel, wel, kijk eens wie heeft besloten ons met haar aanwezigheid te vereren, Celeste,' zei mama.

'Noble,' zei Baby Celeste.

'Ja, Noble. Hij is net opgestaan en wij zijn bijna klaar met ons ontbijt, hè, Celeste?'

'Mama, ik ben bij Dave naar binnen gegaan om te zien hoe het met hem ging en… en… hij is dood,' zei ik. De woorden stokten in mijn keel.

Mama knikte. 'Ja, ik weet het,' zei ze met een onverschilligheid die me de adem benam. Ze gaf Baby Celeste nog een toastje met jam en boog zich toen voorover om haar mondje af te vegen. Toen leunde ze achterover en keek me aan.

'Mama, ik zei net dat Dave dood is.'

'Ik geloof dat ik dat wel weet, Noble.' Ze boog zich naar me toe en kneep haar ogen samen. 'Het ging hem heel goed. Waarom ging je gisteravond bij hem naar binnen en deed je wat je hebt gedaan?' vroeg ze beschuldigend.

Ik schudde mijn hoofd en ging een paar stappen naar achteren.

'Ik heb helemaal niets gedaan. Ik wilde hem helpen.'

'Je bent meelijwekkend als je liegt. Je hebt niemand geholpen. Je hebt ons allemaal alleen maar in gevaar gebracht. De hele nacht heerste hier een sfeer van onbehagen en ongenoegen. Ik voelde de woede en teleurstelling en ik hoorde ze mompelen. Ik heb een hoop te doen om alles weer goed te maken, een hele hoop.'

'Maar, mama, en Dave dan?'

'Het was voorbestemd. Je hoeft je er niet langer zorgen over te maken.' Ze veegde een paar kruimels van Baby Celestes jurkje. 'We hebben meer hout nodig voor de kachel vanavond. Het zal een extra koude avond worden. En ik denk dat we de dakgoot aan de zuidkant van het huis moeten schoonmaken. Ik heb gezien dat de oude bladeren en het gesmolten ijs zich daar hebben opgehoopt, en je weet dat het dak daardoor kan gaan lekken.'

'Maar…'

'Voor alles is gezorgd, Noble,' snauwde ze en keek me scherp aan. 'Ik heb een ambulance gebeld. Ga jij maar ontbijten. Ik zal het straks druk krijgen en dan moet jij voor het kind zorgen. Sta daar niet zo stom te kijken. Schiet op!'

Ik wilde niets eten, maar dronk een glas water. Even daarna hoorden we de paramedici arriveren. Mama ging naar de deur om ze te begroeten.

'Gauw!' riep ze, en twee paramedici liepen haastig naar binnen. Ze wees hun de weg. Ik ging achteruit met Baby Celeste in mijn armen en sloeg alle bedrijvigheid gade. Een paar ogenblikken later werd er een stretcher naar boven gedragen.

Was het mogelijk dat het nog in orde zou komen met hem, dat ze op tijd waren gekomen om hem weer te doen opleven? Om hem hartmassage of een elektrische shock te geven die hem weer zou opwekken? vroeg ik me hoopvol af. Ik hoorde ze uit de kamer komen. De stretcher was leeg. Mama volgde met gebogen hoofd. De twee mannen keken even naar mij en gingen toen naar buiten naar hun auto.

'Wat is er gebeurd?' vroeg ik ademloos.

'De lijkschouwer is onderweg,' zei mama, met minachtend neergetrokken mondhoeken. 'Het wordt beschouwd als een onbegeleid overlijden, dus moet er een onderzoek plaatsvinden. Een hoop bureaucratische onzin. Let jij maar op Baby Celeste, zoals ik je gezegd heb. Kleed haar aan en ga met haar naar buiten. Zorg dat ze niemand in de weg loopt.'

De lijkschouwer en een assistent van de sheriff arriveerden kort daarna. Omdat er geen tekenen van kwade opzet waren, werd

Daves lichaam naar beneden gedragen en naar de ambulance gebracht. Ik hoorde zeggen dat er natuurlijk een autopsie zou worden gedaan. Alle medicijnen die Dave had genomen en alle kruidenmengsels die mama voor hem had klaargemaakt werden zorgvuldig ingepakt en ook meegenomen.

Baby Celeste en ik stonden naar iedereen en alles te kijken. Toen de ambulance wegreed, gevolgd door de arts en de assistent van de sheriff, knikte mama naar ons en ging toen naar binnen.

Ik liep achter haar aan met Baby Celeste. Mama zat met gesloten ogen in de schommelstoel.

'Wat gaat er nu gebeuren, mama?' vroeg ik zachtjes.

Ze deed haar ogen open en keek naar me. 'Alles komt in orde. Alles gaat gewoon door. Doe je werk. Je kunt Baby Celeste bij mij laten.' Ze schommelde zacht heen en weer. 'Laat haar maar bij me,' fluisterde ze.

Later op de dag begon mama de begrafenis te regelen. Ze belde Bogart, die op zijn beurt dominee Austin belde. De datum van Daves begrafenis hing af van de dag waarop de lijkschouwer het lichaam vrij zou geven. Mama had een lijst van Daves familieleden, nichten en neven en een oude tante. Geen van hen was op het huwelijk geweest. Hij had uitgelegd dat hij met geen van hen een hechte band had, dus verwachtte mama niet dat ze op de begrafenis zouden komen. Toen ze tegenover de politie verklaard had dat zij en Dave geen idee hadden waar Betsy kon zijn, zeiden ze dat ze hun best zouden doen haar te vinden, maar dat leidde niet tot enig resultaat. Mama zei dat ze waarschijnlijk niet veel moeite hadden gedaan, maar dat ze het hun niet kwalijk kon nemen. Het was iets anders, zei ze tegen mij en al haar klanten, dan zoeken naar een ontvoerd kind.

De eerste dag kwam er geen bezoek behalve Bogart en zijn vrouw en de dominee en zijn vrouw, Tani. Een paar van mama's vaste klanten kwamen de tweede dag. De derde dag werd mama gebeld door onze advocaat, meneer Derward Lee Nokleby-Cook. Hij kwam haar opzoeken en ze zaten te praten in de zitkamer terwijl ik Baby Celeste bezighield in mijn eigen kamer. Later vertelde mama me dat Dave het grootste deel van zijn bezit had nagelaten aan mama en Baby Celeste, en een kleiner deel aan Betsy. Maar Dave, die bang was Betsy iets te geven voordat ze meer verantwoordelijkheidsgevoel zou hebben, had mama benoemd tot gevolmachtigde over dat deel, met de bepaling dat ze het aan Betsy moest uitkeren als ze vijfentwintig was. Onnodig te zeggen dat mama tevreden was.

Later die middag kwam de assistent van de sheriff met een kopie van het rapport dat de gerechtelijke arts bezig was op te stellen. Hij had Daves dood accidenteel verklaard, maar de oorzaak toegeschreven aan wat hij noemde 'tegenstellingen' tussen mama's kruidenremedies en voorgeschreven medicaties, samen met enkele zonder recept verkrijgbare geneesmiddelen. De feitelijke doodsoorzaak werd omschreven als 'insufficiëntie van de nieren', die tot een hartstilstand had geleid.

De volgende ochtend kwam een journalist van de plaatselijke krant en wilde een verklaring van mama. De mensen die voorstanders waren van wat hij 'de orthodoxe geneeskunde' noemde, waren verontwaardigd over zogenaamde genezers als mama, die geen enkel diploma bezaten van een deskundige en gerespecteerde instelling, en het leven van mensen in gevaar brachten met hun kruiden omdat er geen aanwijzingen en waarschuwingen bestonden voor doseringen en mogelijke bijverschijnselen als ze samen met voorgeschreven geneesmiddelen werden gebruikt.

De ironie dat mama de dood van haar eigen man veroorzaakt kon hebben, ontging de verslaggever niet. Hij probeerde mama iets emotioneels te ontlokken, waarschijnlijk in de hoop een discussie op gang te brengen tussen haar en de medische gemeenschap, maar ze zei slechts dat ze het betreurde en betwijfelde of de lijkschouwer iets definitiefs wist. Niettemin had het nieuws ongetwijfeld een negatief effect op mama's kruidenhandel. Het duurde niet lang of haar vaste klantenkring was geslonken tot er bijna niemand meer over was.

Ze maakte zich er niet erg druk om, liet dat althans niet blijken. Haar vorige erfenis en nu haar erfenis van Dave waren voldoende om comfortabel van te leven. Bogart bleef achter haar staan en zei dat hij zou doorgaan met de distributie van haar kruiden. Hij had bronnen buiten de dorpsgemeenschap, zei hij, die zich niet lieten beïnvloeden door het rumoer in de medische gemeenschap, die ze toch al wantrouwden.

Daves begrafenis was een bescheiden aangelegenheid. Mama

had een simpele grenen kist gekozen, in overeenstemming met het belang dat ze hechtte aan de geest en haar geringschatting voor het menselijk overschot. De kerk, die praktisch leeg was, weergalmde van de poëtische klaagzang van dominee Austin. Hij sprak in vriendschappelijke termen over Dave, maar leek de indruk te willen wekken dat hij niet dood was maar nog onder ons verkeerde, zelfs naast mij en mama zat. Hij glimlachte naar ons en knikte naar mama, die terugknikte, alsof zij beiden een groot geheim kenden wat de meeste anderen niet kenden.

Behalve onze paar vrienden en een enkele nieuwsgierige waren er een paar collega's uit de apotheek en de manager. Meneer Derward Lee Nokleby-Cook was er zonder zijn vrouw. Ze woonden ook de bijzetting bij. Het was een koude maar heldere dag, geen wolkje aan de lucht, een te mooie dag voor een begrafenis. Het was feitelijk het soort dag waar Dave van genoten zou hebben, dacht ik. Hij hield van de koele, frisse, knisperende lucht.

Later nodigde mama de mensen bij ons thuis. Ze hadden mooie manden met fruit en lekkernijen gestuurd en mama maakte eten klaar. Tani Austin en mevrouw Bogart zorgden voor de gasten en wasten borden en bestek af. Alle aanwezigen waren enthousiast over Baby Celeste, die glimlachjes en bewondering oogstte met haar serieuze en volwassen gedrag. Ze noemde Dave nu *papa* en vertelde iedereen dat papa vanuit de hemel op haar paste. Ze hief haar gezichtje zelfs omhoog naar het plafond en glimlachte alsof ze kon zien dat hij ons gadesloeg. Bij iedereen sprongen de tranen in de ogen.

Toen ik naar mama keek die met mensen stond te praten, soms met Baby Celeste in haar armen, soms haar handje vasthoudend, besefte ik dat ze had bereikt wat ze wilde. Baby Celeste had nu een echte vader en moeder. De mensen waren meer dan bereid haar te accepteren en van haar te houden. Meer nog, zelfs vreemden voelden sympathie voor haar. Ik was nog nooit zo diep begraven geweest.

Of het nu mama's idee was geweest of dat van onze spirituele familie, het was allemaal volgens plan verlopen. Ze had Baby Celeste een goede dekmantel bezorgd en ze had Noble laten voortbestaan; het zou hem nooit vergund worden te sterven. Als Nobles dood ooit werkelijkheid zou worden, zou mama sterven, dacht ik. Nog nooit had ik me zo in de val gevoeld, zo opgesloten, als op de dag van Daves begrafenis. Met hem verdween er zoveel in de aarde, vooral de hoop dat ik ooit tot leven zou worden gewekt, weer zou kunnen zijn wie ik was.

Ik had gedroomd en gefantaseerd over mijn uiteindelijke onthulling. In mijn gedachten zou het een geheim zijn tussen mij en Dave, een geheim dat hij zou bewaren, beloofde hij, tot hij een manier vond om het door mama te laten accepteren. Ik wist nu hoe onmogelijk die fantasie was.

En dus vergoot ik minder tranen om Dave dan weer om mijzelf. Dat had ik al zo vaak gedaan, om zoveel verschillende redenen.

Wat had ik nu nog te hopen? Waar was dat nieuwe begin dat Dave beloofd had? Terwijl ik over dat alles zat na te denken, trok mijn voorpaginagezicht de aandacht van bezoekers en rouwenden. Ze bleven staan om tegen me te praten, me een hart onder de riem te steken.

'Dave was een geweldig mens. Ik weet zeker dat je hem erg zult missen,' zei de manager van de apotheek, Cody, tegen me. 'Hij had het vaak over jou. Hij was erg onder de indruk van je, Noble.'

'Dank u.'

'Als je ooit werk zoekt, kom dan bij me. Ik heb wel een baan voor je.'

Ik kon me zoiets in de verste verte niet indenken, maar ik bedankte hem en beloofde dat ik naar hem toe zou gaan als ik ooit werk zocht buiten de farm.

Eindelijk gingen ze allemaal weg en waren we weer even alleen als vóór de tijd dat Dave in ons leven kwam. Nu was het bijna of dat alles een droom was geweest. In de daaropvolgende weken gaf mama al zijn kleren, schoenen en hoeden weg aan de plaatselijke tweedehandswinkel, die de opbrengst aan een liefdadigheidsinstelling schonk. Het duister dat ik om me heen had gevoeld voordat Dave in ons leven kwam met zijn gelach en zijn plannen voor onze nieuwe toekomst, keerde langzamerhand terug. Ik keek uit het raam en zag het als een inktstroom naar ons toe sijpelen.

Het enige lichtpuntje nu in onze wereld was Baby Celeste. Daves overlijden, de somberheid daarna, de begrafenis, niets ervan leek haar zo te raken als het mij raakte. Niets sombers leek bezit van haar te kunnen nemen. Haar ogen bleven vrolijk, haar glimlach zacht en liefdevol, en haar lach en stem als de lach en stem van een engel. Mama had toch gelijk gehad wat haar betrof, dacht ik. Zij betekent nu alles. We zijn hier voor haar en voor wat ze is voorbestemd om te doen.

Weken werden maanden. Ik sjokte rond op de farm, kweet me van mijn taken, werkte hard om me met opzet uit te putten zodat ik 's nachts beter zou slapen. Mama daarentegen was opgewekt als altijd, kookte nog even heerlijk, zette Baby Celestes opleiding voort en speelde piano en zong alsof Dave er nog was, naast ons zat te luisteren, glimlachend, met een blik vol liefde.

Misschien was dat ook wel zo, dacht ik, maar niet met veel overtuiging.

De tijd ging voorbij en ik wachtte als iemand die diep in haar hart weet dat ze weinig of geen zeggenschap had over wat de volgende dag zou brengen.

16. Betsy komt terug

Het was laat in het voorjaar, de temperatuur zou nog maar korte tijd een paar graden stijgen voordat het zou aanvoelen als zomer. Ondanks het verlies van onze plaatselijke klanten, wilde mama een nog grotere kruidentuin aanleggen, misschien bij wijze van uitdaging. Bogart was vastberadener dan ooit om wat hij haar goede werk noemde voort te zetten en haar critici het zwijgen op te leggen. Hij vond inderdaad nieuwe markten voor haar. Ik vond het extra werk niet erg; ik was nog steeds blij met de afleiding.

Baby Celeste werkte iedere dag naast me met haar kleine schoffel en hark. Het leukste werk vond ze om de zaadjes in de natte, voorbewerkte aarde te planten. Ik keek naar haar als ze dat deed. Ze concentreerde zich zo duidelijk en vastberaden op elk zaadje dat ze plantte, dat het leek of ze een gebedje prevelde dat mama haar had geleerd. Ik wist haast zeker dat mama dat ook wel gedaan had.

Even na twee uur 's middags, maanden na Daves begrafenis, hoorden we allebei het geluid van een busje dat over onze oprijlaan reed. We hielden stil en zagen het naar het huis rijden. Het was een gammele auto met een gebarsten voorruit. Toen het busje dichterbij kwam, rammelde het nog harder en kwam toen piepend en knarsend tot stilstand. Een wolk stof steeg op en omcirkelde het, schijnbaar om het te beletten dichterbij te komen.

Lange tijd liet niemand zich zien. Ik ging naast Baby Celeste staan en wachtte af. Eindelijk ging het portier aan de passagierskant open en Betsy stapte uit met een baby in een blauwe deken in haar armen. Ze droeg een rood-zwarte doek om haar voorhoofd en haar haar was lang en ongekamd. Ze droeg een gewaad uit één stuk en sandalen aan haar blote voeten. De bestuurder, een lange, magere man met een zwarte, met grijs doorweven paardenstaart tot halverwege zijn rug, kwam tevoorschijn, liep naar de achterkant van het busje en haalde er twee zwaargehavende koffers uit, waarvan er een was dichtgebonden met een touw, Hij zette ze neer aan de voet van de verandatrap en liep terug naar zijn busje.

Betsy zei iets tegen hem, ging op haar tenen staan om hem een zoen te geven, en bleef hem nakijken toen hij weer in zijn busje stapte, achteruitreed, keerde, en wegreed. Ze staarde hem na en zwaaide alsof ze de liefde van haar leven, haar laatste hoop, zag verdwijnen. Toen draaide ze zich om en keek naar ons.

'Noble!' riep ze. 'Help me even met die koffers.'

Ik keek naar Baby Celeste. Er lag een vreemde uitdrukking op haar gezicht, een mengeling van geamuseerdheid in haar ogen, maar haar lippen waren strak.

'Kom, Celeste,' zei ik en pakte haar hand.

'Als ik naar jou kijk, heb ik het gevoel dat ik hier nooit ben weggeweest,' zei Betsy toen we dichterbij kwamen. 'Je werkt nog steeds in die stomme tuin.'

'Heb je een baby?'

Meesmuilend draaide ze de baby om die, opmerkelijk genoeg, sliep.

'Het is geen zak met aardappelen. Dit is Panther. Ik heb hem zelf zo genoemd, omdat hij geboren is in een motel dat The Panther Inn heette. Ik bofte dat de vrouw van de eigenaar verpleegster was. Maar ondanks alles was het toch een smeerboel.'

Betsy haalde de deken van Panthers gezichtje. 'Kijk eens naar dat haar. Zo zwart als het hart van een heks,' zei ze lachend. 'Dat zei die halvegare die me hier gebracht heeft. Hij gelooft in die voodoo-onzin waar je moeder in gelooft, maar hij heeft bijna een maand voor me gezorgd. Toen las hij zijn horoscoop en besloot dat het tijd was om uit elkaar te gaan. Opgeruimd staat netjes, zeg ik maar. Hij begon toch op mijn zenuwen te werken. Waarom blijf je daar zo met open mond staan? Breng mijn koffers naar binnen. Waar is mijn vader? Is hij aan het werk? Ik moet hem zijn nieuwe kleinzoon laten zien.'

Ik kon geen woord uitbrengen.

'O, laat maar,' zei ze ongeduldig en liep de verandatrap op.

Ik pakte haar koffers op en volgde haar toen ze naar binnen liep. Baby Celeste bleef naast me lopen, even verbluft als ik door de gebeurtenissen.

'*Papa!*' gilde Betsy toen ze in de hal stond. '*Ik ben terug!*'
Ze maakte de baby wakker, die onmiddellijk begon te huilen.
'*Papa!*'
Mama verscheen boven aan de trap en keek op haar neer. Ik ging achter Betsy staan, Baby Celeste nog naast me, maar nu met haar armpjes om mijn been geslagen alsof ze een aardbeving verwachtte. De koffers waren niet zwaar, dus bleef ik ze vasthouden. Lange tijd staarde mama haar alleen maar aan. Toen kwam ze langzaam naar beneden en sprak bij elke stap die ze deed.

'Waarom hebben we niets van je gehoord? Waar was je?'

'Weg,' zei Betsy, haar stem verheffend boven het gehuil van de baby uit. Ze wipte hem te hard op en neer, dacht ik.

'Waarom heb je je vader nooit gebeld of geschreven?'

'Ik had geen postzegels en geen kleingeld meer. Waar is hij? Is hij op zijn werk?'

'Nee, hij is niet op zijn werk,' zei mama, die de onderste tree had bereikt. 'Hij zal nooit meer werken.'

'Panther, wil je even geduld hebben?' zei ze tegen de baby en nam hem in de holte van haar arm. Zodra Panther mama zag, hield hij op met huilen.

'Hij moet eten en ik geef geen borstvoeding. Dat is slecht voor je figuur,' zei Betsy tegen mama. Toen keek ze achterom naar mij. 'Ik wed dat Noble borstvoeding heeft gehad. Misschien krijgt hij die nog steeds,' voegde ze er met een sarcastisch lachje aan toe.

'Ik zie dat je ervaringen je niet veel wijzer en verantwoordelijker hebben gemaakt,' zei mama.

'Precies. Dus waar is mijn vader?'

'Je vader is maanden geleden heengegaan.' Mama's woorden wogen zwaar, zelfs op mij. Soms is de dood zo moeilijk te accepteren, dacht ik, dat hij aanvoelt als een illusie. Ik kon de dagen, het aantal keren op een dag niet tellen dat ik verwachtte Dave te zien verschijnen, en te denken dat alles wat er gebeurd was niet meer dan een boze droom was.

'Hè? Wat bedoel je? Heengegaan? *Waar*heen?' Betsy keek naar mij en toen weer naar mama.

'Je vader is gestorven, Betsy. Hartstilstand. Het hoort niet zo'n schok voor je te zijn, gezien het feit dat je hem alleen maar narigheid hebt bezorgd, en pijn en verdriet.'

Betsy schudde haar hoofd, eerst langzaam, en toen zo krachtig, dat ik de pijn in mijn eigen nek kon voelen.

'Je liegt. Je probeert me alleen maar een rotgevoel te geven. Waar is hij?'

Betsy draaide zich naar me om en ik wendde snel mijn ogen af om haar blik te vermijden.

'We zullen met je naar het kerkhof gaan, als je wilt,' zei mama droogjes.

Betsy deed een stap achteruit en bleef haar hoofd schudden.

'Nee, je liegt!' Ze keek naar mij. 'Ze liegt, hè? Ze probeert alleen maar wraak te nemen omdat ik niet gebeld heb.'

'Ik zie dat je de baby ter wereld hebt gebracht,' ging mama verder. 'Nu je een kind hebt, zou ik er maar eens over denken je levenswijze te veranderen.'

'Hij kan niet dood zijn, dat kan niet!' zei Betsy stampvoetend. 'Hou op dat te zeggen.'

'Het niet zeggen maakt het niet minder waar. Je kunt niet je hoofd in het zand steken. Ik weet zeker dat de dood van je vader niet zijn bewuste eigen keus was, maar het is gebeurd. Noble en ik en Baby Celeste zijn zelf nog steeds niet over de schok heen,' zei mama, nog altijd op kalme, afgemeten toon. 'Hij was een zachtmoedig, liefdevol mens. Hij had een lang en gelukkig leven moeten hebben, maar hij had te veel en te ernstige problemen.'

'Nee,' zei Betsy, hardop fluisterend, met wijdopen, angstige ogen.

'En nu,' ging mama verder, 'als je ook maar een greintje fatsoen, een tikje gevoel voor goed en kwaad hebt, iets voelt van spijt en berouw, zul je proberen een volwassen mens te zijn met verantwoordelijkheidsgevoel. Heb je flessen babyvoeding voor het kind?'

Betsy bleef haar hoofd schudden, en stopte toen plotseling, alsof de woorden eindelijk tot haar doordrongen.

'Je kunt mij niet de schuld geven. Als hij ziek was, dan is hij dat pas geworden toen hij hier bij jou kwam wonen en jij een vloek over hem uitsprak. Het was jouw schuld, jouw schuld!'

'Integendeel, mag ik wel zeggen. Hij had de gelukkigste en beste tijd van zijn leven hier. Zolang jij hem niet het bloed onder zijn nagels vandaan haalde. Als je voeding en luiers hebt voor de baby, zal ik voor hem zorgen terwijl jij in je kamer gaat rusten. Later zullen we bespreken hoe de dingen in zijn werk zullen gaan.'

'Nee,' zei Betsy, achteruitlopend tot ze met haar rug tegen de deur stond. Ze draaide zich half om en legde haar hand op de deurknop, gereed om het huis uit te vluchten.

'Je kunt weggaan als je wilt, maar verwacht geen hulp van ons. Je vader heeft duidelijke instructies achtergelaten in zijn testament. Ik beheer je nalatenschap, die pas volledig aan je wordt uitgekeerd als je vijfentwintig bent. Tot die tijd geef ik je geld als je dat nodig hebt en je je behoorlijk gedraagt. Het is duidelijk dat de behoeften van je baby onder een andere noemer vallen. Jij en dit kind hebben hier een thuis zolang je je verantwoordelijkheden nakomt en je geen moeilijkheden maakt en de dagelijkse gang van zaken niet verstoort. Ik herhaal, heb je flessenvoeding voor de baby? Zo niet, dan maak ik wel wat klaar.'

'*Nee!* Ik wil niet dat je hem iets van die troep van je geeft,' riep Betsy uit. Ze haalde haar hand van de deurknop en omhelsde de baby.

Mama keek haar woedend aan. Toen draaide ze zich naar mij om.

'Noble, wil je zo vriendelijk zijn Betsy's koffers naar haar kamer te brengen? Je kamer,' ging ze verder tegen Betsy, 'ziet er een stuk beter uit dan toen je wegging. Ik verwacht dat je hem zo houdt. Laat je kleren niet rondslingeren. Maak er geen stofnest van. Zorg dat je geen eten in je kamer hebt en was je linnengoed en je lakens minstens eens per week. Je dekt elke avond de tafel en ruimt hem af en doet de afwas. Als je één bord breekt, of als er zelfs maar een schilfer van een bord af is, verreken ik tienmaal de kosten ervan met je trustfonds.

'Ik wil dat de keukenvloer elke dag gedweild wordt en de meubels in de zitkamer tweemaal per week worden afgestoft en gewreven. En wij allemaal, waarmee ik voornamelijk jou en Noble bedoel,' voegde mama er glimlachend aan toe, 'moeten elk weekend de ramen lappen.'

Betsy staarde haar aan. Haar mond bewoog, maar er kwam geen geluid uit.

'Verder,' vervolgde mama, 'zijn we hier niet om voor jou als babysitter te fungeren als jij wilt gaan stappen en zuipen. Als ik maar iets merk van alcohol of drugs, krijg je een boete van duizend dollar per incident, die ik zal aftrekken van je trustfonds. En ik wil absoluut geen roddels of klachten over je horen zolang je onder dit dak woont.

'Je nodigt hier niemand uit, ik wil zelfs niet dat iemand over ons terrein rijdt. Heb je me begrepen?'

Betsy reageerde niet. Ze staarde mama slechts aan.

Mama knikte, alsof ze wél antwoord had gegeven. 'Nu wil ik je nogmaals voorstellen mij de baby te geven en te gaan rusten, je te wassen, iets fatsoenlijks aan te trekken en niet zoiets belachelijks als je nu aan hebt, en dan, als je dat wilt, zullen we naar het graf van je vader gaan, zodat je hem de laatste eer kunt bewijzen. Als je dat niet wilt, dek je de tafel voor het eten vanavond. Heeft dat kind een naam of had je niet genoeg intelligentie er een te bedenken?' vroeg mama, met een knikje naar het wriemelende kind.

Betsy keek nóg verblufter, en minder uitdagend. Ze keek even naar mij, sloeg toen haar ogen neer, overwegend, vermoedde ik, of ze zich zou omdraaien en weglopen of mama gehoorzamen. De wanhoop die ze voelde, het gebrek aan een echte keus, haar hulpeloosheid, ontnamen haar het laatste restje verzet. Wanhopig en verslagen liet ze haar schouders zakken, en ze boog haar hoofd.

'Er zit flessenvoeding in de koffer die Noble in zijn rechterhand heeft. Daar zitten alle babyspullen in.'

'Goed. En hoe zei je dat de naam van de baby is?'

'Panther,' mompelde Betsy.

'Pardon?'

'Panther, Panther!' schreeuwde Betsy.

Mama schudde haar hoofd. 'Nou ja, ik neem aan dat de pijn van de bevalling je het recht geeft het arme kind een naam te geven, ook al is het een belachelijke naam.' Ze liep met uitgestrekte armen naar voren en wachtte tot Betsy haar de baby zou overhandigen.

Betsy aarzelde, gooide hem toen bijna in mama's armen voordat ze de trap op rende, luid snikkend en huilend. Mama keek haar na en draaide zich toen om naar mij.

'Breng de andere koffer naar haar kamer, Noble, maar zet eerst de koffer van de baby op de tafel in de keuken.'

Ik knikte en deed wat me gevraagd werd. Toen ging ik naar boven en klopte op de deur van Betsy's kamer. Ze reageerde niet. Ik kon haar horen huilen, dus deed ik de deur open en zette haar koffer bij de deur van haar kast neer. Ze lag op haar buik op het bed, met haar gezicht verborgen in het kussen.

'Hier is je koffer.' Ik draaide me om en wilde weggaan.

'Wacht,' zei ze en haalde diep adem. 'Hoe is mijn vader gestorven?'

'Hij werd erg ziek. We dachten eerst dat hij griep had. Mama heeft haar uiterste best gedaan met haar medicaties.'

'Dat geloof ik graag, ja.'

'Je vader wilde het. Hij slikte ook wat medicijnen van de apotheek, maar niets hielp en hij stierf.' Ik zei niet dat zijn dood veroorzaakt was door het combineren van de verschillende geneeswijzen. Laat ze dat maar van een ander horen, dacht ik.

'Waarom vermeldde hij al die waanzin in zijn testament? Waarom heeft hij me dat aangedaan? Heeft zij hem ertoe gedwongen?'

'Nee. Het was voor ons ook een verrassing.' Voor mij in ieder geval wel.

'Ik wil niet leven zoals zij dat wil. Ik wil het niet. Ik weiger haar slavin te zijn.'

'Voorlopig zou het beter zijn als je deed wat ze vraagt. Zo verschrikkelijk is het niet.'

'Net iets voor jou om zoiets stoms te zeggen.' Ze veegde de tranen van haar wangen en ging rechtop zitten. Ze haalde diep adem. 'Ik blijf hier niet lang. Het kan me niks schelen. Ik vind er wel wat op.'

'Wat is er met je auto gebeurd?'

'Verkocht. Ik had geen geld meer.'

'O. Weet je wie de vader van je kind is?' Ik bedoelde het echt als een manier voor haar om wat extra hulp te krijgen.

'O, ik weet wat je daarmee wilt zeggen. Je denkt zeker dat ik maar met iedereen naar bed ga?'

'Nee. Ik bedoelde dat hij, wie hij ook is, een deel van de verantwoordelijkheid hoort te dragen.'

Ze keek peinzend. 'Hm, ik weet het niet zeker. Ik geloof dat hij Bobby Knee heette of zo. Een jongen die ik heb ontmoet op een feest; het kan daarna gebeurd zijn. Bobby Knee was op doorreis. Ik kan me niet eens herinneren wiens vriend hij was.'

'Maar ik dacht dat je toen met Roy ging of...'

'Wat ben je toch naïef. Ik zei niet dat ik een vast vriendje had.

Ik zal nooit iemands bezit zijn. Vooral niet van die griezel van een moeder van je.'

'Je mag van geluk spreken dat ze je nu helpt,' zei ik kwaad. Ik liep naar de deur.

'Ik durf te wedden dat ze mijn vader op de een of andere manier vermoord heeft. Ik durf erom te wedden!' schreeuwde ze me na en begon toen weer te huilen.

Ik deed de deur zachtjes achter me dicht. Mijn hart bonsde. Al was ze nog zo onhebbelijk en gedroeg ze zich nog zo slecht, toch had ik wel een beetje medelijden met haar. En wat voor toekomst zou dat kind hebben dat ze Panther noemde?

Beneden vond ik mama en Baby Celeste in de zitkamer. Mama gaf Panther de fles en Baby Celeste zat naast haar, gefascineerd door het zuigen van de baby.

'Ik heb haar koffer boven gebracht, mama.'

Ze keken allebei naar me op en glimlachten.

'Het verbaast me hoe gezond en lief dit kind is,' zei mama. 'Ze verdient geen baby.' Ze knikte naar het plafond en keek toen weer naar de baby. 'Ik zal hem in het oog moeten houden.' Ze sloeg langzaam haar ogen naar me op. 'We moeten er zeker van zijn dat zich niets slechts in hem heeft genesteld en hem heeft gebruikt om onze wereld binnen te dringen. Er is misschien een reden waarom dat verschrikkelijke kind op dit moment bij ons teruggekeerd is.'

Haar loodzware dreiging en waarschuwing omgaven mijn hart als een troebele, kleverige mist. Ik keek naar het nietsvermoedende kind op haar schoot.

'Mama, hij is toch zeker veel te klein, te nieuw.'

Ze lachte me uit en keek naar Baby Celeste, die me ook leek uit te lachen.

'Het is juist als we zo hulpeloos zijn als hij, dat het kwaad ons in zijn macht krijgt. Ik zal doen wat gedaan moet worden om me ervan te overtuigen dat het niet gebeurd is en dat het ook niet zal gebeuren, maar zoals altijd, Noble, zul je me moeten helpen, mij en Baby Celeste. Het zou vreselijk zijn als we haar aan iets slechts blootstelden, als we onachtzaam waren, toch? Nou?'

'Ja, mama.'

'Maak je werk in de tuin af. We hebben heel wat te doen.'

Ze richtte haar aandacht weer op de baby. Ik sloeg haar een ogenblik gade en ging toen naar buiten.

Op het moment dat ik naar de tuin wilde lopen, hoorde ik Betsy's gefrustreerde geschreeuw door het open raam in haar kamer. Haar stem klonk schril en wanhopig, maar werd meegevoerd door de wind en stierf weg in het bos waar niemand haar kon helpen.

Even had ik zelf willen schreeuwen, als een soort estafetteloper haar gil overnemen en verder dragen, maar sloot die weg in mijn eigen bezwaarde hart. Ik werd heen en weer geslingerd tussen de wens om Betsy te steunen en de wens trouw te zijn aan mama. Niet denken, hield ik me voor, niet denken.

Werken.

Waarschijnlijk had Betsy daar ten slotte ook maar toe besloten. Later, toen ze uit de slaapkamer kwam en de trap afliep, had ze een van de schone, conservatieve jurken aan die in haar kast hadden gehangen. Ze had een bad genomen en haar haar naar achteren geborsteld en vastgestoken. Ze had zich niet opgemaakt. Bleek en met droge ogen keek ze naar haar slapende baby. Mama had hem tussen twee grote kussens op de bank gelegd, en hij zag er tevreden uit. Daarna ging Betsy naar de keuken en begon couverts en bestek, schalen en glazen voor het avondeten op tafel te zetten. Ze werkte rustig, zorgvuldig, gehoorzaam. Mij leek het of ze zich in trance bewoog, als een slaapwandelaarster, maar mama was tevreden.

'We zullen het doen met wat we hebben,' verklaarde ze toen we aan tafel zaten. 'We zullen elkaar steunen en ervoor zorgen dat je vader alsnog trots op je kan zijn,' zei ze tegen Betsy, die op een correcte manier zat te eten.

'Hoe kan hij trots zijn als hij dood is?' vroeg ze.

Mama glimlachte naar haar, glimlachte naar mij, glimlachte naar Baby Celeste. 'De beminde overledenen zien ons. Degenen die ons dierbaar zijn blijven altijd bij ons. De dood laat ons sterven op het moment dat ons hart stilstaat. Hij houdt ons slechts een ogenblik in zijn greep.'

Betsy meesmuilde. Het was gemakkelijk te zien wat ze dacht, maar ze was zo verstandig haar mond te houden. Het enige wat ze deed was even naar mij kijken in de hoop enig medeleven en instemming te vinden. Bang dat ze iets van dien aard zou zien, wendde ik haastig mijn blik af. Ons eerste diner met Betsy zonder Dave ging zonder verdere opmerkingen of vragen voorbij. Tegen het eind van de maaltijd hoorden we Panther huilen, en mama zei tegen Betsy dat ze naar hem toe moest gaan.

'Ik denk dat hij een schone luier moet hebben.'

'Dat weet ik ook wel,' zei Betsy hatelijk.

'Dan weet je wat je te doen staat,' antwoordde mama. 'Als je klaar bent, kun je de tafel afruimen.'

'En de baby dan?'

'Ik zorg wel voor hem,' zei mama. 'Noble, ga naar de torenkamer en haal de wieg van Baby Celeste. Zet die in Betsy's kamer. Ik zal het beddengoed straks brengen en zijn bedje opmaken.'

'Ja, mama,' zei ik.

Betsy schudde haar hoofd naar me en ging Panthers luier verschonen.

'Je boft,' zei mama later tegen haar, 'dat we alles in huis hebben wat de baby nodig heeft.'

'Ja, ik ben de gelukkigste vrouw ter wereld,' zei Betsy sarcastisch.

Mama glimlachte. 'Je weet niet hoe waar dat is.'

De eerste nacht na Betsy's terugkomst was moeilijk voor ons allemaal, al weigerde mama dat toe te geven. We lagen nog niet in bed of Panther begon te huilen. Hij bleef maar krijsen. Ik lag te wachten tot mama naar hem toe zou gaan, maar ze hield de deur van haar kamer gesloten. Ten slotte stond ik op en liep naar Betsy's kamer, waar ik voor de deur bleef staan.

'Is er iets met hem?' Ik wachtte, maar het enige wat ik hoorde was het gehuil van de baby. Een tijdlang kon ik niet besluiten of ik terug zou gaan naar mijn eigen kamer of haar deur opendoen. Het gehuil van de baby verminderde niet. Maar mama stond nog steeds niet op om te zien wat er aan de hand was. Ik hoorde Betsy kreunen, dus deed ik langzaam haar deur open en tuurde naar binnen.

Mama had voor beide ramen brandende kaarsen geplaatst. De gloed viel op het bed, waar ik Betsy zag liggen met haar handen voor haar oren. Langzaam liep ik de kamer in.

'Betsy?'

Het leek wel of Panther pijn had. Ik kwam dichterbij en ten slotte keek Betsy me aan en haalde haar handen van haar oren.

'Wat mankeert hem?'

'Wat hem mankeert? Kijk eens naar die stomme wieg die je moeder heeft neergezet.'

Eerst zag ik niets, maar toen ik ernaast stond zag ik de groengele laag over de randen en rook ik het mengsel van kruiden, de knoflook en seringen. Elke geur op zichzelf was best uit te houden, maar mama's combinatie ervan was zo scherp en doordringend, dat ik zelf bijna stikte. Mama had zelf haar kruiden gecombineerd en toen blijkbaar de wieg daarmee behangen. Ik wist dat ze geloofde dat bepaalde kruiden een beschermende kracht hadden en gebruikt konden worden om het kwaad uit te bannen.

'Hij kan de stank niet verdragen en ik ook niet!' schreeuwde Betsy. 'Wat heeft ze in godsnaam allemaal in die wieg gehangen?'

Ik wist het niet precies, maar behalve de knoflook, deden de stank en een paar recepten die ik me herinnerde, me denken aan wat wintergroen, vlasleeuwenbek, leeuwenbek en tamarisk. Mama maakte haar eigen samenstellingen, vulde aan en verbeterde wat haar was doorgegeven, zodat het onmogelijk was alles te definiëren.

Maar het was niet moeilijk te zien dat de baby zich diep ongelukkig voelde. Hij lag te kronkelen om te ontsnappen aan de geuren die als een deken over hem heen hingen. Ik keek achterom door de open deur. Mama was nog steeds niet opgestaan en uit haar kamer gekomen. Ik kon het niet langer aanzien. Het gezichtje van de baby was vertrokken. Ik pakte hem uit de wieg en bracht hem naar Betsy.

'Hij wordt wel stil als hij bij jou slaapt,' zei ik.

Toen duwde ik de wieg verder weg van het bed, dichter naar de ramen. Een van de kaarsen begon te flakkeren als in protest, en ging uit. Al die tijd bonsde mijn hart en klopte wild, uit angst te worden ontdekt. Maar vrijwel onmiddellijk hield Panther op met huilen. Zijn luide gesnik verzwakte tot een zacht gekerm, en na een paar ogenblikken viel hij, waarschijnlijk van uitputting, in slaap.

'Dank je,' zei Betsy.

Ik zei niets. Ik knikte slechts, sloop stilletjes haar kamer uit en deed de deur voorzichtig achter me dicht. Toen bleef ik even staan om zeker te weten dat mama me niet had gezien, waarna ik haastig terugging naar mijn eigen kamer.

's Morgens aan het ontbijt barstte Betsy uit in een stroom van klachten over alles wat mama had gedaan. Mama legde haar niet het zwijgen op. Natuurlijk was ik doodsbang dat Betsy zou verraden wat ik had gedaan, maar dat deed ze niet, óf omdat ze me niet de eer gunde dat ik haar had geholpen, óf omdat ze wist dat ik dan in de problemen zou komen. Mama leek niet te luisteren. Ze at kalm verder en richtte al haar aandacht op Baby Celeste.

Maar toen Betsy eindelijk haar mond hield, knikte mama, glimlachte en zei: 'Als je de tafel hebt afgeruimd, kun je naar boven gaan en de wieg schoonmaken. Dat was maar goed voor één nacht.'

'Waar was dat goed voor? Wat was dat voor stank?' gilde Betsy.

'Dat hoef je niet te weten. Ik betwijfel trouwens of je het zou weten te waarderen. Ik ga vandaag naar het dorp. Wil je het graf van je vader bezoeken? Ik ga niet vaak die richting uit, dus kun je maar beter gebruikmaken van de gelegenheid.'

'Nee,' zei Betsy. 'Waarvoor zou ik? Hij kan me niet horen, en als hij dat zou kunnen, zou het hem alleen maar verdriet doen wat ik hem te zeggen heb.'

'O, hij kan je horen. En ik weet zeker dat hij al verdriet heeft. Ik zal een en ander meebrengen voor de baby.'

'Hij heet Panther, Panther. Noem hem bij zijn naam.'

'Panther,' zei mama glimlachend. 'Weet je, ik begin van die naam te houden.'

Ze had niet iets irritanters tegen Betsy kunnen zeggen. Het was gewoon te veel voor Betsy om te accepteren dat ze iets had gedaan wat mama beviel, en mama scheen dat te weten. Betsy was niet tegen haar opgewassen, dacht ik. Ze was al verslagen, maar ze wist het domweg niet of wist niet hoe definitief. Het zou niet lang duren voor ze dat besefte en dan... wat dan?

Zou ze een van ons worden of zou ze wegkwijnen en sterven als haar vader?

We bevonden ons allemaal in een of andere tuin, dacht ik. Sommige waren onze eigen keus, naar andere waren we overgeplaatst. Uiteindelijk was het allemaal hetzelfde, stof teruggekeerd tot stof.

Betsy keek naar mij. Haar ogen waren niet langer vol woede, maar, misschien dankzij mijn handelwijze van die nacht, smekend. Ik wist dat ze om hulp riep, maar mama's ogen waren ook op me gericht.

Ik ging terug naar mijn werk, en later bracht mama Baby Celeste bij me.

'Ik ga nu weg. Waag het niet Betsy iets van het werk uit handen te nemen dat ik haar heb opgedragen. Ze doet wat ze moet doen, anders...'

'Ja, mama.'

'Je bent een goeie jongen, Noble, en jouw goedheid zal zo'n contrast vormen met haar luiheid en spilzucht, dat ze niet anders kan doen dan zich verbeteren. Denk daaraan.'

'Ik zal het doen.'

'Goed. Ik ben over hoogstens een paar uur terug. Waak over onze dierbare Baby Celeste.'

Dat doe ik altijd, wilde ik zeggen, maar ik knikte slechts. Kort nadat mama vertrokken was, zag ik Betsy uit huis komen met een vuilniszak. Ze gooide hem in de container en keek naar mij. Ik concentreerde me op mijn werk, maar ik voelde haar ogen op me gericht.

'Betsy,' zei Baby Celeste. Ik draaide me om en zag dat ze naar ons toekwam.

'Waarom heb je me vannacht geholpen?' vroeg ze – of eiste ze feitelijk.

'Ik zag dat de baby zich ongelukkig voelde. Dat is alles.'

'O, natuurlijk. Heb je nog iemand ontmoet sinds mijn vertrek, toen je je rijbewijs had en zo?'

Ik schudde mijn hoofd.

'Je moet mensen leren kennen. Daarbij kan ik je helpen, als jij mij helpt,' zei ze op een toon alsof ze wilde onderhandelen.

'Ik hoef niemand te leren kennen.'

'Wat mankeert jou toch?' gilde ze. Ze stampvoette. 'Waarom staart dat kind me zo aan?'

Ik wierp een blik op Baby Celeste, die als gehypnotiseerd naar Betsy keek.

'Ik denk dat je haar amuseert.'

'O. Ik amuseer haar. En jou niet? Zelfs niet een heel klein beetje?' vroeg ze met een mengeling van hoop en koketterie.

Ik ging door met werken.

Ze stak haar hand uit en pakte mijn arm om me rond te draaien.

'Nou?'

'Wat wil je dat ik zeg?'

Ze lachte. 'Als ik iets goeds bedenk, zal ik het je laten weten, en dan mag je het zeggen. Voorlopig nogmaals bedankt dat je me hebt geholpen.' Ze boog zich voorover en kuste me op mijn wang, vlak bij mijn mond, streek toen opzettelijk met haar borsten over mijn arm. 'Hm,' zei ze met gesloten ogen, 'het is alweer te lang geleden.'

Ik had het gevoel dat de wereld stilstond, alles – de wind, de vogels, alle harten in elk levend ding, stonden op pauze.

'Ik ben zo geil,' fluisterde ze. 'Ik zou zelfs willen overwegen je instructies te geven. We kunnen elkaar echt helpen, Nobleman.'

Ik kon niets zeggen, geen kik geven. Mijn keel zat dicht.

Ze lachte, draaide zich om en liep weg. Toen bleef ze staan en keek flirtend naar me achterom. Ik had me niet bewogen sinds haar kus. Haar lach zweefde om me heen. Wat me de meeste angst aanjoeg was dat ze mijn eigen seksualiteit had opgewekt. Die seksuele gevoelens roerden zich in me, deden mijn borsten tintelen, verwarmden de binnenkant van mijn dijen en verzwakten me. Ik beefde en sloot mijn ogen.

Toen ik ze weer opendeed, keek ik omlaag en zag dat Baby Celeste me aanstaarde.

Ze keek kwaad.

Ze leek op mama.

En voor het eerst vroeg ik me af of ze wel echt mijn kind was of dat ze op de een of andere manier van mama was?

17. Niet langer ingesnoerd

Niets wat Betsy deed was in mama's ogen goed genoeg. Ze liep achter haar aan, vond stof waar Betsy net had gestoft of vond dingen die ze had moeten opbergen. De afgewassen borden waren niet schoon genoeg en ze dekte de tafel te slordig. In de volgende week kwam mama soms onverwacht Betsy's kamer binnen en vond kleren die niet waren opgehangen of in laden geborgen, stof op haar meubels, het bed slecht opgemaakt en de babyspullen niet keurig genoeg weggelegd. Toen ze wat restjes make-up vond op de toilettafel, nam ze al Betsy's cosmetica in beslag en zei dat zij ze terug zou geven als Betsy geleerd had goed voor haar spullen te zorgen en niet zo'n rommel te maken.

Aan het eind van de week liet mama haar het oude zilver poetsen. Altijd als ze haar iets nieuws liet doen, stelde ze haar een beloning in het vooruitzicht, maar die beloning bungelde aan het eind van een heel lange stok, te lang voor Betsy om erbij te kunnen.

'Harder wrijven,' zei mama. 'Je moet je spiegelbeeld in de lepel kunnen zien.'

'Dat zilver is zo oud, dat het nooit meer glimmend te krijgen is,' kermde Betsy. Toen draaide ze zich om en vroeg om geld en de autosleutels, zodat ze naar het dorp kon om maandverband of Tampax te kopen en een paar andere hygiënische spullen. In plaats daarvan gaf mama haar wat van haarzelf uit haar eigen badkamerkast, waar ik elke maand naartoe ging om te halen wat ik nodig had. Het was iets waarover nooit gesproken werd, dat nooit erkend werd of zelfs maar echt opgemerkt. Gefrustreerd zei Betsy dat ze wel naar het dorp zou lopen en later verdergaan met het zilver poetsen.

'En wie moet dan op je baby passen terwijl jij weg bent?' vroeg mama.

'Ik neem hem mee,' beweerde Betsy. 'Ik moet even weg uit deze... deze hel.'

Mama keek haar woedend aan. 'Als je zonder mijn toestemming ook maar een voet op die snelweg zet, zal ik dat beschouwen als insubordinatie en je een boete opleggen van duizend dollar voor elke stap die je doet.'

'Dat kun je niet maken.'

Mama glimlachte, draaide zich om en trok een keukenla open onder het aanrecht en haalde er een kaart uit.

'De advocaat van je vader en van ons, meneer Derward Lee Nokleby-Cook, is op dit telefoonnummer te bereiken. Wil je hem bellen en hem vragen wat ik wel en niet kan doen? Hij zal het je graag duidelijk uitleggen.'

Betsy staarde naar de kaart en wendde zich toen af zonder hem aan te pakken. Na een ogenblik draaide ze zich weer om.

'Hoeveel is mijn trust? Dat weet ik niet eens.'

Mama legde de kaart weer in de la.

'Je vader had twee levensverzekeringen. Hij heeft tweehonderdvijftigduizend dollar aan jou nagelaten. Het totale bedrag zal aan je worden uitgekeerd zodra je vijfentwintig bent, zoals ik je al heb verteld.'

Betsy trok haar wenkbrauwen op. 'Tweehonderdvijftigduizend?'

'En met de rente zal het nog meer zijn.'

'Waarom kan ik daar nu niet vast wat van krijgen?' jammerde Betsy.

'Ik heb je gezegd dat als je je gedrag verbetert en verantwoordelijkheidsgevoel toont, ik je het geld zal geven dat je nodig hebt of wilt gebruiken voor nuttige dingen. Je vader had natuurlijk geen idee van het bestaan van Panther, omdat je nooit de moeite hebt genomen om te bellen of te schrijven over zijn geboorte. Daarom heeft hij hem dus niet opgenomen in zijn testament, maar een deel van je trust zal worden gebruikt voor de behoeften van de baby. Als hij opgroeit, zal hij natuurlijk steeds meer nodig hebben.'

'Ik dien te beslissen wat hij wel en niet nodig heeft. Ik ben zijn moeder.'

Mama knikte. 'Ja, en dat zul je ook doen als je toont dat je in staat bent verstandige, volwassen beslissingen te nemen.'

'Daar bén ik toe in staat!'

'Daar heb ik niets van gemerkt. Ik zie nog steeds een overspannen, egoïstisch jong meisje. Maar,' ging mama glimlachend verder, 'ik denk dat je je mettertijd zult verbeteren als je je taken op verantwoordelijke wijze uitvoert.

'Je vader heeft me een heel ernstige en zware taak opgedragen toen hij me tot enige gevolmachtigde benoemde van je erfenis, en hij heeft me duidelijk de opdracht gegeven je te helpen volwassenheid en rijpheid te bereiken. En,' voegde mama er vastberaden aan toe, 'ik neem mijn verplichtingen heel, heel serieus.

'En nu is het tijd om Panther te eten te geven, en doe het niet overhaast en laat hem niet kokhalzen, zoals je meestal doet. Je gaat vandaag nergens naartoe. Als je klaar bent met zilver poetsen, moeten we de tapijten luchten, de meubels in de zitkamer wrijven en de hele benedenverdieping stofzuigen.'

Betsy zei niets. Er lagen zoveel haat en woede in haar ogen, dat ze rood zagen.

'Ik ga iemand bellen,' zei ze abrupt en liep naar de telefoon in de gang.

Mama schudde haar hoofd en keek naar mij.

Een paar seconden later holde Betsy de keuken weer in. 'Wat is er met de telefoon gebeurd?' informeerde ze kwaad.

'Het gebruik van de telefoon is een privilege in dit huis. *Ik* beslis wanneer hij wel en niet kan worden gebruikt. Ik heb je gezegd, dat je, als je onze advocaat wilt bellen, dat kunt doen.'

'Die advocaat interesseert me geen moer. Ik wil iemand anders bellen. Je kunt me niet voorschrijven wanneer ik wel en niet kan bellen. Dat deed zelfs mijn vader niet. Waar is het toestel?'

Mama draaide zich om en pakte een mengkom uit de kast. 'Ik heb werk te doen,' mompelde ze.

'En als iemand mij wil bellen?'

'Dan zal ik het je laten weten.'

Betsy keek gefrustreerd en verslagen naar mij.

'Ik heb je gezegd dat je voor je kind moet zorgen,' zei mama, terwijl ze een pot salie openmaakte.

Betsy bleef een ogenblik briesend staan, maakte toen een piepend geluid als van een muis en stormde de keuken uit.

'Waar is de telefoon, mama?' vroeg ik.

'De telefoon beneden staat in de gangkast, die op slot is, en de telefoon heeft ook een slot.' Ze glimlachte naar me. 'Maak je over dit alles geen zorgen, Noble. Wat Betsy betreft, moeten we jaren van verwaarlozing en verwennerij overwinnen.

'Maar,' ging ze verder, terwijl ze liefkozend over mijn wang streek, 'we hebben zoveel hulp om ons heen. Het is slechts een kwestie van tijd. Ga alsjeblieft even kijken of Baby Celeste al wakker is.' Mama gaf me een zoen op mijn wang. Het was heel lang geleden sinds ze dat had gedaan. Mijn hart sprong op van vreugde en hoop.

Mama heeft groot gelijk, dacht ik. Groot gelijk. Per slot was Betsy zo verwend als maar mogelijk was.

Betsy hoorde me de trap oplopen. Ze verscheen in de deuropening met Panther in haar armen. Hij leek wakker, maar nog suf.

'Ik weet waar ze mee bezig is,' zei Betsy. 'Ze steelt mijn geld. Ik ga hulp halen en dan krijgt ze grote moeilijkheden. Je zult het zien.'

'Dat is niet waar. Juridisch is alles in orde.'

'Dat geloof ik onmiddellijk! Mijn hemel!' riep ze uit. 'Wil je werkelijk je hele leven zo doorbrengen? Altijd maar werken zonder ooit plezier te hebben?'

'Ik ben niet ongelukkig,' zei ik, en ging naar Baby Celeste. Ze was wakker, dus bracht ik haar beneden en ging met haar naar buiten. Betsy was de oprijlaan afgelopen. Ze stond bij de grote weg en staarde ernaar alsof ze door een afscheiding van prikkeldraad keek. Ik kon het tweegesprek in haar hoofd bijna horen. Weglopen. Blijven. Waar moest ze naartoe? En als ze terug moest? Als mama werkelijk juridisch goed handelde, en Betsy raakte tweehonderd-vijftigduizend dollar kwijt?

Toen ze terugkwam, had ze natuurlijk gehoopt hulp te krijgen van haar vader, nu ze een baby had. Zonder geld en met de zorg voor Panther zou ze niet kunnen doen wat ze vroeger deed om zich er doorheen te slaan. Hoeveel mannen zouden bereid zijn een baby op de koop toe te nemen? Haar voeten waren niet geketend, maar in haar denkwijze was er niet veel verschil.

Ze draaide zich om en maakte rechtsomkeert met gebogen hoofd en rug. Ik pakte de hand van Baby Celeste en liep haastig weg, voordat ze ons zag. Ondanks alles kon ik de wanhoop in haar ogen niet aanzien. Ze leek een wild dier dat in de val was gelopen en gevangen werd gehouden, gekweld door herinneringen aan de wereld die ze had gekend en waarvan ze had gehouden. Die wereld was vlakbij, maar ver genoeg buiten haar bereik om een marteling te zijn.

Toen we later op de dag naar huis gingen, zag ik dat ze in de zitkamer bezig was met het wrijven van meubels. Panther lag boven te slapen in zijn wieg. Betsy keek ons niet aan. Ze werkte harder, vastbesloten, dacht ik, om te doen wat mama wilde en de beloning te krijgen die mama beloofd had. Zonder klagen deed ze het ene karwei na het andere. Mama volgde en controleerde haar. Ze trok haar wenkbrauwen naar me op om blijk te geven van haar goedkeuring en haar voldoening.

'Je hebt goed gewerkt vandaag, Betsy,' zei mama aan tafel. 'Je bent in staat om jezelf te veranderen.'

'Krijg ik nu wat geld?' vroeg Betsy onmiddellijk.

'Gauw.'

'Hoe gauw?'

'Heel gauw,' zei mama glimlachend. 'Laten we eerst even afwachten of deze verbetering aanhoudt.'

Betsy's driftbui was als een razend dier dat diep binnen in haar geketend was. Ze zei geen onvertogen woord, al hadden haar ogen kunnen dienen als lanceerplatforms voor kernraketten. Ze slikte een paar keer moeilijk en at door. Later ruimde ze de tafel af, deed de afwas en ging verder met zilver poetsen. Ook zonder dat mama gezegd had dat ze het moest doen, boende ze de keukenvloer en zette de vuilniszak buiten.

Later zat ze rustig in de zitkamer met Panther in haar armen, tot het zijn bedtijd was. Ze bracht hem boven en kwam terug omdat ze zag dat mama me de televisie had laten aanzetten. Betsy was onthutst dat we maar een paar zenders hadden, maar alles was beter dan niets.

'Jullie hebben allebei een goede nachtrust nodig,' verklaarde mama na een uur of zo. 'Vergeet niet dat we morgen de ramen moeten doen, en je zou de vloer van de veranda opnieuw vernissen, Noble.'

Ik stond op en zette de televisie uit. Betsy bleef naar het donkere scherm staren alsof ze nog steeds het programma zag waarnaar we hadden gekeken.

'Welterusten, Betsy,' zei mama nadrukkelijk.

Betsy draaide zich met een ruk naar haar om. 'Mag ik morgen als we de ramen gelapt hebben, de telefoon gebruiken?'

'We zullen zien,' zei mama en liep naar de trap.

Betsy keek naar mij. 'Als ze mij niet laat gaan, zou jij dan in het dorp willen informeren naar een jongen die ik daar gekend heb, als je daar boodschappen gaat doen? Hij heet Greg Richards.'

'Ik ga morgen geen boodschappen doen.'

'Maar áls je gaat?' vroeg ze smekend.

Ik luisterde naar mama's voetstappen op de trap en zei toen: 'We zullen zien.'

Ik wist dat mijn stem precies zoals die van mama moest hebben geklonken.

Betsy kreeg een kleur. 'Alsjeblieft,' smeekte ze.

'We zullen zien,' herhaalde ik en volgde mama snel de trap op.

Ze stond op me te wachten voor de deur van haar slaapkamer. Te oordelen naar de uitdrukking op haar gezicht, had ze Betsy's verzoek gehoord. Ze glimlachte naar me.

'Welterusten, Noble. Slaap lekker,' zei ze, en liep haar kamer in.

Ik was al uitgekleed en lag in bed toen ik Betsy de trap op hoorde komen. Sinds haar komst had ik de gewoonte aangenomen een pyjama te dragen en zelfs als ik sliep mijn borsten ingesnoerd te houden. Ik had geen slot aan de binnenkant van mijn deur. Alle deuren hadden sloten die aan de binnen- en de buitenkant op slot gedraaid konden worden, maar ik had nooit een sleutel gehad. Voordat ze zwanger was en was weggelopen, was Betsy vaak bij me komen binnenvallen. Ik was bang dat ze het weer zou doen.

Ik had net mijn ogen gesloten en was bezig in slaap te vallen, toen ik haar hoorde gillen. Eerst dacht ik dat het de inleiding was tot een droom, zo gedempt klonk het en zo snel ging het voorbij. Maar toen hoorde ik het weer en ik schoot overeind. Ze stond in de gang.

Wat nu weer? vroeg ik me af. Ik stond op, trok mijn badjas en slippers aan en deed de deur open.

Ze zat op de grond in de gang voor haar slaapkamer. Ze steunde haar hoofd in haar handen, met haar ellebogen op haar knieën. Ze was in haar beha en slipje. Mama's deur was dicht. Betsy slaakte een zachte kreet en keek hijgend naar me op.

'Wat is er?' vroeg ik.

'Al mijn kleren. Al mijn mooie spullen, mijn jeans en blouses…
ze zijn allemaal weg. Ga maar kijken wat er in plaats daarvan in
mijn kast hangt.'

Ik keek naar de deur van mama's slaapkamer, liep toen op mijn
tenen de gang door, langs haar heen, haar kamer in. Het leek ongelooflijk, maar ondanks haar uitbarsting sliep Panther rustig door.
Het licht brandde en de kastdeur stond open. Ik keek erin en zag
een paar van de jurken en rokken waarvan ik wist dat ze in de torenkamer bewaard waren. Ze waren verschoten, oude kleren met
hoge kragen, lange zomen en vale kleuren.

'Wat heeft ze met mijn kleren gedaan?' vroeg Betsy. Ze stond
met over elkaar geslagen armen in de deuropening.

Ik schudde mijn hoofd.

'Nu zie je zelf dat ze stapelgek is.'

'Je kunt het haar morgenochtend vragen.'

'Ik wil niet tot morgen wachten. Ik wil mijn kleren nu terug.' Ze
liep naar de deur van mama's kamer.

'Maak haar niet wakker. Ze zal woedend zijn als je haar wakker
maakt. En Baby Celeste wordt natuurlijk ook wakker.'

Betsy aarzelde. 'Wat denk je dat ze zal doen, me beboeten?'

'Misschien. Het gaat zo goed nu. Verknoei dat niet. Straks krijg
je meer privileges en –'

'*Meer?* Ik heb er niet één!' riep ze uit.

Ik keek weer naar de kleren die op bed lagen. Ik had eens heimelijk een paar van die kleren aangepast in de torenkamer, dacht
ik. Ik had ze opwindend en prachtig gevonden.

'Wat probeert ze met me te doen?' vroeg Betsy toen ze terugkwam in haar kamer. 'Ze heeft zelfs mijn schoenen weggenomen
en die afschuwelijke turftrappers in mijn kast gezet. Waar haalt
ze het lef vandaan? Hoe komt ze op die ideeën?' vroeg ze wanhopig.

Wat moest ik zeggen? Wat kon ik haar vertellen dat logisch zou
klinken?

'Ik weet zeker dat ze doet wat ze denkt dat goed voor je is,' antwoordde ik ten slotte.

Betsy schudde haar hoofd. 'Kan ze helemaal niets doen waarover je je kwaad maakt?'

'Als ze zoiets zou doen, meent ze het niet.'

'O, nee. Natuurlijk meent ze het niet.' Betsy veegde de tranen van haar wangen.

Panther kermde zachtjes.

'Je moet de baby niet wakker maken. Zorg dat je wat rust krijgt,' zei ik. 'We hebben een lange dag voor de boeg. Er zijn zoveel ramen in huis en ze wil ze aan de binnen- en de buitenkant gelapt hebben, en ook de kozijnen en de lijsten.'

'Ik dacht dat ik deed wat ze wilde,' zei Betsy met trillende lippen. 'Ik gaf het op. Ik besloot die stomme karweitjes van haar te doen, en ze goed te doen, maar moet je zien wat ze nu heeft gedaan.' Ze knikte naar de kast. 'Dat is mijn beloning.'

Ik zei niets. Ik wilde de kamer uitlopen, maar ze pakte mijn arm en bracht haar gezicht heel dicht bij het mijne.

'Ik haat haar,' fluisterde ze. Ze kneep haar handen ineen.

'Doe niets waar je spijt van zult hebben, Betsy,' waarschuwde ik haar. 'Alsjeblieft.'

Ze liet mijn arm los en ging naar haar bed. Ze liet zich langzaam zakken en toen zijwaarts op het bed vallen. Ze gaf geen kik, maar haar schouders schokten. Ik staarde haar nog even aan en liep toen de kamer uit en deed haar deur zachtjes achter me dicht.

Mama stond op de drempel van haar kamer.

Ze zag me uit Betsy's kamer komen, maar zei niets.

Toen ging ze weer naar binnen en deed de deur van haar slaapkamer dicht.

Ik liep terug naar mijn kamer en naar bed. Toen mijn ogen weer aan het donker gewend waren, hoorde ik een geritsel bij het raam.

Hij stond naar me te staren.

'Je moeder maakt het me gemakkelijker, weet je,' zei hij. 'Gemakkelijker voor me om terug te komen.'

Ik hield mijn adem in.

Ik voelde zijn voldane lachje meer dan dat ik het zag.

De wind woei rond het huis en werd toen versterkt door een harde windvlaag uit het noorden. Hij verschrompelde en glipte door het raam om zich door de wind te laten meevoeren door het duister. Ik bleef achter, me afvragend wat hij met die woorden bedoeld had.

De volgende ochtend trok Betsy de rok en blouse aan die ze het minst stuitend vond. Op een gegeven moment 's nachts was ze gestopt met huilen en zelfmedelijden. Haar gezicht had een harde uitdrukking gekregen. Ze was vastbesloten mama niet de voldoening te geven haar te laten merken hoe diep gekwetst ze was. Maar meer dan dat, had ze een ander doel. Ze kwam naast me staan en fluisterde in mijn oor:

'Ik weet precies waar je moeder mee bezig is, Noble. Ze wil dat ik hysterisch word en wegloop. Dan hoeft ze me nooit iets van mijn erfenis te geven. Maar dat zal niet gebeuren,' bezwoer ze me, en begon meteen met haar ochtendcorvee.

'Ik wist wel dat die kleren je goed zouden passen,' zei mama tegen haar tijdens het ontbijt. 'Ze waren van een nicht van me die ook een onwettig kind had.'

Betsy keek haar met halfopen mond aan. Haar ogen lichtten plotseling op toen ze zich iets leek te realiseren. 'Dacht je daarom dat ze zouden passen?'

'Natuurlijk.'

Betsy keek even naar mij. De glimlach om haar mond leek merkwaardig veel op die van haar broer Elliot. Mijn hart verkilde. Ik keek naar mama om te zien of zij zag wat ik zag, maar ze zat alweer te neuriën en dacht aan andere dingen.

'Ze is echt gek,' zei Betsy later tegen me. 'Ik zal dat hele wereldje van haar laten instorten. Ik zou maar tegen haar zeggen dat ze me beter mijn geld kan geven.'

De paniek verspreidde zich in mijn borst als een grote rups die zich bewust wordt van zijn bestaan. Ik kon hetzelfde bewustzijn en zelfvertrouwen zien in Betsy's gezicht. Als ze maar even de kans kreeg, begon ze mama vragen te stellen, om mama's geheime wereld naar buiten te brengen.

'Als ik je hoor praten en er is niemand in de kamer, praat je niet echt tegen jezelf, hè, Sarah?' vroeg ze mama op een avond tijdens het eten.

Mama keek alsof ze geen antwoord wilde geven, maar toen glimlachte ze en zei: 'Nee, ik praat niet tegen mezelf.'

'Wie hoort je dan?'

'Degenen die van ons houden. We zijn verbonden door liefde.'

'Houden ze ook van mij?'

'Nee, nog niet, maar op den duur misschien wel.'

'Wat moet ik daarvoor doen?'

248

'Een verantwoordelijk, liefdevol mens worden,' zei mama.

Betsy keek naar mij met een voldane blik in haar ogen. Besefte mama dan niet dat Betsy haar uit haar tent wilde lokken? 'Ik zal het proberen, Sarah. Ik zal het echt proberen. Ik zou graag willen praten met mensen die er niet zijn.'

'Ze zijn er,' zei mama.

'Nee, ik bedoel, die andere mensen niet kunnen zien. Ze praten toch terug tegen je, hè?'

'Natuurlijk.'

'En dat is de reden dat je zoveel weet?'

'Ja,' zei mama, die eindelijk haar ogen half dichtkneep. Nu beseft ze wat Betsy wil, dacht ik. 'En als iemand ze belachelijk maakt of hoe dan ook misbruikt, kunnen ze heel streng zijn.'

'O, ik zou ze nooit belachelijk maken. Wie ben ik dat ik zoiets zou doen?' Ze keek naar Baby Celeste. 'Kan Baby Celeste... kan zij ze ook zien en horen?'

'Baby Celeste is een heel bijzonder kind. Ze ziet en hoort veel meer dan een van ons kan of ooit zal kunnen.'

Betsy knikte. 'Ja, ze is iets heel bijzonders. Ze is zo slim. Ik hoop dat Panther net zo slim zal worden als zij.'

Mama zei niets. Ze glimlachte alsof Betsy iets heel doms had gezegd.

'Ik zou graag wat meer willen weten over de spirituele wereld,' zei Betsy. 'Echt waar.'

'Mettertijd zul je dat,' beloofde mama.

'Goed. Noble ziet en hoort ze ook, neem ik aan?' Betsy keek naar mij.

Mama glimlachte naar mij. 'Dat doet Noble, en dat zal hij altijd blijven doen.'

'Misschien bof ik echt dat ik hier ben,' verklaarde Betsy en begon de tafel af te ruimen.

'Ik zal je vertellen wat hier gaat gebeuren,' fluisterde Betsy later tegen me toen we in de gang stonden. 'Je moeder zal worden opgesloten in een instituut en jij misschien ook, en dan krijg ik wat me toekomt,' dreigde ze en ging naar haar kamer.

Ik wilde naar mama hollen om haar te waarschuwen, maar wat moest ik zeggen? Praat niet met Betsy over de spirituele wereld? Dan zou mama misschien denken dat ik haar weer verraadde. Hoe kón ik denken dat iemand haar geestelijk gestoord zou vinden omdat ze in onze geesten geloofde? Wat kon Betsy in vredesnaam voor verschil maken?

Veel later, midden in de nacht, werd ik wakker omdat ik mijn deur open en dicht hoorde gaan. Ik ging rechtop zitten en wreef de slaap uit mijn ogen.

'Wie is daar?' vroeg ik aan de vaag afgetekende gestalte.

'Wie verwachtte je? Een van je geesten?' vroeg Betsy.

'Wat wil je?'

'Heb je nagedacht over wat ik je verteld heb?' vroeg ze, terwijl ze dichterbij kwam.

'Ik weet niet wat je bedoelt. Ga terug naar je kamer. Het is laat en je maakt iedereen wakker.'

'Ik kan niet geloven dat je zo'n imbeciel bent, Noble. Mijn broer moet toch iets in je gezien hebben dat de moeite waard was, anders was hij niet met je bevriend geweest.'

'We zullen er morgen over praten. Ik ben moe.'

In plaats van weg te gaan, ging ze op de rand van mijn bed zitten. 'Ik kan niet slapen. Ik ben nog nooit zo lang zonder zelfs maar een biertje geweest. Je luistert niet naar muziek. Je wilt niet naar een film en gaat niet om met mensen van onze leeftijd. Ze heeft jou ook gek gemaakt. Je hoort aan mijn kant te staan. Waarom stel je niet voor dat zij een avond op de kinderen past en jij en ik naar een film gaan? Ik zoek een paar van mijn oude vrienden op en we zullen een hoop plezier hebben. Wat vind je daarvan?'

'Ik hoef niet met die oude vrienden van je uit.'

'O, jawel. Je weet niet wat je wilt en niet wilt. Ik ben erachter gekomen dat dat je probleem is. Als je niet weet wat je mist, kan het je niet schelen. Zo simpel is het. Ja toch?'

'Ga nou maar terug naar je kamer.'

'Je bent te lang opgesloten geweest, Noble. Je bent geen lelijke jongen. Je ziet er zelfs erg goed uit, schat. Je hebt heel mooie ogen.'

Ik schoof opzij en ze lachte.

'Ik herinner me nog hoe verlegen ik vroeger was, maar na die eerste keer heb ik daar voorgoed afscheid van genomen, en ik ben blij toe. Je blijft niet eeuwig jong. Dit is de beste tijd van je leven en je laat het allemaal aan je voorbijgaan, Noble.'

'Ik ben niet ongelukkig. Ga nou maar terug naar je kamer en laat me met rust.'

'Je weet niet eens dat je ongelukkig bent. Ik kan je gelukkig maken.'

'Ik wil niet dat je iets voor me doet.'

Ze stond op. Een wolk, waarachter de maan verscholen was geweest, gleed voorbij en het werd lichter in de kamer. Even bleef ze naar me staan staren. Ik dacht dat ze gewoon een nare opmerking zou maken, zoals altijd, en me dan alleen laten, maar in plaats daarvan schoof ze haar nachthemd van haar schouders en liet het met een lichte beweging op de grond vallen.

Ze bleef naakt voor me staan. De zachte gele gloed deed haar volle borsten en buik glanzen.

'Stop,' zei ik, me schamend dat mijn stem zo zwak klonk.

'Nee. Ik zal je laten zien wat je mist, en misschien zul je dan graag met mij en mijn vrienden om willen gaan.'

'Ga weg,' riep ik, maar heel zacht, om mama niet wakker te maken.

Ze zag het.

'Als je je niet gedraagt, ga ik gillen, en dan komt je moeder binnen en ziet ons samen. En dan zal ik haar vertellen dat jij me hebt uitgenodigd.'

'Alsjeblieft. Ik wil niet dat je me iets laat zien.'

'Ik vind het leuk als je zo smeekt, Noble,' zei ze, en ging op bed liggen. 'Het maakt me nog opgewondener.'

Ik dacht erover uit bed te springen en de kamer uit te hollen. Als ik dat deed, zou mama niet denken dat ik iets te maken had met Betsy's komst in mijn kamer. Ik wilde de deken van me afgooien en me omdraaien, maar Betsy sloeg snel haar armen om mijn hals, trok me omlaag en drukte haar lippen op mijn mond. Ze perste zich dicht tegen me aan en sloeg haar linkerbeen over me heen. Ik worstelde om los te komen, maar ze lachte slechts en zoende me opnieuw. Toen ik me naar links probeerde te draaien, trok ze de deken van me af en voor ik het kon beletten schoof ze haar hand tussen mijn benen. Even was zij doodstil en was ik dat eveneens. Haar vingers bewogen zich als de poten van een grote spin en toen trok ze haar hand met een ruk terug.

In het licht van de maan kon ik zien hoe ze haar gezicht vertrok en haar ogen opensperde. Toen begon ze te glimlachen en haar lippen trilden. Het besef drong met een schok tot haar door en haar hand schoot naar voren, rukte mijn pyjamajasje los, zodat de knopen alle kanten op sprongen. Ze staarde verbijsterd naar mijn ingesnoerde boezem.

'Je bent...' De woorden bleven steken in haar keel. Er verscheen een uitdrukking van walging op haar gezicht. Ze ging op haar hurken zitten. 'Doe dat af,' beval ze.

Ik schudde mijn hoofd. Mijn stem liet me volkomen in de steek.

'Doe het!' beval ze. 'Anders doe ik het.'

Ze stak haar handen al naar me uit, dus ging ik rechtop zitten en maakte de band los. Hij viel omlaag en mijn borsten zwollen als twee beknelde ballons langzaam op tot hun volle omvang.

'Potverdomme, je bent een meisje.' Ze lachte. 'Je bent een meisje!'

Ik trok de deken op om me te bedekken, maar ze trok hem uit mijn handen.

'Kijk nou toch eens! Je bent zo vreemd. Ik voel me zelf zo vreemd. Waarom heb je dat gedaan?'

Ik liet me achterover op mijn kussen vallen en staarde omhoog naar het donkere plafond.

'Wist mijn vader dit? Heeft het iets te maken met die geesten? Dwingt je moeder je hiertoe?'

'Nee.'

'Nee? Wat wil je daarmee zeggen? Weet ze niet wat je bent?'

'Dat zei ik niet.'

'Je bent gek, en zij ook. Jullie zijn allebei geschift. Ik ga nu die advocaat bellen. Ik zal het iedereen vertellen.'

'Niet doen,' smeekte ik.

'Niet doen? Niet doen? Nee, ik zal het niet doen. Ik zal hier gewoon slavenwerk blijven doen.' Ze wilde weggaan, maar bleef toen staan en draaide zich weer naar me om. 'Wist mijn broer dit?... Nou? Wist hij het. Je kan me nu maar beter alles vertellen. De waarheid. Wist hij het?'

'Ja.'

Ze liep terug naar het bed.

'Wanneer heeft hij het ontdekt?'

'Dat weet ik niet precies meer.'

252

Ze bleef naar me staan staren. Ik kon haar hersens bijna horen klikken. Ze keek naar de deur en toen weer naar mij.

'Van wie is Celeste? Ze is jouw kind, hè?' zei ze, haar eigen vraag beantwoordend. 'En het kind van Elliot. Ze is mijn nichtje. Ze is de kleindochter van mijn vader. Nou? Vertel op!' zei ze met stemverheffing.

Mijn hart stond stil. Mama kon haar hebben gehoord. als ze nu binnenkwam en dit zag...

'Alsjeblieft,' smeekte ik.

'Alsjeblieft? Alsjeblieft? Toen ik jou smeekte me te helpen, wat zei je toen? We zullen zien. Hè? Je laat me zo door haar behandelen, je laat haar mijn kleren afnemen, me weigeren mijn geld te geven, en jij zegt *alsjeblieft*?'

Ik beet zo hard op mijn lip, dat ik bloed proefde.

Elliot stond bij het raam en luisterde met een brede grijns.

Ik schudde mijn hoofd naar hem. Betsy's gezicht vertrok en ze draaide haar hoofd naar het raam.

'Waar kijk je naar?'

Ik probeerde adem te halen, maar mijn longen leken te zullen barsten. Ik voelde het bloed in mijn slapen kloppen. Ik begon te hijgen en te piepen en dat beangstigde haar.

'Wat is er? Hou op daarmee.'

Ik bukte me, drukte mijn handen tegen mijn zij. Ik dacht dat ik zou gaan overgeven.

'Hou op!' beval ze weer. 'Oké, oké,' toen ik niet ophield. 'Ik zal je stomme geheim wel bewaren. Rustig nou maar. Ik zei dat ik je geheim zou bewaren.' Ze trok aan mijn schouder.

Ik liet me weer op het kussen vallen. Ik kon beter ademhalen en mijn longen deden niet meer zo'n pijn.

'Je bent een hopeloos geval.' Ze bleef staan en dacht na. 'Hoor eens.' Ze liep weer naar het bed toe. 'Het kan me niet echt schelen wat jij en die krankzinnige moeder van je elkaar en ook dat zo bijzondere kind aandoen. Je kunt je rondwentelen in die waanzin zoveel je wilt, maar van nu af aan ga je me helpen, begrepen? Je zorgt dat ze me niet langer lastigvalt. Je zorgt dat ik mijn vrienden kan ontmoeten en je helpt me om mijn geld te krijgen, want als je dat niet doet, zal ik jou ook laten opsluiten, net als je moeder.

'Dus, als je morgenochtend opstaat, zoek je uit waar ze mijn kleren heeft gelaten, en je brengt ze onmiddellijk bij me terug. En voortaan, telkens als ze me een of ander stom karwei opdraagt, doe jij het. En morgenavond gaan we naar het dorp, laat dat maar tot die stomme hersens van je doordringen. Jij rijdt me erheen. Dat vertel je haar en je accepteert geen nee.

'Laat haar nooit meer nee zeggen als ik iets wil. Leg haar maar uit wat er zal gebeuren als ze dat doet. Is dat duidelijk? Ik wil horen dat je ja zegt, anders gil ik de hele boel bij elkaar. Nou?'

'Ja.'

'Ja. Dat klinkt beter.' Ze grijnsde. 'Dit zou weleens plezieriger kunnen worden dan ik gedacht had, zelfs voor jou. Om te beginnen hoef je je tieten niet langer voor me te verbergen.' Ze lachte. 'Nu we meer met elkaar gemeen hebben, zou ik weleens een heel goeie vriendin voor je kunnen zijn.' Ze liep naar de deur. 'Welterusten, Noble. Of moet ik zeggen Celeste?'

Ze lachte weer en glipte de kamer uit, de deur achter zich dichttrekkend.

'Ik zei je toch dat dit zou gebeuren,' zei Elliot.

Hij liep de kamer door en tot mijn schrik stapte hij in mijn bed en ging naast me liggen.

'Nu kunnen we weer bij elkaar zijn,' zei hij.

De volgende ochtend was hij verdwenen, maar de hele nacht voelde ik zijn adem op mijn wang en hals.

En zijn hand die de mijne vasthield.

18. Betsy draait de rollen om

Betsy was al aangekleed en stond bij de deur van haar kamer op me te wachten toen ik de volgende ochtend opstond. Ze hield Panther in haar armen. Haar ogen waren wijdopen, en in het licht van de ochtend dat door het raam en door de deur van mijn slaapkamer naar binnen viel, leken ze op twee glanzende gitzwarte stenen die glinsterden onder het oppervlak van het heldere water in de beek. In tegenstelling tot Celeste glimlachte Panther niet naar iedereen die hij zag. Hij keek eerder ongerust. Meestal staarde hij wantrouwend en kwaad om zich heen. Onwillekeurig vroeg ik me af hoe vaak hij alleen was gelaten, huilend, hongerig en oncomfortabel.

'Denk eraan, ik wil dat je mijn kleren vindt en ze vanmorgen bij me terugbrengt, zodat ik dit idiote kostuum kan uittrekken,' zei Betsy, en liep de trap af. Mama was al beneden met Baby Celeste.

Ik was verstijfd van angst. Hoe kon ik doen wat Betsy wilde? Hoe kon ik het *niet* doen?

Ik wist niet zeker of mama haar kleren in de torenkamer had verborgen, maar ik kon geen andere plek bedenken. Toen ik naar boven ging om te kijken, ontdekte ik dat de deur op slot was. Ik wist het nu zeker, want mama deed de torenkamer alleen op slot als ik daar was met Celeste en ze niet wilde dat we eruit kwamen voordat de stoffeerders en gordijnophangers vertrokken waren. De gedachten tolden door mijn hoofd. Ik hoopte Betsy de kleren te kunnen geven en dan tegen mama te zeggen dat zij ze zelf gevonden had. Hoe moest ik de sleutel van mama loskrijgen of haar overhalen Betsy haar kleren terug te geven zonder dat ze kwaad werd?

Toen ik beneden kwam, zat iedereen al aan tafel.

'Waar bleef je zo lang, Noble?' vroeg mama. Ik keek even naar Betsy.

'Ja, Noble, waarom ben je zo laat?' vroeg ze plagend.

'Ik wist niet dat het al zo laat was, mama.' Ze keek me strak aan en ging toen verder met het klaarmaken van Baby Celestes ontbijtgranen en fruit.

'Vertel eens,' zei Betsy, haar ogen voornamelijk op mij gericht, 'hoe lang hebben jullie geprobeerd erachter te komen wat er gebeurd is met Nobles tweelingzusje Celeste?'

Mama keek snel op. Ze keek heel even naar mij en richtte haar aandacht toen op Betsy. 'We zijn nooit gestopt met onze pogingen om te weten te komen wat er met haar gebeurd is.'

'Ik begrijp het niet. Waarom zie ik haar foto nooit ergens aangeplakt? Je zou de politie elke week moeten bellen om te horen of ze al iets weten.'

'Denk je soms dat ik dat niet gedaan heb en nog steeds doe?' kaatste ze terug.

Betsy haalde haar schouders op. 'Je praat nooit over haar, en Noble zegt ook nooit iets.'

'Ik geloof dat ik je al eens verteld heb dat het erg pijnlijk is al die herinneringen op te halen,' zei mama.

'Wat deed ze die dag? Was jij niet voortdurend bij haar, Noble?' ging Betsy verder alsof ze een verhoor afnam. Haar ironische glimlach ontging me niet, en zodra ik mijn ogen van haar afwendde, kon ik voelen dat mama zich oprichtte.

'Zo is het genoeg. Dit is geen onderwerp dat ik met jou wens te bediscussiëren en evenmin wil ik dat je er aan mijn eettafel over praat.'

'Ik probeer alleen wat meer medeleven te tonen,' zei Betsy. 'Een kind van die leeftijd verliezen moet iets verschrikkelijks voor je zijn geweest. Ik kan me niet voorstellen hoe ik me zou voelen als iemand op een dag Panther van me afnam. Ik geloof niet dat ik een minuut rust zou hebben of iets zou kunnen doen voor ik hem gevonden had.'

Mama keek haar kwaad aan. 'Ik rust niet, en ze is nooit uit mijn gedachten, maar ik heb veel verplichtingen.' Elk woord kwam eruit als een klap.

Betsy glimlachte en knikte. Ze sloeg haar ogen neer en mama's schouders ontspanden zich, maar ik wist dat het nog niet was afgelopen.

'Weet je wat ik me echt afvraag, Sarah? Je hebt zoveel vertrouwen in je geesten, waarom hebben zij je niet verteld waar Celeste is?'

Betsy keek weer op. Ze keek zo geïnteresseerd en oprecht als haar mogelijk was.

Snel richtte ik mijn blik op mama. Hoe zou ze die vraag beantwoorden?

'De geesten die ons leiden, die in ons midden zijn, vertoeven alleen maar hier,' zei ze zacht. 'Ze zwerven niet over de wereld als verloren zielen op zoek naar een thuis en komen terug met nieuws uit de wereld. Dit is hun thuis. Wij zijn hun familie.'

'Maar –'

'Nu is het genoeg!' Mama sloeg zo hard met haar hand op tafel dat een schaal op en neer danste. Baby Celeste sperde haar ogen open en ik sloeg de mijne neer.

Even bleef het stil. Mama begon weer te eten.

'Hoe dan ook, Noble heeft aangeboden mij en Panther vandaag mee naar het dorp te nemen,' ging Betsy bijna in één adem verder. 'Ik heb nú een paar dingen nodig, niet later.'

Mama keek van haar naar mij. 'Noble, heb jij dat gezegd?'

De woorden kronkelden als elastiekjes in mijn keel.

'Hij heeft het me vanmorgen verteld, hè, Noble? Ik heb hem gisteravond gevraagd erover na te denken, nietwaar, Noble? Toen we zo gezellig zaten te babbelen?'

Ik had het gevoel dat de loop van een pistool tegen mijn slaap werd gedrukt.

'Ja,' zei ik, en keek snel naar mama. 'Ik dacht dat als ze klaar was met haar werk, we even naar de supermarkt konden.'

'Nee, ik moet naar het winkelcentrum, Noble. Dat heb ik je gezegd.'

'Wel, je bent nog niet klaar met je werk,' zei mama tegen Betsy. 'Ik wil dat je vandaag de bijkeuken schoonmaakt, de planken afstoft en dan alles keurig op zijn plaats zet. De vloer daar moet ook worden geboend. Dit is geen dag om ergens naartoe te gaan. Bovendien,' ging mama verder alsof ze de puntjes op de i zette van een goed voorbereid antwoord dat anticipeerde op Betsy's verzoek. 'Ik heb vandaag de auto nodig. Ik moet naar meneer Bogart om over zaken te spreken.'

Betsy's ogen fonkelden van woede, maar ze beheerste zich en glimlachte.

'Oké. Als je terugkomt zal ik dat allemaal gedaan hebben en dan kan Noble me brengen. Ja toch, Noble?' vroeg ze nadrukkelijk.

Ik keek naar mama. 'Is dat goed, mama?'

'We zullen zien,' zei ze en tuitte haar lippen. Ze was woedend op me, maar ik voelde me als een vlieg in een spinnenweb. Hoe meer ik spartelde, hoe steviger ik gevangenzat.

Later, toen Betsy in de badkamer was, vroeg mama me waarom ik haar dat beloofd had.

'Ze was zo wanhopig en ze smeekte en huilde. Ik wist niet wat ik anders moest zeggen, mama.'

Ze dacht na. 'Tja, ik vind het niet erg dat je medeleven toont, Noble, maar je moet voorzichtig zijn met haar. Ze weet hoe ze van mensen moet profiteren en ze gokt op je medelijden. Kijk maar wat ze met die arme vader van haar heeft gedaan.'

'Ik weet het, mama, maar ik denk dat het voor ons allemaal gemakkelijker zal zijn als ze nu en dan eens beloond wordt voor het werk dat ze doet. Ze doet nu wat je van haar verlangt,' zei ik nadrukkelijk.

'Hm. Misschien.'

'Kan ze haar eigen kleren terugkrijgen?'

'Dat lijkt me niet mogelijk.' Mama liep naar haar auto.

'Waarom niet?' waagde ik aan te dringen.

Ze draaide zich glimlachend om. 'Omdat ik ze moest verbranden en begraven, Noble.'

'Je hebt ze verbrand?'

'Natuurlijk. Heb ik je niet altijd gezegd dat vuur de meest effectieve vorm van reiniging is? Wees voorzichtig. Geef je vertrouwen en je goede hart niet te snel weg. Zorg goed voor Baby Celeste. Ik ben vóór het eten thuis,' zei ze en ging weg.

Met bonzend hart staarde ik naar de dichte deur. Ze verbrand? Begraven?

Ik keek naar Baby Celeste, die klaarstond om naar de tuin te gaan.

'Tijd voor werk,' zei ze.

Ik wilde naar de deur lopen.

'Waar wil jij naartoe?' hoorde ik Betsy's stem. Ik draaide me om en zag haar in de gang staan. 'Zet die kont van je in beweging en ga de bijkeuken schoonmaken.'

258

'Maar als ik niet doe wat er in de tuin gedaan moet worden...'

'Die stomme tuin interesseert me geen reet. Heb je uitgezocht waar mijn kleren zijn?'

'Verbrand,' zei Baby Celeste.

Ik draaide me zo snel naar haar om, dat er een pijnscheut door mijn nek ging. Ze zag er een stuk ouder uit, haar gezicht vastberaden, haar ogen starend en donker.

'Wat zei ze?'

'Niets. Ik kreeg niet de kans om erachter te komen.'

'Hm. Oké. Als je moeder terug is, gaan we naar het winkelcentrum, Noble. Hemel, waarom blijf ik je zo noemen? Zou Celeste niet beter zijn? Wat vind je?'

Ik kon zien hoeveel plezier het haar deed me te kwellen.

Panther begon te huilen in de keuken, waar ze hem had achtergelaten.

'O, dat kind is hier zo lastig. Maar eigenlijk is hij overal lastig. Ik ben te jong voor een baby. Zorg jij ook maar voor hém. Ik ga wat van je moeders make-up lenen en mijn haar doen.'

'Je mag niet in haar slaapkamer komen!' riep ik uit.

'O, nee? Let maar eens goed op. Ze kwam toch ook in mijn kamer? Ik wil ook mijn nagels doen. Ik verslons hier. Je kunt me later mijn lunch brengen. Een sandwich met ei. Ik moet bekennen dat het brood dat je moeder maakt goed is. Ze zou bakker moeten worden en stoppen met al die onzin.'

Panther begon nog harder te huilen.

Betsy hield haar handen voor haar oren. 'Jij mag hem hebben,' zei ze en liep haastig naar de trap.

Ik liep naar de keuken. Baby Celeste volgde me, maar ze keek ongelukkig. Ze wachtte terwijl ik Panther tot bedaren bracht, maar ze keek ongeduldig.

'We moeten naar de tuin,' zei ze.

'Niet nu. Eerst moeten we de bijkeuken schoonmaken.'

'Nee,' zei ze ferm.

'Luister naar me en doe wat ik zeg, Celeste,' zei ik geërgerd. Het kwam door Betsy, dat ik zo intolerant werd, maar ik kon er niets aan doen.

Baby Celeste schudde uitdagend haar hoofd en wilde de keuken uitlopen.

'Celeste, waag het niet naar buiten te gaan. Je wacht tot ik hier klaar ben. Je kunt me helpen met de bijkeuken.'

'We moeten naar de tuin.'

Panther begon weer te huilen.

'Ssst,' zei ik en wiegde hem zacht heen en weer. Hij huilde nog harder.

'De tuin,' zei Baby Celeste stampvoetend. Toen draaide ze zich om en wilde door de voordeur naar buiten.

Ik holde achter haar aan en met Panther in mijn rechterarm, pakte ik met mijn linkerhand haar schouder vast en draaide haar niet erg zachtzinnig om. Ze kromp even ineen, maar huilde niet.

'Je blijft bij me, Celeste. Ik zei dat we later naar de tuin gaan.'

Ze keek kwaad naar me op, en toen naar de trap alsof ze wist dat het allemaal Betsy's schuld was. Haar ogen werden klein en donker en haar lippen verstrakten. Wat leek ze veel op mama, dacht ik.

'Help me met Panther,' zei ik vriendelijker. 'Zorg dat hij ophoudt met huilen.'

Ze dacht even na en toen raakte ze met enige tegenzin zijn handje aan. Zodra ze dat deed hield hij op met huilen. Zijn gesnik werd minder toen hij haar aankeek. Ze wendde geen moment haar ogen van hem af.

'Zie je, hij vindt je lief. Je kunt een grote hulp voor me zijn,' zei ik, en ging terug naar de keuken. Ik legde hem terug in zijn draagwieg en zette die op de keukenvloer. Baby Celeste stond ernaast en keek op hem neer. Hij stak zijn handje naar haar uit en ze pakte het vast.

'Dank je, Celeste,' zei ik, en begon met het schoonmaken van de bijkeuken. Voor ik klaar was met mijn werk, was Panther in slaap gevallen en baby Celeste lag opgerold naast de wieg en sliep zelf ook.

Toen ik alles van de planken had gehaald en ze stofvrij had gemaakt zoals mama wilde, dweilde ik de vloer. Ik was net klaar toen ik Betsy boven aan de trap hoorde roepen.

'Noble Celeste, ik heb honger. Breng mijn lunch,' schreeuwde ze. 'Gauw.'

Baby Celeste werd wakker, maar Panther gelukkig niet. Ik maakte de sandwich klaar voor Betsy en ook een voor Baby Celeste.

'We gaan naar de tuin als je klaar bent met je lunch,' zei ik tegen haar.

Ik bracht Betsy's lunch naar haar kamer, maar daar was ze niet.

'Ik ben hier,' riep ze uit mama's slaapkamer.

Langzaam, in de verwachting van iets verschrikkelijks, liep ik naar mama's kamer. Betsy zat achter de toilettafel. Bijna elke pot crème was opengemaakt, poeder lag verstrooid over de tafel, lippenstiften waren opengeschroefd, en overal lagen tissues. Ze had zich na veel geëxperimenteer opgemaakt, maar dat was het ergste niet. Ze droeg ook een van mama's mooie jurken, de jurk die ze had gekocht voor haar eerste afspraak met Dave.

'Hij paste niet helemaal,' zei Betsy terwijl ze opstond, 'maar dat heb ik verholpen.'

Ze had de zoom met een schaar korter geknipt.

'Dat topje is nog zo gek niet. Het verbaast me dat je moeder zo'n jurk droeg en zoveel van haar borsten liet zien.'

Ik kon er alleen maar aan denken wat er zou gebeuren als mama terugkwam en dit zag.

'En, is de bijkeuken klaar?'

'Ja,' zei ik, maar keek hoofdschuddend naar de troep die ze had gemaakt. 'Je moet de kamer opruimen en die jurk kun je niet dragen.'

'Je meent het... Wat zal er gebeuren? Krijg ik een boete? Neemt ze me een deel van mijn trustfonds af? Zal ze wat nieuwe karweitjes voor me verzinnen? Waarvan we nu weten dat zij ze jou opdraagt, Noble Celeste.'

'Leg alsjeblieft alles weer terug zoals je het gevonden hebt. Ik heb je lunch bij me.'

'Zet maar op tafel. En ga mijn kleren zoeken. Je moet ze vinden voordat ze terugkomt, of ik zal haar bij de deur begroeten met groot nieuws dat haar hart zal breken.'

Ik bleef staan en overlegde bij mezelf of ik haar zou vertellen wat mama gezegd had en wat Baby Celeste bijna verraden had, maar voordat ik een besluit kon nemen, begon Panther plotseling zo hard te gillen dat ik het blad met Betsy's lunch praktisch op de tafel sméét en de trap afholde.

Toen ik in de keuken kwam, zag ik Baby Celeste naast de wieg staan en naar hem kijken. Het gillen ging door.

'Wat mankeert hem, Celeste?' vroeg ik en liep naar haar toe.

Zijn gezichtje zag vuurrood en de bovenkant van zijn wangetjes leek wel rauw vlees. De tranen rolden zo snel langs zijn gezichtje, dat het leek of hij zou kunnen verdrinken in zijn eigen gehuil. Eerst had ik geen idee wat er aan de hand was, en toen zag ik de zwarte kaars naast zijn linkervoetzool. Het puntje van de pit gloeide nog na, en de onderkant van zijn voetje was gerimpeld en zag vuurrood. Ik schrok zo, dat ik snakte naar adem.

Betsy was me met tegenzin naar beneden gevolgd, heupwiegend in mama's jurk en met de helft van haar sandwich in de hand.

'Wat is er? Waarom schreeuwt dat kind zo?' vroeg ze, terwijl ze naast me kwam staan.

Ze keek omlaag en een paar ogenblikken staarde ze hem slechts aan en bleef van haar sandwich eten. Toen zag ze de kaars en knielde langzaam om hem op te pakken en aandachtig te bekijken.

'Wat heeft dit te betekenen?'

Baby Celeste keek met een voldaan, vastberaden gezicht, zonder dat ze enig blijk gaf van angst voor straf.

'Deze kaars heeft gebrand. Kijk eens naar zijn voetje!' gilde Betsy toen ze Panthers voetzool zag. Ze draaide zich om naar Baby Celeste. 'Heb jij dat met Panther gedaan?'

Ze gaf geen antwoord. In plaats daarvan keek ze naar mij. 'We moeten naar de tuin.'

'De tuin!' schreeuwde Betsy. Ze gooide de kaars neer en pakte Baby Celestes schouders, schudde haar heen en weer. 'Heb jij een kaars aangestoken en in de wieg gelegd? Nou, heb jij dat gedaan, klein –'

'Hou op!' schreeuwde ik en rukte Baby Celeste uit haar handen. 'We moeten gauw iets op die brandwond doen.'

Panther had zo hard geschreeuwd, dat hij schor was.

'Waarom doet ze dat? Zij is ook gek. Jullie zijn allemaal gek.'

Ik liep snel naar mama's kruidenkast en vond een extract van toverhazelaar, waarvan ik wist dat ze dat gebruikte voor brandwonden. Ik hield eerst een ijsblokje tegen zijn voet om de pijn te verlichten, en droogde toen de wond en bracht het geneesmiddel aan. We schommelden het wiegje heen en weer en ten slotte viel hij uitgeput in slaap.

Betsy stond erbij en keek toe, zonder een vinger uit te steken om haar eigen kind te sussen en hem te troosten.

'Nu is het afgelopen,' zei ze toen ik klaar was. 'Nu ga je mijn kleren halen en dan zorgen we dat je moeder me mijn geld geeft.

Ik ga ervandoor. Ik wil zo gauw mogelijk bij dat stelletje gekken hier weg.'

'Ik kan je je kleren niet geven,' zei ik kalm en verslagen.

'Waarom niet?'

'Mijn moeder zei dat zij ze heeft verbrand en begraven.'

'Dat is wat ik dacht dat dat kleine monster zei,' antwoordde Betsy, met een blik op Celeste. 'Houd haar uit de buurt van Panther, anders zijn de gevolgen voor jullie rekening.'

Betsy ging weer naar boven.

Ik hurkte neer en nam Baby Celestes hand in de mijne.

'Waarom heb je dat gedaan, Celeste? Waarom heb je die kleine Panther gebrand?'

Ze schudde haar hoofd.

'Waarom? Vertel op,' eiste ik.

'Hem reinigen.'

'Reinigen?'

Ze had mama te vaak vuur zien gebruiken om het kwaad te verdrijven, dacht ik. Was dit gebeurd door alles wat mama haar had verteld?

'Dat was slecht, Celeste. Jij was slecht.'

'Nee.' Ze schudde haar hoofd en trok haar hand los.

'Dat was het wél. Je mag nooit meer zoiets doen,' zei ik streng.

'Jij bent ook slecht. We moeten in de tuin werken.' Ze draaide zich om en holde de keuken uit.

Betsy was vals en egoïstisch, maar misschien had ze toch niet helemaal ongelijk wat dit alles betrof, dacht ik triest. Baby Celeste werd niet goed opgevoed. Ik droeg de wieg en Panther naar de zitkamer, waar Baby Celeste zich had opgerold op de bank. Ze lag met haar duim in haar mond en haar rug naar me toe. Ik zette Panther voorzichtig neer, liep toen naar de bank en streek over Baby Celestes haar.

'We waren heus wel naar de tuin gegaan, maar je had de kleine Panther geen pijn mogen doen, Celeste. Dat is niet de manier om hem te reinigen.'

Ze schudde haar hoofd, hield haar duim in haar mond en sloot haar ogen.

'Begrijp je wat ik zeg? Hij is nog maar een baby. Wat heeft hij gedaan dat jij hem pijn wilde doen? Vertel het me.'

Ze gaf geen antwoord. Ze hield die duim in haar mond. Plotseling kwam er een gedachte bij me op, een gedachte die tegelijk afschrikwekkend en intrigerend was. Ik draaide haar langzaam naar me toe.

'Heeft iemand je gezegd dat je dat moest doen, Celeste?'

Ze knikte.

'Wie? Wie heeft het gezegd?'

Ze wees naar de deur, maar ik zag niets.

'Was het een man?'

Ze knikte.

'Hoe zag hij eruit? Wat voor kleur haar had hij?'

'Mijn haar.' Ze raakte haar hoofd aan. Toen draaide ze me weer haar rug toe en deed haar ogen dicht.

Ik bleef zitten, niet in staat iets te zeggen, niet in staat me te bewegen, tot ik mama's auto voor het huis hoorde stoppen.

Zodra ze binnenkwam en ons zag, wist ze dat er iets mis was.

'Waarom ben je binnen met dit mooie weer, Noble?' vroeg ze voor ik een woord kon uitbrengen.

Ik was uitgeput, voelde een intense leegte. Ik had de kracht niet om antwoorden te vinden die mama zouden sussen of haar zouden bevallen. Dat gevoel van hulpeloosheid werkte verdovend. Ik kon haar alleen maar aanstaren. Ze liep verder de kamer in, keek naar Panther in zijn wieg, en toen naar Baby Celeste, die zich omdraaide en rechtop ging zitten om haar aan te kijken. Haar ogen gingen van het ene gezicht naar het andere.

'Wat is er gebeurd?'

'Toen ik even niet oplette, stak Baby Celeste een van je zwarte kaarsen aan en legde de kaars in de wieg onder Panthers voetje om hem te branden.'

Mama keek naar haar en toen weer naar mij.

'Waarom lette je niet op?'

'Ik was boven.'

'Om wat te doen?'

'Ik bracht Betsy iets.'

'Heeft ze haar werk gedaan? Is de bijkeuken klaar?'

'Ja, mama.' Waarom was ze niet verontrust door Baby Celestes gedrag?

Ze sperde haar ogen wijdopen en richtte ze toen op mij. 'Waar

is die meid? Waarom paste ze niet op haar eigen kind?'
Betsy had haar horen binnenkomen en was ongemerkt de trap
afgelopen. Ze droeg mama's jurk nog en alle make-up.
'Wil je mij soms de schuld hiervan geven?' vroeg ze. Mama
draaide zich met een ruk om en slaakte een kreet bij het zien van
haar jurk en de make-up op Betsy's gezicht. 'Jouw dierbare bijzondere baby heeft het gedaan.' Betsy glimlachte. 'Sorry, ik bedoel
de baby van je nicht.'
'Wat heeft dit te betekenen? Waarom draag je die jurk en waar
heb je die make-up vandaan?'
'Herken je de jurk niet?' vroeg Betsy, ronddraaiend. 'O, sorry
hoor, ik moest een paar veranderingen aanbrengen. Ik hoop dat je
het niet erg vindt.'
Betsy's vrijpostige gedrag verblufte mama. Ze stond haar aan te
staren en richtte toen haar blik op mij.
'Wat is hier aan de hand, Noble?'
'Ja, Noble, wat is hier aan de hand? Je moeder heeft het recht
het te weten. Vertel het haar maar.'
'Hou op!' snauwde ik.
'Ophouden? Dat is nou precies wat ik van plan ben,' kaatste
Betsy terug, met haar handen op haar heupen.
'Ik weet niet wat je in je schild voert, Betsy, maar je bent maan-
den achteropgeraakt met dit gedrag. Ik zou het niet kunnen recht-
vaardigen je ook maar een cent te geven van het trustfonds van je
vader,' zei mama.
Betsy glimlachte. 'O, je zult me heel wat meer geven, Sarah.
Nietwaar, Noble? Of moet ik zeggen, Celeste? Hoe moet ik je noe-
men? Sarah, hoe moet ik haar noemen?'
Mama hijgde hoorbaar. Haar handen fladderden als jonge vo-
geltjes naar haar keel. Ze deed een stap achteruit en schudde haar
hoofd.
'Wat zeg je daar? Wát zegt ze?' vroeg mama aan mij.
'Vertel haar wat ik zeg.'
'Hou op, alsjeblieft,' smeekte ik. 'Ik doe wat je me hebt gevraagd.'
'Dat is niet langer voldoende. Ik kan hier geen geduld voor opbrengen. Luister naar me, Sarah,' ging Betsy verder, versterkt en
aangemoedigd door mama's terugtrekkende beweging. 'De hele

wereld zal te weten komen wat voor ziekelijks je hier hebt gedaan, haar te dwingen zich voor te doen en zich te gedragen als een jongen. En de hele wereld zal het te weten komen van je dierbare Baby Celeste, die even gestoord is als jullie tweeën.

'Tenzij,' ging ze verder, op nog geen dertig centimeter afstand van mama, 'je me onmiddellijk al mijn geld overhandigt. Ga naar die geblokkeerde telefoon van je, bel je advocaat en zeg hem dat hij mijn cheque morgen klaar heeft liggen. Hoor je me?'

Mama schudde haar hoofd. Ze kon geen woord uitbrengen.

Betsy glimlachte. 'Wat is hier nu echt gebeurd, Sarah? Als dat werkelijk Celeste is, waar is Noble dan?... Nou? Vertel op!' schreeuwde ze in mama's gezicht.

'Nee!' riep ik en sprong naar voren om Betsy weg te trekken.

Baby Celeste begon te huilen, waardoor Panther wakker werd, die haar bijviel in een koor van gegil en geschreeuw, terwijl ik probeerde Betsy van mama vandaan te trekken.

'Ga bellen, Sarah. *Nu!* Ik waarschuw je!' ging Betsy verder, zwaaiend met haar vuist.

Mama bleef haar hoofd schudden en liep toen haastig naar de trap.

'Waar ga je naartoe, Sarah? Ik zou maar gauw gaan bellen, als ik jou was,' riep Betsy haar achterna.

Mama keek niet achterom. Ze liep de trap op, bleef op een gegeven moment staan om steun te zoeken bij de wankele leuning. Ze leek bijna flauw te vallen.

'Mama?' riep ik.

Ze draaide zich om en keek me zo beschuldigend en vol haat aan, dat ik mijn hart als porselein voelde verbrijzelen. De tranen sprongen in mijn ogen. 'Mama, alsjeblieft,' fluisterde ik.

'Bel!' schreeuwde Betsy. 'Ik wil hier morgen weg!'

Mama bleef naar boven lopen en verdween.

'Hoe kon je dat doen? Ik deed alles wat je wilde,' jammerde ik.

'O, schei toch uit. Je hoort dankbaar te zijn, je hoort me op je knieën te bedanken. Je hoeft niet langer te doen of je een jongen bent, maar zorg ervoor dat ze doet wat ik haar gevraagd heb. Overtuig haar ervan dat ik het meen, hoor je? En ik wil wat geld en de autosleutels. Ik geef je tien minuten. Vooruit, ga het halen en kom meteen beneden. Doe het!' beval Betsy, wijzend naar de trap.

Ik keek naar Baby Celeste, die op de bank zat en haar armen om zich heen had geslagen. De tranen rolden bijna even snel over haar wangen als eerder bij Panther. En Panther huilde zo hard, dat de wieg heen en weer schommelde.

'De kinderen,' zei ik.

'O, die overleven het wel. Doe wat ik zeg.' Betsy gaf me een duw in de richting van de trap. 'Nu.'

Langzaam begon ik naar boven te lopen.

'Schiet op, Noble Celeste. Uiteindelijk blijk je toch een gedrocht te zijn. Ik dacht dat je een homo was. En misschien ben je dat ook wel.' Ze lachte, draaide zich om en schreeuwde naar de kinderen. 'Hou je mond! Hou op, hou op, hou op!'

Haastig liep ik verder de trap op, in de hoop het geld en de sleutels te vinden, zodat ze zo snel mogelijk het huis uit zou zijn. Op het ogenblik leek dat de enig denkbare oplossing. De deur van mama's slaapkamer stond open. Ik bleef in de deuropening staan en keek naar haar terwijl ze langzaam de toilettafel schoonmaakte en dingen wegzette. Ze gedroeg zich als een slaapwandelaarster. In de hele kamer lagen kleren verspreid.

'Mama, het spijt me. Ze kwam op een avond bij me… mama…'

Ik hoorde iets en eerst bracht het me in de war, maar toen ik binnenkwam, besefte ik dat ze liep te neuriën. Ik herkende het onmiddellijk, een liedje dat ze vaak zong voor Noble en mij toen we jong waren.

'Mama?'

In plaats van te antwoorden, begon ze te zingen.

'If you go out in the woods today, you're sure of a big surpise…'

(Als je vandaag naar het bos gaat, wacht je daar een grote verrassing…)

'Mama, luister alsjeblieft naar me.' Ik raakte haar arm aan.

Ze draaide zich om en glimlachte.

'If you go out in the woods today…'

'Mama?'

'… you'd better go in disguise.'

(… ga dan in vermomming.)

Ze draaide zich weer om, ging verder met schoonmaken en begon weer te neuriën.

Ik bleef even naar haar kijken.

'*Noble Celeste!*' hoorde ik Betsy aan de voet van de trap schreeuwen. 'Ik blijf hier niet de hele dag staan wachten!'

Ik keek om me heen en zag mama's tas. Mama was verward; ik maakte haar tas open, haalde haar autosleutels en wat geld eruit en deed hem toen weer dicht.

Ze was weer aan het zingen.

Ik holde de trap af.

'Heb je het?'

'Ja.' Ik gooide haar de sleutels toe. Ze ving ze lachend op. 'En geld?'

'Dit is alles wat ik kon vinden.' Ik overhandigde haar de biljetten.

Ze telde ze haastig. 'Oké. Dat is voorlopig wel voldoende. Als ik terugkom moet ze de advocaat hebben gebeld, anders...'

Ze liet haar dreigement onuitgesproken.

'Kinderen,' zei ze tegen Baby Celeste en Panther, die weer in slaap was gevallen. 'Ik laat jullie in capabele handen achter. Welterusten.

'Ik zal aan je denken, Noble Celeste,' zei ze tegen mij en liep naar buiten.

Zodra de deur dichtviel, klonk mama's gil als een donderslag door het huis en boorde zich in mijn hart.

19. Bijna voorbij

Toen ik de trap opholde naar haar slaapkamer, vond ik mama op de grond. Ze lag in een vreemde houding, dubbelgevouwen met haar rechterarm uitgestrekt en haar linkerarm onder haar romp. Toen ik naast haar knielde, zag ik dat ze hard terecht was gekomen en de linkerkant van haar voorhoofd had bezeerd. Een dun straaltje bloed vloeide uit de wonden. Ik stond snel op en haalde een nat washandje om de schaafwonden schoon te maken. Gelukkig was ze niet zwaar. Ik was zelfs verbaasd dat ik me niet gerealiseerd had hoe mager ze was onder haar kleren. Ik kon haar ribben voelen toen ik haar voorzichtig op haar bed tilde. Ik legde het koude, natte washandje op haar voorhoofd en wreef haar hand.

'Mama, word wakker. Alsjeblieft,' kermde ik.

Beneden was Panther nog aan het huilen, maar Baby Celeste was me gevolgd en stond met een bezorgd gezicht in de deuropening van de slaapkamer.

'We moeten in de tuin werken,' zei ze, alsof dat de oplossing voor alles was. Ergens vaag in mijn achterhoofd vroeg ik me af of het misschien waar was, of werken in de tuin magisch was en op de een of andere manier alle goede geesten zou oproepen om ons te hulp te komen.

Ik schudde mama's hand. Ze kermde.

'Mama, word wakker. Alsjeblieft,' smeekte ik.

Haar oogleden trilden, haar ogen gingen open en dicht.

Baby Celeste kwam dichterbij. 'De tuin.'

'Celeste, alsjeblieft. Zie je dan niet dat mama zich niet goed voelt!'

Ze keek naar mama en toen naar mij, met een beschuldigend gezicht, dacht ik. Ik kon haar bijna horen denken: *Dit is jouw schuld.*

Mama kreunde weer, toen gingen haar ogen open. Ze keek naar me, maar zei niets.

'Mama, gaat het een beetje? Wat moet ik doen?'

Ze bleef staren, maar zei nog steeds niets. Toen wendde ze haar ogen af. Ik maakte haar wond schoon en ging wat geneeskrachtige zalf halen. Toen ik terugkwam, was Baby Celeste verdwenen, wat me nog meer in paniek bracht. Ik haalde snel en moeilijk adem, en ging haastig terug om voor mama's wond te zorgen. Al die tijd hield ze haar blik strak op de muur gericht en vermeed het me aan te kijken. Ik smeekte haar naar me te luisteren en tegen me te praten, maar ze gaf geen kik.

Ongerust over Baby Celeste en vooral over Panthers welzijn nu ik had gezien wat Baby Celeste met hem had gedaan, liet ik mama met tegenzin alleen en haastte me de trap af. Panther lag weer te slapen in zijn wieg, maar Baby Celeste was nergens te bekennen. Ik ging naar buiten en zag haar aan het werk in de tuin.

'Celeste!' riep ik. 'Waarom ben je zonder mij naar buiten gegaan?'

Ik vloog de trap van de veranda af, gedragen door de wind van mijn woede. Ze stond gebukt in de tuin te graven met haar kleine spade en negeerde mijn geroep. Met een ruk trok ik haar overeind.

'Heb ik je niet gezegd dat je op mij moest wachten? Nou?'

Ze keek me koppig aan.

'Eerst moeten we voor mama zorgen en dan gaan we naar buiten, Celeste. De tuin is nu niet belangrijk.'

'We moeten in de tuin werken,' herhaalde ze.

Ik droeg haar terug naar huis. Ze lag schreeuwend en schoppend in mijn armen.

'Je bent erg stout,' zei ik. 'Je weet wat er gebeurt met mensen die stout zijn in dit huis.'

Ik liep met haar de trap op en legde haar met een smak op bed.

'Ga slapen,' zei ik. 'Ik moet voor mama zorgen.'

Ze keek me woedend aan toen ik wegging. Ik deed de deur achter me dicht, maar ik was bang dat ze weer naar buiten zou sluipen. In de bovenste rechterla van de kast in mama's kamer vond ik de sleutel waarmee alle deuren in huis konden worden geopend en afgesloten. Vroeger zou ik het nooit gewaagd hebben die zonder mama's toestemming aan te raken of er zelfs maar naar te zoeken. Ik liep terug naar Baby Celestes kamer en deed die op slot. Zodra ze dat hoorde begon ze te jammeren en op de deur te bonzen.

'Ga slapen!' schreeuwde ik.

Toen kalmeerde ik, ging naar beneden om Panther boven in zijn wieg in Betsy's kamer te leggen. Hij kermde en kronkelde een beetje, maar werd niet wakker. Hoeveel van dit soort dagen had hij al meegemaakt in zijn leven? vroeg ik me af, maar ik had geen tijd om daarover na te denken. Ik moest terug naar mama. Ze lag nog plat op bed, haar hoofd naar de muur gekeerd, haar ogen open, maar met trillende oogleden. Ik ging naast haar zitten en hield haar hand vast, in de hoop dat ze zich ten slotte naar me zou omdraaien en me vertellen wat ze wilde dat ik zou doen. Maar het licht van de middag ging over in de schemering en ze had zich niet bewogen en geen woord gezegd. Haar ogen vielen dicht en ze zakte weg in een diepe slaap.

Ik stond op, voelde me zelf ook uitgeput. De kinderen waren stil, het huis was donker. Ik moest voor het avondeten zorgen, hield ik me voor, terwijl ik verlangend naar mijn eigen bed keek. Ik kwam in de verleiding om te gaan slapen en te dromen dat niets hiervan gebeurd was, maar ik liep langzaam de trap af naar de keuken om voor ons allemaal iets te eten te maken.

Ik dacht aan mijn prille jeugd als Celeste, een dochter die vaak naast haar moeder in de keuken stond. Als Noble had ik weinig gedaan in de keuken, maar merkwaardig genoeg stond alles wat ik jaren en jaren geleden met mama had gedaan me levendig voor de geest. Ik kookte wilde rijst en paneerde aubergines met haar kruiden. Toen dekte ik de tafel. Ik hoorde de staande klok slaan en luisterde gespannen of ik mama hoorde opstaan. Ze zou tevreden zijn over wat ik gedaan had, dacht ik. Ze zou zich weer beter voelen.

Maar toen ik naar boven ging, zag ik dat ze nog diep in slaap was. Ik aarzelde, vroeg me af of ik haar wakker zou maken. Ze moet wat eten, dacht ik. Als ze niet gauw wakker wordt, zal ik Baby Celeste en Panther te eten geven en dan een bord voor haar boven brengen. Dan zal ze toch nog tevreden zijn.

Ik maakte de deur van Baby Celestes kamer open en vond haar ineengerold op de grond ernaast. Ze ging rechtop zitten, wreef in haar ogen en keek me woedend aan.

'Als je je nu kunt gedragen, mag je eruit. Zul je je netjes gedragen?'

Ze knikte, maar zei niets.

'Kom mee dan. We moeten Panther halen en hem ook te eten geven.'

Panther lag ongemakkelijk te woelen in zijn wieg, afwisselend snuivend en kuchend van het huilen en de pijn. Ik deed nog wat zalf op zijn brandwond en bracht hem naar beneden waar ik hem in zijn hoge kinderstoel aan tafel zette.

'Help me alles binnen te brengen,' zei ik tegen Baby Celeste. Ze deed het, maar niet met het enthousiasme en de vrolijkheid waarmee ze het deed als mama het haar vroeg.

Daarna ging ze rustig eten en keek toe terwijl ik Panther voerde en ondertussen zelf ook iets at. Ik kon de woedende blikken van Baby Celeste niet uitstaan. Het was mama's kwade gezicht dat op haar gezicht overgebracht werd, als een masker dat ze op en af kon zetten wanneer ze maar wilde.

'We moeten ons fatsoenlijk gedragen,' beleerde ik haar, 'en mama helpen. Ze voelt zich niet goed en slecht gedrag zal haar alleen maar zieker maken, Celeste.'

Haar mondhoeken verstrakten, maar ze zei niet 'Oké' of zo, en toen ze klaar was met eten begon ze, zonder dat ik het zei, de tafel af te ruimen.

Panther at, maar was onrustig. Ik vroeg me af wat Betsy zou doen en wanneer ze terug zou komen. Tenzij ik een goed gesprek had met mama, was er weinig wat ik kon doen om Betsy tevreden te stellen en haar te beletten ons in moeilijkheden te brengen. Ik legde Panther in zijn ledikantje en ging bij mama kijken. Ze had haar hoofd omgedraaid en haar ogen waren open, maar ze staarde naar het plafond.

'Mama, hoe gaat het met je? Heb je honger? Ik heb wat eten voor je klaargemaakt.'

Ze gaf geen antwoord.

'Ik zal het boven brengen,' zei ik. Als ze het zag, dacht ik, zou ze tevreden zijn en beginnen te praten.

Baby Celeste volgde me overal, maar was even zwijgzaam als mama. Ze reageerde op niets wat ik zei en vroeg niets. Ik schikte mama's kussens zo, dat ze rechtop kon zitten. Ze was slap en deed niets om te helpen. Zelfs toen ik het blad voor haar had neergezet, bleef ze zwijgend voor zich uit staren.

'Je moet iets eten en drinken, mama. Je moet.' Ik begon haar te voeren.

Ze keek me aan en kauwde langzaam.

Goed, dacht ik, ze begint bij te komen. Ik voerde haar zoveel ze wilde nemen, maar toen draaide ze haar hoofd om en sloot haar ogen. Al die tijd zat Baby Celeste op de grond te luisteren en te kijken. Ik schikte mama's kussens weer en liep weg met het blad.

'Kom mee naar beneden, Celeste,' zei ik. 'Dan zal ik samen met je lezen.'

Ik liep de trap af naar de keuken, duizelig van de zorgen en verwarring. Het duurde een paar minuten voor het tot me doordrong dat Baby Celeste me niet was gevolgd. Toen ik borden en bestek had afgewassen, ging ik weer naar boven, in de verwachting dat ze in mama's slaapkamer was gebleven. Niet dus. Ik keek in haar slaapkamer en zag tot mijn verbazing dat ze zich had uitgekleed en al in bed lag. Het leek werkelijk of ze afgestemd was op alle gevoelens, elke gemoedstoestand, van mama. Plotseling beangstigde me dat. Instinctief voelde ik dat dat niet in de haak was.

Ik zorgde voor Panther, praatte en speelde even met hem tot hij ook in slaap viel. Toen liep ik de trap weer af en ging in grootvader Jordans stoel zitten, met bevend hart wachtend tot Betsy terug zou komen. Het was als het wachten op een tornado. De stilte was onheilspellend.

'Papa,' fluisterde ik tegen de duisternis buiten onze ramen. 'Kom bij me. Help me. Help ons.'

Ik hield mijn adem in en luisterde en wachtte, maar ik hoorde niets behalve het bonzen van mijn hart, dat dreunde als een verre drum.

Om de een of andere vreemde reden begon ik mama's liedje te neuriën.

Toen zong ik het zachtjes.

'If you go out in the woods today...'

Ik zong mezelf in slaap en werd pas wakker toen het hele huis dreunde van Betsy's lachende, dronken entree, de dichtslaande voordeur. Ze stond in de gang naar me te kijken, zwaaiend op haar benen. Ik wilde juist iets zeggen toen een jongeman met donkerblond haar, in een donkerblauw gymshirt en jeans, naast haar kwam staan en zijn arm om haar middel sloeg. Op beide onderarmen had hij tatoeages, slangen die kronkelden in wat schakels van een ketting leken.

Betsy was regelrecht naar een kledingwinkel gegaan en had een nieuwe spijkerbroek en blouse gekocht met een paar roze-met-witte schoenen. De blouse stond half open, haar borsten waren tot bijna aan de tepels te zien.

'Daar is hij, mijn stiefbroer,' zei ze lachend.

Ik hield angstig mijn adem in. Wat had ze deze vreemde verteld?

'Hoi,' zei hij, zwaaiend en lachend.

'Dit is…' Ze draaide zich om naar de jongeman. Zijn ogen stonden dicht bij elkaar boven een brede neus die eruitzag of hij gebroken was geweest. 'Was het Brad of Tad? Ik kan het me niet meer herinneren,' zei ze, nog steeds lachend.

'Tad.' Hij stak zijn rechterhand op om weer naar me te zwaaien.

'Brad speelt in een rock-'n-rollband, genaamd…' Betsy keek hem aan. Haar ogen draaiden als losse knikkers rond in haar hoofd

'The Hungry Hearts.'

'Ja, de Hungry Hearts. Ze zijn goed. Misschien zal ik je er op een avond mee naartoe nemen om ze te horen, als je niet in je tuin werkt of hout hakt of palen verft.' Ze lachte weer, maar leek toen op hetzelfde moment te ontnuchteren en deed een stap naar voren. 'Heb je gedaan wat je moest doen?' vroeg ze dreigend.

'Ja,' loog ik. Het leek me onder de gegeven omstandigheden het verstandigste wat ik kon doen.

'Goed. Goed. Noble is perfect,' zei ze tegen Tad. Toen trok ze aan zijn arm. 'Kom mee. We nemen zijn kamer vannacht. Dat vind je toch niet erg, hè, Noble? Ik wil niet je-weet-wel-wie wakker maken,' zei ze veelbetekenend.

Ik wendde mijn ogen af. Waarschijnlijk had ze hem niet verteld dat Panther haar kind was.

Ze trok Tad mee naar de trap. Ik hoorde ze giechelend de trap op klauteren en vroeg me af of ze mama wakker zouden maken. Ik wenste het bijna. Dan zou ze in ieder geval weer praten en zich bewegen, maar blijkbaar was dat niet het geval. Toen ze in mijn kamer waren en de deur hadden gesloten, keerde de onheilspellende stilte terug in huis.

Ik deed mijn ogen dicht en prevelde een stil gebed.

Toen ik ze weer opendeed, zag ik Elliot tegenover me zitten.

'Het is bijna voorbij,' zei hij. 'Alles… het is bijna voorbij.'

Ik kon hem slechts aanstaren. Hij joeg me niet langer angst aan of verraste me. Ik kon zien dat hem dat stoorde.

Zijn glimlach verzwakte tot een verwarde grijns. Toen schudde hij zijn hoofd.

'Daar ben je toch blij om? Je wilde dit toch? Je wilde toch dat het me zou lukken?'

Ik zei niets.

Ik deed mijn ogen weer dicht, en toen ik ze veel later weer opendeed, was hij verdwenen.

En in zijn plaats was niets dan leegte, een diepe, donkere leegte die zich in mijn hart had genesteld en zich behaaglijk om mijn ziel had gewikkeld. Ik kon niets anders doen dan slapen, me overgeven als een soldaat die zijn uiterste best had gedaan in de strijd en zich vol spijt maar gewillig neerlegde bij de nederlaag.

Zodra het licht werd, ontwaakte ik door een ruk aan mijn hand. Ik deed mijn ogen open en zag Baby Celeste naar me staan kijken.

'Celeste!' riep ik en wreef met mijn handen over mijn wangen. 'Is Panther ook wakker?'

Ze schudde haar hoofd.

'Heeft mama je wakker gemaakt?' vroeg ik hoopvol.

Weer schudde ze slechts haar hoofd.

'Kom mee dan, laten we gaan kijken hoe het met haar gaat.' Ik liep naar de trap. Ze volgde me niet. Ik keek achterom. Ze stond aan de voet van de trap. 'Ga nergens naartoe, Celeste. We gaan direct het ontbijt klaarmaken.'

Ze gaf geen antwoord. Ze bleef naar me staren. Haastig liep ik naar mama's kamer. Toen ik langs mijn eigen kamer kwam, zag ik dat de deur dicht was. Het zou een hele schok zijn voor mama als ze merkte dat Betsy het lef had gehad iemand mee te nemen naar ons huis, dacht ik.

Mama was wakker, maar haar ogen hadden dezelfde afwezige uitdrukking. Wat me echter het meest deed schrikken, was dat ze als een baby in haar broek had geplast.

'O, god, mama!' riep ik uit.

Ze keek me niet aan; ze liet op geen enkele manier blijken dat ze me gehoord had. Een ogenblik lang wist ik niet wat ik het eerst moest doen. Toen begon Panther te huilen. Ik verwachtte dat Betsy op zou staan om naar hem toe te gaan, maar de deur van mijn kamer ging niet open. Wat moest ik doen?

275

'Mama, je moet opstaan. Je moet je verkleden en je wassen. Alsjeblieft,' smeekte ik. 'Mama!'

Ze sloot haar ogen, deed ze toen weer open en keek me aan. Ik hield mijn adem in.

Ze glimlachte.

'Mama. O, dank je, dank je,' kermde ik tegen iedere geest die in en rond ons huis dwaalde.

'Noble?'

'Ja, mama, ja. Het is Noble. Luister. Je hebt een ongelukje gehad. Sta alsjeblieft op. We moeten je bed verschonen en je moet je wassen.'

'Een ongelukje?' Ten slotte drong het tot haar door wat ze had gedaan. 'O, ik begin oud te worden, denk ik.'

Panther begon nog harder te huilen.

'Wie huilt er?'

'Panther.'

'Panther? Wie is Panther?' Ze kwam op haar ellebogen overeind.

'Betsy's Panther, mama. Betsy's baby.'

Ze keek me aan en schudde verward haar hoofd.

'Oké, mama. Kun je opstaan en die kleren uittrekken? Ik zal voor de baby zorgen, oké?'

'Baby? Baby Celeste,' zei ze, het zich weer herinnerend.

'Ja, ze is beneden en wacht op ons om het ontbijt klaar te maken.'

Mama knikte. Ik hielp haar opstaan. Ze wankelde, maar hervond haar evenwicht. Ik bracht haar naar de badkamer en ging toen naar Panther. Hij moest een schone luier hebben. Ik probeerde zoveel mogelijk lawaai te maken om Betsy wakker te maken, maar ik dacht dat je een bom bij de deur van de kamer kon laten ontploffen zonder dat ze wakker werd. En zelfs al was ze wakker, dan zou ik niet veel hulp aan haar hebben.

Baby Celeste was al in de keuken en probeerde vast het ontbijt klaar te maken. Ze had sap gepakt uit de ijskast en haar papkommetje gevonden. Ik glimlachte om haar dappere pogingen en installeerde Panther in zijn kinderstoel. Ik maakte zijn ontbijt klaar, zette havermout op voor mama en roosterde wat van haar eigengemaakte brood.

Zelfs toen ik met dat alles klaar was, had Betsy zich nog niet laten zien. Ik ging bij mama kijken en vond haar naakt in het bad, maar zonder water. Ze veegde met een washandje over haar armen en lichaam alsof er water was en zeep. Toen ik dat zag, had ik het gevoel dat ik van top tot teen wegsmolt, dat mijn lichaam in een plas aan mijn voeten lag.

'Mama, er is geen water in het bad.'

Ze keek lachend naar me op. 'Kom je mijn rug wassen?' vroeg ze.

Dat had ze Noble vaak laten doen toen hij nog klein was. Het was het enige dat hij buiten zijn fantasiespelletjes serieus opvatte. Ze bood me het washandje aan. Ik liet mijn hoofd hangen. Wat moest ik doen?

Bij het horen van Betsy's lach draaide ik me met een ruk om. Ze stond in de gang.

'Noble!' schreeuwde ze. 'Waar ben je, verdomme?'

Ik keek naar mama en toen naar Betsy, om te zien wat ze wilde.

Ze stond in de deuropening van mijn kamer, met een kussen tegen haar naakte lichaam.

'Breng ons koffie en toast en wat van dat brood dat ik lekker vind, met die bramenjam. En doe er niet de hele dag over,' beval ze. 'Daarna zullen jij en ik eens goed met elkaar praten. Waar is de koningin?' ging ze verder, alsof ze er nu pas aan dacht.

Ik meende bijen te horen zoemen rond mijn hoofd. Ik keek achterom naar de deur van mama's slaapkamer en toen naar de trap.

'O, wees niet zo'n lul,' snibde Betsy. 'Doe wat ik je gevraagd heb.'

'Hé!' hoorde ik haar nieuwe vriendje roepen. 'Waar zijn we in godsnaam?'

Betsy lachte. 'Je bent in de kruidenhemel,' riep ze, keek mij scherp aan en verdween toen weer in mijn kamer. 'Schiet een beetje op,' beval ze voor ze de deur dichtdeed.

Ik ging terug naar mama's badkamer. Ze was uit het bad gestapt en droogde zich zogenaamd met een handdoek. Ik moest naar de kinderen. Ze waren al te lang alleen gelaten.

'Ik ben zo terug, mama. Ik heb havermout voor je gemaakt.'

'Heus? Wat lief. Maar,' zei ze, terwijl ze haar hoofd boog en haar ogen naar me opsloeg, 'heb jij die gemaakt of Celeste?'

'Celeste,' zei ik zacht.

'Dacht ik al. Het is goed. Ik weet dat jij het zelf wilde doen, Noble. En dat is het belangrijkste.' Ik zag dat ze, nog steeds naakt, naar haar toilettafel liep en haar haar begon te borstelen. De borstel bewoog heel langzaam.

Ze is nog wel even bezig, dacht ik, en holde de kamer uit en de trap af.

Panther had zijn eten van de hoge stoel gegooid en gebruikte zijn lepel om zijn eieren over de hele tafel te mikken en zelfs op de muren. Ik keek naar Baby Celeste, die haar ontbijt zat te eten en hem gadesloeg.

'Waarom heb je hem dat laten doen, Celeste?'

Ze keek me met een vaag glimlachje aan.

'Je bent nog steeds een stout kind. Je mag vandaag niet naar buiten. Je blijft de hele dag in je kamer.'

Daar wilde ik haar trouwens toch hebben. Ik wilde haar uit de buurt hebben van alles wat er ging gebeuren.

Ze leek het zich niet aan te trekken. Ik deed een snelle poging om Panthers gezicht en lijfje schoon te maken en een deel van de rotzooi die hij gemaakt had op te ruimen. Toen zette ik koffie en sneed brood voor de toast die Betsy wilde. Voor ik klaar was, kwam Celeste met de ontbijtborden, zelfs dat van Panther, en zette alles keurig op het aanrecht bij de gootsteen. Toen keek ze me vol afkeer aan, liep de keuken uit en de trap op naar haar kamer.

Ik hoorde Betsy op de deur van mijn kamer bonzen en schreeuwen om bediening. Toen ik het blad had klaargemaakt, keek ik nog even bij Panther binnen, die bezig was met het restant van zijn eten. Hij had zijn vuistje vol roereieren, genietend van het gevoel ervan. Betsy schreeuwde weer. Ik bracht het blad boven en klopte op de deur van mijn kamer.

'Binnen,' hoorde ik, en slaagde erin de deur te openen.

Ze lag in bed met Tad en ging onmiddellijk rechtop zitten. 'Zet maar neer, broer.'

Tad glimlachte, één oog gesloten.

Ik zette het blad voor hen neer.

'O,' zei ze, 'maak een warm bad voor me klaar en strooi er wat van die kruidentroep voor een schuimbad in, zoals Sarah altijd doet. Het schijnt goed te zijn voor je huid. Hè, Brad?'

'Tad,' zei hij.

'Tad. Is mijn huid niet mooi zacht en glad?'

'Als de kont van een baby,' zei hij, en ze moesten allebei lachen.

Ik liep de deur uit.

'Doe die verdomde deur dicht,' gilde Betsy.

'Graag,' mompelde ik, en deed het.

Toen ik bij mama naar binnen ging, zag ik dat ze haar nachthemd had aangetrokken en op het punt stond weer in bed te stappen.

'Mama, wat doe je? We moeten het bed verschonen en je wilt toch zeker niet weer naar bed!'

'Ik ben moe, en het is laat. Jij hoort ook te gaan slapen.'

'Nee, mama. Het is ochtend. Sta op. Je moet je aankleden,' drong ik aan.

Ze schudde haar hoofd en ondanks de vuile lakens, kroop ze onder de deken.

Ik bleef even staan. Ik moest iemand bellen, dacht ik. De enigen die ik kon bedenken waren Bogart en zijn vrouw of de vrouw van dominee Austin, Tani. Maar alles op zijn tijd. Mama ging nergens naartoe. Ik moest eerst de zaak met Betsy afhandelen.

Ik keek even binnen bij Baby Celeste, die in haar stoel in haar kamer zat en foto's bekeek in oude familiealbums. Ze was rustig, dus liet ik haar alleen en liet Betsy's bad vollopen. Toen ging ik haastig naar beneden, tilde Panther op en bracht hem naar boven om hem te wassen en hem schone kleren aan te trekken. Voor ik klaar was kwam Betsy de kamer in en deed de deur achter zich dicht.

'Je bad loopt over,' zei ik.

'Ik let er wel op. Denk eraan dat je geen woord zegt dat dat kind van mij is,' waarschuwde ze, met een knikje naar Panther. 'Ik heb hem gezegd dat hij een neefje van je is. Wanneer krijg ik mijn geld?'

Ik sloeg mijn handen voor mijn gezicht.

'Nou?' gilde ze.

'Mama is niet in orde,' zei ik, en liet mijn handen zakken. 'Wat je hebt gedaan heeft haar in een…'

'In een wat?'

'In een slechte geestestoestand gebracht. Ze is hopeloos in de war, versuft. Ik maak me erg ongerust. Ik denk dat ik om hulp zal moeten vragen.'

Betsy dacht na. 'Bel voorlopig nog niemand. We handelen het zelf af. Ik bedenk wel wat. Na mijn bad ga ik met Tad naar het dorp om de dingen te kopen die ik nodig heb als ik hier wegga. Ik moet meer geld hebben, en creditcards. Zorg dat je moeder je dat alles geeft. Jij weet waar ze haar chequeboek bewaart. Schrijf een cheque uit voor het bedrag dat op haar rekening staat. Als ik terugkom, zien we verder. Begrepen? Nou? Sta me niet zo aan te staren.'

'Ik zal doen wat ik kan.'

'Doe méér dan je kunt,' antwoordde ze, draaide zich om en liet me alleen met Panther.

Toen ik hem had aangekleed, bracht ik hem naar beneden en zette hem in de box die we voor hem in de zitkamer hadden neergezet. Hij huilde omdat hij alleen werd gelaten, maar dat kon niet anders. Ik ging terug naar mama's slaapkamer. Ze sliep weer, dus zocht ik in haar spullen, vond nog meer geld, haar chequeboek en twee creditcards. Ik moet Betsy tevredenstellen, zodat ze niet nog meer problemen veroorzaakt, dacht ik.

Er bleek een saldo van vierentwintighonderd dollar op haar rekening te staan. Ik schreef een cheque aan toonder uit voor tweeduizend dollar. Toen bracht ik alles naar Betsy, die in bad lag.

'Ik moet het haar nageven,' zei ze, toen ze me hoorde binnenkomen. Ze lag met haar hoofd achterover en met gesloten ogen. 'Dat kruidenbad geeft je een heerlijk gevoel.'

Ze ging rechtop zitten en keek me aan. 'Nou?'

'Ik heb een cheque voor je van tweeduizend dollar. Je moet naar de bank om het geld op te nemen. Als ze hierheen bellen, zal ik zeggen dat het in orde is. Dit zijn de enige creditcards die we hebben, en er is ongeveer vierhonderd dollar in contanten,' zei ik, en liet haar de rol bankbiljetten zien.

'Dat is een begin. Goed gedaan. Je bent een slimmerik, Noble Celeste. Hoe gaat het met de koningin?'

'Ze slaapt.'

'Ze kan maar beter gauw weer gezond worden om die advocaat te bellen,' waarschuwde ze. 'Geef die handdoek eens aan.'

Ik deed wat ze vroeg, en ze stapte uit het bad.

'Zie je,' zei ze, zich omdraaiend om me haar borsten te laten zien, 'nog steeds stevig. Als je ooit de vrouw wordt die je bent, geef dan geen borstvoeding.'

Ik holde de badkamer uit. Haar lach volgde me. Toen ik bij de trap kwam, hoorde ik de piano.

'Mama?' riep ik.

Maar het was andere muziek. Ik zag dat het Tad was die in de zitkamer zat te spelen.

'Dat ding is ontstemd,' zei hij. Hij knikte naar Panther, die rustig naar hem zat te kijken. 'Kinderen houden van rock-'n-roll.' Hij lachte en speelde verder.

Ik ging naar de keuken en ruimde op. Ik had geen honger en dronk alleen wat koffie. Even later hoorde ik Betsy de trap afkomen.

'We gaan,' riep ze bij de voordeur.

Ik liep de kamer uit en keek toe.

'Ik kom vanmiddag terug en dan zullen we alles regelen. Begrepen?'

Ik zei niets.

Ze vertrokken en het werd weer stil in huis. Panther riep haar na. Langzaam liep ik de gang door en keek bij hem binnen. Hij stond rechtop in zijn box. In de steek gelaten worden was geen nieuwe ervaring voor hem, dacht ik. Dit was niet de eerste keer en zou zeker niet de laatste zijn.

Plotseling voelde ik me zo gevangen, zo ingesloten, dat het leek of ik zelf in een box stond.

Snel liep ik naar buiten en ademde de frisse lucht in. De lucht was gedeeltelijk bewolkt, maar er was voldoende zon om mijn duistere hart enig respijt te geven van de schaduwen die binnen in me ronddansten.

Ik keek naar het bos, en plotseling wist ik zeker dat ik papa zag. Hij kwam eruit en wilde op weg naar het huis, maar iets hield hem tegen en hij was weer terug in het bos. Ik hield mijn blik op hem gericht.

Hij kwam naar buiten en ging op weg naar het huis. Maar weer hield iets hem tegen en was hij weer terug in het bos.

'Papa!' gilde ik. De tranen rolden over mijn wangen.

Weer liep hij in de richting van het huis, maar bleef toen staan en schudde zijn hoofd.

Hij was weer terug in het bos.

Hij kan niet hier komen, besefte ik.

Ik keek om me heen. Overal bewogen schaduwen en stopten dan.

Ze waren allemaal buitengesloten.

Er was iets heel erg mis, en tot het rechtgezet was, bleven we alleen.

We waren in de steek gelaten.

20. Een dodendans

Slapen deed mama weinig goed. Ze leek eerder nog dieper weg te zinken in de waanzin. Ze praatte onsamenhangend als ze wakker was en viel dan weer in slaap. Ik probeerde haar wat water te laten drinken, maar het liep uit haar mondhoeken weer weg. Haar tong leek een plug, die haar keel afsloot. Ik wist dat ze het op deze manier niet lang meer zou maken, maar ik bleef hopen dat ik haar op de een of andere manier weer bij haar verstand zou kunnen krijgen.

Ik bracht de dag door met zorgen voor Panther. Baby Celeste bleef koppig en kwaad. Endelijk, toen Panther een dutje deed en mama weer sliep, probeerde ik het Baby Celeste naar de zin te maken door met haar naar de tuin te gaan. Ze leek tevreden, maar omdat we niet lang konden blijven, verviel ze weer in haar halsstarrige zwijgen, at weinig en negeerde me. Ten slotte ging ze naar haar kamer en deed de deur dicht. Toen ik bij haar binnen keek, lag ze in haar bed te slapen.

Laat in de middag kwam Betsy alleen terug. Ze had tassen vol kleren, schoenen, cosmetica bij zich, alles wat ze tekort was gekomen en waar ze naar verlangd had. Ik moest haar helpen alles naar haar kamer te brengen. Ik moest twee keer op en neer. Ze keek niet eens naar Panther of vroeg naar hem. Ze praatte alleen maar over de prachtige kleren die ze had gekocht. Ik probeerde zo enthousiast en opgetogen mogelijk te doen, om haar te sussen. Ten slotte informeerde ze naar mama en onze advocaat, meneer Derward Lee Nokleby-Cook.

'Ik heb besloten me bij Tads band aan te sluiten,' vertelde ze. 'Ik ga met ze rondreizen en word hun manager. Een van de eerste dingen die ik met mijn geld ga kopen is een van die bussen met een douche en wc. We schilderen de naam van de band op de zijkanten van de bus. Iedereen is er enthousiast over. Nou?'

'Ik probeer te doen wat je wilt. Maar mama slaapt nog.'

'Hoe bedoel je, slaapt nog?' riep ze met een vertrokken gezicht.

'Nonsens! Ze doet alsof, en ik waarschuw je dat ze ze daar niet mee wegkomt!'

Ze gooide haar nieuwe blouse neer en liep de kamer uit.

'Betsy!' riep ik haar na. 'Niet doen!'

Ze stormde de gang door en mama's kamer in. Mama lag natuurlijk nog op bed; haar ogen waren gesloten. Betsy liep op het bed af. Ik rende achter haar aan, maar ze was er eerder dan ik en ze begon aan mama te trekken.

'Wakker worden, Sarah. Ik trap er niet in. Ik wil mijn geld en ik wil het nu meteen. Word wakker, verdomme!' schreeuwde ze en schudde mama zo hard door elkaar dat haar hoofd heen en weer stuiterde.

Ik pakte Betsy's armen vast om haar te doen ophouden, maar ze was zo door het dolle heen, dat ze zich losrukte en weer aan mama begon te schudden. Mama opende haar ogen, maar zei niets en keek niet naar Betsy.

'Hou op met voor te wenden dat je in een halve coma ligt! Doe wat ik je gevraagd heb, en nu meteen, verdomme!' gilde ze.

Mama zei niets, geen woord om zich te verdedigen of te protesteren. Haar ogen vielen weer dicht.

'Als je niet doet wat ik wil, ga ik naar beneden om water te koken en dan gooi ik het in je gezicht,' dreigde Betsy.

Mama's oogleden knipperden, maar gingen niet open. Betsy gooide haar weer met haar hoofd op het kussen, draaide zich om en keek mij vol haat aan.

'Ik ben kotsmisselijk van je. Kotsmisselijk van haar. Van dit huis. Ik zal haar niet zomaar mijn geld laten stelen!' brulde Betsy.

'Ze steelt het niet,' zei ik zo kalm mogelijk. 'Je vader heeft het zo gewild.'

'Dat heeft hij niet gewild. Zij heeft hem ertoe aangezet.' Betsy wees naar mama. 'Ze had hem gehypnotiseerd of zoiets.' Ze keek woedend naar mama. 'Maar het zal je niet meer lukken, Sarah!' schreeuwde ze.

'Ze kan er niets aan doen. Ze is ziek. Ik kan haar zelfs niet zover krijgen dat ze water drinkt.'

'O, hou toch op. Ik weet best wat ze in haar schild voert. Ze denkt dat haar geesten haar zullen redden, maar deze keer gaat die vlieger niet op. Deze keer ben jij niet de baas, Sarah. Je vertelt niemand meer wat ze moeten doen. Ik wil mijn geld!'

'Ze doet niet alsof. Je zult moeten wachten tot ze weer beter is.'

'Meen je dat, Noble Celeste? Ik moet wachten?' Betsy keek naar me met een waanzinnig lachje. *'Ik?* Ik ben degene die moet wachten op mijn eigen geld?'

'Zie je dan niet in wat voor toestand ze verkeert?' Ze richtte haar blik weer op mama. 'Ik zie een bedriegster, een gek. Dat is wat ik zie. Oké, je wilt het hard spelen, Sarah, dan spelen we het hard. Ik ga naar beneden om het water te koken.'

Ze draaide zich met een ruk om en holde langs me heen de deur uit, duwde me in het voorbijgaan opzij. Mama kreunde, maar deed haar ogen niet open.

'Alsjeblieft, mama,' zei ik. 'Laten we haar het geld geven, zodat ze voorgoed hier weg is.'

Mama's ogen gingen niet open, haar lippen bewogen niet. Ik raakte met een teder gebaar haar gezicht aan en sprak zachtjes tegen haar, maar ze reageerde niet. Ze hoort me niet, dacht ik. Het was waar ik altijd bang voor was geweest. De confrontatie met de werkelijkheid van Nobles dood had haar zo'n klap gegeven, haar zo diep doen wegzakken, dat haar eigen lichaam haar doodkist was geworden, en ze stond op het punt zelf het deksel dicht te klappen.

'O, mama,' kermde ik. Ik bukte me drukte mijn wang tegen de hare. 'Kunnen we niet gelukkig leven zoals we in werkelijkheid zijn? Kan ik niet weer je Celeste zijn? Alsjeblieft, mama.'

De tranen rolden van mijn wangen op de hare, maar ze deed haar ogen niet open. Ik voelde een gekreun in haar vibreren, een trilling die klonk als een langgerekt, hol *Neeeeeee!* Ik deed een stap achteruit, keek naar haar en wachtte om te zien of ze zou reageren voor ik de kamer verliet. Ik moest naar beneden. Ik moest Betsy kalmeren en een of andere oplossing bedenken tot ik hulp kon krijgen voor mama. Misschien moest ik meneer Bogart bellen, dacht ik. Hij zou weten wat we moesten doen. Of ik kon dominee Austin en zijn vrouw Tani bellen. Ze waren zo aardig, zo begripvol. Zij zouden ons helpen.

Ik zal Betsy mijn plan vertellen, dacht ik. Ze zal wel kalmeren als ze ziet dat ik probeer iets te doen.

Ik ging haar zoeken en vond haar in de keuken. Ze had een pan water opgezet en bracht die aan de kook. Ze hoorde me aankomen en draaide zich naar me om.

'Heeft de koningin besloten bakzeil te halen? Is ze uit haar bed gekomen om die advocaat te bellen?'

'Nee, Betsy. Dat heb ik je gezegd. Ze doet niet alsof. Ik heb besloten meneer Bogart te bellen of dominee Austin en hun om hulp te vragen. Zij zullen wel weten wat we moeten doen.'

'O, is dat je oplossing? Haar kruidendistributeur bellen of die suffe dominee, die waarschijnlijk hier zal komen en mooie toespraken houden dat we toch zo gelukkig zijn met elkaar? Misschien doet ze niet alsof. Misschien is ze echt gek, maar daar zal ik haar wel overheen helpen. Iedereen wacht op me. Tad regelt alles. We vertrekken morgen, zodra ik mijn geld heb. Het is de hoogste tijd.' Ze wikkelde een pannenlap om de steel van de pan en haalde het kokende water van het vuur.

'Dat kun je niet doen! Ze zal niet eens weten dat je haar bedreigt.'

'O, ze zál het weten, reken maar. Ik laat een paar druppels op haar gezicht vallen en dan krijgt ze plotseling haar verstand weer terug,' zei Betsy opgewonden. 'En ga nu uit de weg, anders gooi ik het allemaal over jou heen.' Ze hief de pan omhoog en naar achteren, gereed om het water in mijn gezicht te gooien.

'Alsjeblieft. Geef me de kans om hulp te krijgen. Dat is de beste manier.'

'Uit de weg!' schreeuwde ze.

Ik twijfelde er niet aan of ze zou geen seconde aarzelen dat kokende water naar me toe te gooien. Ik deed een stap opzij en ze liep snel de keuken uit, terwijl ik haar volgde en smeekte redelijk te zijn, me de kans te geven om te doen wat ze wilde.

Ze reageerde niet en stond niet stil voor ze halverwege de trap was. 'Als dit niet helpt, gaan we over tot jouw plan, maar ik denk dat dit wel zal lukken. Vertrouw me maar.' Toen liep ze verder en bleef staan op ongeveer drie treden van de top.

Baby Celeste was haar kamer uitgekomen en stond woedend naar haar te kijken.

'Haal dat kind daar weg, anders brandt ze zich.'

'Celeste, ga uit de weg!' schreeuwde ik en liep haastig naar haar toe.

In plaats van Betsy uit de weg te gaan, stak Baby Celeste haar armen uit om haar te beletten langs haar heen te gaan, en liep, tot mijn schrik en verbazing, naar haar toe, haar praktisch uitdagend hoger te komen.

'Ze is net zo gek als je moeder,' zei Betsy, en hief de pan naar achteren om iets van het kokende water naar Baby Celeste te gooien.

Ik holde de paar treden op die me van Betsy scheidden en pakte haar rechterarm vast.

'Nee!' gilde ik en trok haar terug. Ze miste een tree, maar ik had zo hard aan haar arm gerukt, dat ze tegen de muur links van me viel. Ze sloeg hard met haar voorhoofd tegen de muur, wervelde als een ballerina rond in de lucht, en kwam twee treden lager terecht. Haar benen bezweken onder haar gewicht en ze rolde halsoverkop de rest van de trap af. De pan kokend water leek een ogenblik midden in de lucht te blijven hangen en viel toen achter haar neer. Het water stroomde de pan uit en een deel ervan spatte op haar benen. Ze kwam onder aan de trap terecht, haar lichaam vreemd gedraaid, zodat haar romp naar één kant viel en haar hoofd naar de andere kant. De pan kletterde op de grond, rolde een eind weg en bleef toen liggen.

Betsy's rechterarm was bij haar elleboog volledig naar achteren gedraaid. Haar linkerarm was zo hard tegen de tree gebotst, dat ik kon zien dat de onderarm gebroken was; het bot stak door de huid heen en er vormde zich een dun straaltje bloed. Ik stond naar haar te staren, verbluft door het vreemde ballet dat ik had veroorzaakt, een ballet dat, zoals ik me onmiddellijk realiseerde, een dodendans was.

Ik bleef geschokt staan, besefte pas een volle minuut later dat Baby Celeste de trap af was gekomen en mijn linkerhand had vastgepakt. Ook zij staarde naar Betsy.

'O, lieve god,' zei ik. 'Ik geloof dat ze dood is.'

Toen drong het tot me door dat Baby Celeste naast me stond, en ik keek naar haar. Ze stond doodstil, geïntrigeerd door het tafereel voor ons. Ik tilde haar op in mijn armen en liep langzaam omlaag naar Betsy's roerloze lichaam. Haar ogen waren nog wijdopen, maar hadden al het glazige uiterlijk van twee knikkers, die geen enkele informatie meer doorseinden naar haar hersens. Ze waren nu als twee gedoofde kaarsen die zelfs niet meer smeulden. De duisternis had zijn intrede gedaan en elke gedachte, elke herinnering verstikt. Ze was nu nog slechts vervuld van stilte.

'Wat moeten we doen?' kermde ik.

Baby Celeste staarde naar Betsy's lichaam en draaide zich toen met knipperende oogleden naar me om.

'Leg haar in de tuin,' zei ze.

De schok van haar suggestie trof me als een bliksemschicht, maar in plaats van me te verhitten, zakte het bloed naar mijn voeten en voelde mijn hart als een ijsblok. Nog steeds met Baby Celeste in mijn armen, draaide ik me om en liep weer de trap op. Mama zal het me vertellen, dacht ik. Ze moet nu wakker worden. Ze moet me helpen.

Ik liep zo snel ik kon naar haar slaapkamer en naar haar bed en zette Baby Celeste op de grond. Ze bleef naast me naar mama staan kijken. Ik nam mama's hand in mijn beide handen, ging op mijn knieën liggen en boog mijn hoofd als iemand die bad.

'Mama, er is iets verschrikkelijks gebeurd. Ik probeerde Betsy te beletten kokend water te gooien naar Baby Celeste en dan naar boven te gaan en het over jou heen te gieten, en toen viel ze van de trap. Ik weet zeker dat ze haar nek heeft gebroken. Ik weet zeker dat ze dood is, mama. Ze is dood. Wat moet ik doen? Alsjeblieft, mama, word wakker en help me, help ons. Alsjeblieft.'

Ik wachtte, maar ze bewoog zich niet en ze zei geen woord. Toch bleef ik haar smeken. Ik weet niet hoe lang ik op mijn knieën lag, maar het werd al donker buiten en mijn knieën begonnen pijn te doen. Baby Celeste was verdwenen toen ik opkeek en ik kon Panther horen huilen. Zijn stemmetje klonk hees, dus wist ik dat hij al een poos gehuild had en ik het niet gehoord had.

Ik vermande me en keek naar mama. Ze had haar hoofd iets naar rechts gedraaid. In paniek voelde ik haar pols. Haar hartslag was heel zwak, maar ze leefde nog. Ze liep af, als een oud stuk opwindspeelgoed, dacht ik.

Ik zal iets te eten voor haar maken. Een van haar vele soorten müsli met honing. Als ik iets bij haar naar binnen kan krijgen, zal ze beter worden. Ja, dat is alles wat ik hoef te doen, zorgen dat ze iets eet.

En ik moet ook voor Panther en Baby Celeste zorgen, dacht ik, en haastte me naar beneden. Alles op zijn tijd, prentte ik me in. Als ik alles gedaan heb wat er te doen is, ga ik in de zitkamer zitten in grootvader Jordans stoel en blijf wachten tot ze me vertellen wat ik moet doen. Dat is het. Zij zullen het me vertellen. Alles komt in orde. Ik had daar eerder aan moeten denken. Dom van me. Ze zullen niets kwaads met ons laten gebeuren.

Ik ging meteen naar Panther en gaf hem eerst een schone luier. Toen suste ik hem en kalmeerde hem en droeg hem naar beneden om hem te eten te geven. Hij keek enigszins nieuwsgierig naar Betsy's lichaam, maar zonder enige emotie. Hij riep haar niet en strekte zijn armpjes niet naar haar uit, sloeg alleen zijn kleine armpjes steviger om mijn hals.

'Stil maar,' zei ik. 'Alles komt in orde. Alles zal goed gaan met ons.'

Baby Celeste zat in de keuken op een cracker te knabbelen.

'Honger,' zei ze kwaad.

'Ik weet het, Celeste. Ik ga meteen het eten voor ons klaarmaken. Houd jij Panther zoet, terwijl ik bezig ben.' Ik zette hem in zijn hoge kinderstoel. Ik gaf hem een van de crackers die Baby Celeste had gevonden, en ze ging braaf naast hem zitten en praatte met hem terwijl ik het eten klaarmaakte.

Alles komt op zijn pootjes terecht, dacht ik. Ik gaf beide kinderen te eten en bracht toen de kom met müsli en een kop kruidenthee naar boven naar mama. Ze had zich niet verroerd, had haar houding geen centimeter veranderd. Ik schikte de kussens en liet haar rechtop zitten, maar haar hoofd viel naar voren. Ik legde mijn vinger onder haar kin en tilde voorzichtig haar hoofd op.

'Mama, probeer alsjeblieft wat te eten. Ik heb iets dat erg goed voor je is.' Ik schepte een lepeltje pap in haar mond, maar haar kaken bewogen niet. De müsli bleef op haar tong liggen.

Misschien kan ik het met water naar binnen spoelen, dacht ik, en schonk water in een glas. Ik hield haar hoofd wat achterover en goot het naar binnen. Ze kokhalsde en spuwde het uit, samen met de müsli, maar haar ogen gingen niet open.

'Wat moet ik doen?' vroeg ik aan haar stille, onbeweeglijke gezicht.

Ik liep achteruit en keek naar haar, toen liep ik langzaam de kamer uit, met gebogen hoofd en hangende schouders, diep verslagen. Mijn gedachten gingen als pingpongballetjes heen en weer, stukjes van het ene idee, stukjes van het andere, maar niets nuttigs, geen twee complete zinnen. Ik was zelf totaal in de war toen ik onder aan de trap was en om Betsy's dode lichaam heenliep. Ik zette Panther in zijn box. Baby Celeste ging ernaast zitten en sloeg een van haar boeken open en ik ging in grootvader Jordans stoel zitten en wachtte met gesloten ogen. Ik weet dat ik in slaap moet zijn gevallen, want toen ik mijn ogen weer opendeed, lag Panther in zijn box te slapen en Baby Celeste op de bank. Het was donker en stil in huis.

Op dat moment kwam er een idee bij me op, zo levendig en duidelijk, dat ik wist dat het van onze spirituele familie moest zijn gekomen. Ik moest even lachen. O, natuurlijk, dacht ik, dat had ik eerder moeten bedenken. Ik stond op en keek uit het raam, en ja, daar stonden ze allemaal, pratend en starend naar het huis. Papa was er ook bij, maar er ontbrak iemand, iemand die ik er ook bij moest halen.

Ik keek even naar de kinderen; het ging prima met ze. Toen liep ik haastig de trap op, zonder Betsy dit keer zelfs maar te zien, regelrecht naar mama's kamer, trok de la van de kast open en haalde de sleutel van de deur eruit. Mama zat nog rechtop, precies zoals ik haar had achtergelaten na mijn pogingen om haar te eten te geven, maar haar hoofd was gebogen en haar armen waren slap.

'Straks is alles weer in orde, mama,' zei ik. 'Wacht maar af. Je zult het zien.'

Opgewonden liep ik de trap op naar de torenkamer en maakte de deur open. Ik wist precies waar ik naartoe moest en wat ik nodig had. Ik deed er maar een paar minuten over en ging toen weer naar beneden. Ik ging terug naar mama's kamer en kleedde me naakt uit. Toen nam ik een douche en waste me, genietend van het schuim van haar geparfumeerde zeep. Zodra ik klaar was en me had afgedroogd, borstelde ik mijn haar in een andere stijl. Ik ging aan haar toilettafel zitten en maakte me net zo op als ik een tijdje geleden geoefend had. Opgemonterd door wat ik in de spiegel zag, trok ik de beha, het slipje en de jurk aan, die ik langgeleden had uitverkoren als mijn lievelingskleding tijdens een van mijn heimelijke bezoekjes aan de torenkamer. Ik trok de schoenen aan en bekeek mezelf in de spiegel.

'O, mama,' riep ik. 'Ik ben mooi. Kijk eens naar me. Kijk één keer naar me en zie me zoals ik ben,' smeekte ik.

'Celeste.' Ik wist zeker dat ze het zei. ' M'n lieve Celeste. Je bent thuisgekomen.'

'Ja, mama. Ik ben voorgoed thuisgekomen.' Ik omhelsde haar en voelde dat ze mij ook omhelsde.

Toen holde ik de trap af. Ik moest het iedereen laten zien. Dat was heel belangrijk.

Ik liep het huis uit naar de rand van de veranda.

'Kijk eens naar me!' riep ik.

Iedereen draaide zich naar me om.

Papa lachte. 'Mijn linkerarm!' riep hij.

Rechts van me steeg een schaduw op uit een ongemerkt graf. De schaduw kwam uit het kleine kerkhof en bewoog zich langzaam in de richting van het huis. Toen hij dicht genoeg bij was, konden we het allemaal zien. Het was Noble, en hij lachte ook.

'Mijn rechterarm!' riep papa.

Noble liep naar hem toe en papa sloeg zijn armen om hem heen. Ik daalde af van de veranda en ze omhelsden me.

Alledrie draaiden we ons om en sloegen onze ogen op. Ik wist zeker dat mama naar ons keek.

'Wat een geluk,' zei papa. 'Nu zijn we allemaal weer bij elkaar.'

'Ja, papa,' zei ik.

'En je speelt met me?' vroeg Noble achterdochtig en weifelend.

'Ik beloof het,' zei ik.

Hij keek lachend naar papa.

'We kunnen nu allemaal naar binnen,' zei papa. 'Ga jij maar voor, Celeste.'

Ik gaf hem een hand en hij gaf Noble een hand. Achter ons hoorde ik onze familieleden klappen en vrolijk lachen. Ik deed de deur open en papa en Noble liepen voor me uit.

Toen ik me omdraaide en naar het bos keek, zag ik Elliot, die zich met gebogen hoofd terugtrok in de duisternis waaruit hij tevoorschijn was gekomen en waarin hij nu voorgoed zou verdwijnen. Ik ging naar binnen en met papa en Noble naast me, kleedde ik de kinderen uit, trok ze hun pyjama aan en stopte ze allebei in bed. En ik zorgde dat mama wat comfortabeler lag.

Papa ging naast haar bed zitten en hield haar hand vast en Noble ging met mij op het bed zitten. We praatten zachtjes tot diep in de nacht, tot ik mijn ogen niet meer open kon houden.

'Ga slapen,' zei papa. 'Ik blijf bij haar.'

'Ik ook,' zei Noble.

'Oké,' antwoordde ik. Ik gaf mama een zoen op haar wang en ging naar bed.

Ik viel in mijn kleren in slaap.

Ik werd de volgende ochtend pas laat wakker. Panther was wakker, maar hield zich bezig met zijn speelgoed en huilde niet zoals hij gewoonlijk 's morgens deed. Het was Baby Celeste die me met een gil wekte.

Ik wreef in mijn ogen en ging rechtop zitten. Ze stond in de deuropening naar me te staren.

En ze huilde.

'Wat is er, Celeste? Waarom huil je?' Ik stond snel op en liep naar haar toe.

Ze deinsde achteruit alsof ze bang voor me was.

'Wat is er, lieverd?' vroeg ik glimlachend.

'Ik wil Noble.'

Ik hield mijn hoofd schuin. 'Noble?'

'Ik wil mama.'

'Mama. Ja, laten we naar mama gaan.' Ik wilde haar hand vastpakken, maar ze holde weg naar haar eigen kamer en smeet de deur voor mijn neus dicht.

'Celeste, wat is er?' riep ik.

Een moeilijk kind, dacht ik. Dat zal ze altijd blijven.

Ik ging naar mama's kamer en keek naar haar. Ze lag nog precies zoals ik haar had achtergelaten, maar toen ik dichterbij kwam, zag ik dat ze doodsbleek zag en haar lippen blauw waren. Ik streek over haar gezicht. Het was steenkoud. Haar vingers waren stijf.

Mama is weg, dacht ik. Mama is weg. Papa en Noble hebben haar gisteravond meegenomen.

Ik huilde niet. Mama wilde het, anders was ze niet gegaan, dacht ik. Ze komt toch terug. Ze komen allemaal terug. Intussen had ik veel te doen. Het zou de laatste keer zijn dat ik zo hard in de tuin werkte.

Ik was zo druk bezig, dat ik de kinderen vergat. Toen ik bij ze ging kijken, was Panther weer in slaap gevallen, waarschijnlijk uitgeput van het huilen. Baby Celeste lag ineengerold, met haar duim in haar mond. Ze keek bang. Ik sleurde haar bijna haar kamer uit en de trap af om iets in haar maag te krijgen.

'Straks kun je weer mal en kinderachtig doen,' zei ik. 'Maar nu moet je iets eten.'

Ik maakte ook eten klaar voor Panther en ging naar boven naar hem, na voor Baby Celeste te hebben gezorgd. Hij was weer wakker en had honger. Ik had niet de minste moeite om hem alles te laten opeten. Ik waste hem, kleedde hem aan en bracht hem naar beneden.

Baby Celeste weigerde nog steeds tegen me te praten, maar ze ging tenminste naar de zitkamer om zich bezig te houden met haar boeken en speelgoed.

'Ik heb veel te doen in huis,' zei ik tegen de kinderen. 'Ik wil dat jullie je goed gedragen terwijl ik aan het werk ben. Als jullie lief zijn, krijgen jullie daarna allebei een ijsje.'

Baby Celeste nam me sceptisch op. Panther danste op en neer in zijn box, vol energie en opvallend vrolijk, dacht ik.

Het gaat prima met ons, hield ik mezelf weer voor, en ging meteen aan het werk.

Later in de middag hoorde ik een auto stoppen voor het huis en even later werd er op de voordeur geklopt. Ik had net al Betsy's kleren in de torenkamer geborgen en was halverwege de trap. Baby Celeste verscheen op de drempel van de zitkamer om te zien wie het was.

'Noble,' zei ze hoopvol.

Ik schudde mijn hoofd. 'Nee, Celeste. Het is Noble niet. Noble hoeft niet op de deur te kloppen om binnengelaten te worden.'

Ik deed de deur open en zag Tad voor me staan. Hij droeg een spijkerjack zonder shirt eronder en gescheurde jeans en sneakers zonder sokken. Zijn haar was niet geborsteld, en de plukken staken wild maar alle kanten.

'Is Betsy er?'

'Betsy? Nee, Betsy is weg.'

'Weg? Waar is ze naartoe?'

'Weet ik niet. Dat heeft ze niet gezegd. Ze heeft haar spullen ingepakt en is vertrokken.'

Hij trok zijn wenkbrauwen op. 'Wie ben jij?'

'Mijn naam is Celeste.'

'Waar is hoe heet hij ook weer? Noble?'

'Noble is er nu niet. Hij is gaan vissen.'

'Vissen?'

Op dat moment liet Panther een van zijn schrille kreten horen.

'Een ogenblik,' zei ik, en ging naar de zitkamer. Hij wilde dat Baby Celeste hem haar kleurkrijtjes gaf, maar ze was zo verstandig dat te weigeren. Hij zou geprobeerd hebben ze op te eten. Ik tilde hem uit de box. Toen ik me omdraaide, zag ik dat Tad binnen was gekomen en in de deuropening stond.

'Ze moet toch een bericht voor me hebben achtergelaten. Ik ben Tad. Heeft ze niks over me gezegd?'

Ik schudde mijn hoofd. 'Nee. Sorry. Ze heeft niets over je gezegd en niets voor je achtergelaten.'

'Woon je hier?'

'Natuurlijk woon ik hier,' zei ik lachend.

'Nou, waar was je dan toen ik hier was?'

Ik haalde mijn schouders op. 'Misschien was ik in de tuin.'

'De tuin? Je kunt niet al die tijd in de tuin zijn geweest.'

'Nee, ik ben niet altijd in de tuin, maar ik ben er wel vaak.'

'Wat, was je er nu net ook?'

'Pardon?'

Hij knikte naar me en ik keek naar mijn bemodderde jurk.

'O,' zei ik, 'ik heb goed schoongemaakt vandaag.'

'Moet wel een erg smerig huis zijn geweest,' merkte hij ironisch op. Hij draaide zich om en keek naar de trap. Ik zag dat hij me niet geloofde en Betsy wilde roepen.

'Toe dan,' zei ik.

'Hè?'

'Schreeuw haar naam maar als je wilt. Roep haar maar.'

Hij staarde me even aan, draaide zich toen om en brulde: *'Betsy!'*

Haar naam weergalmde, althans in mijn oren. Hij bleef even staan wachten en draaide zich toen weer om naar ons. Baby Celeste staarde hem strak aan, en hij keek van haar naar mij.

'Ik vertrouw het niet. Betsy was wild enthousiast om met mij en mijn band mee te gaan. Ze zou me hebben gebeld of zo.'

'Betsy is erg onbetrouwbaar.'

Hij dacht even na. 'Heeft ze haar geld gekregen?'

'Wat voor geld?'

'Haar erfenis.'

'O, dat geloofde je toch niet?' Ik lachte. 'Er is geen erfenis.'

Hij staarde me aan. 'Waar is die Noble, zei je?'

'Bij de beek. Vissen. Zo'n driekwart kilometer door het bos.'

Hij meesmuilde. 'Driekwart kilometer door het bos.'

'Ja. Het spijt me dat we je niet kunnen helpen.'

'Ja, mij ook,' zei hij en ging weg.

Ik liep naar het raam en zag hem in een auto stappen, waarin nog een jongen van zijn leeftijd en een meisje zaten. Hij sprak vlug en opgewonden tegen hen, startte toen de auto, keerde en reed weg.

'Ik denk niet dat die nog terugkomen,' mompelde ik.

Baby Celeste schudde instemmend haar hoofd. Toen ging ik terug naar grootvader Jordans stoel en zij ging terug naar haar boeken en speelgoed en Panther speelde rustig in de box.

Het ging goed met ons.

Alles zal goed gaan, dacht ik.

Epiloog
Voorgoed op de farm

Meneer Bogart was de eerste die kwam. Ik had me niet gerealiseerd dat er al bijna twee weken voorbij waren. Hij zei dat hij elke dag gebeld had en zich ongerust had gemaakt.

De dag voor hij kwam verzamelde mijn hele spirituele familie zich in de zitkamer en we bespraken mijn nabije toekomst. Tot mijn verbazing waren ze het oneens met elkaar. Sommigen vonden het prima zoals de toestand nu was, maar de meesten vonden dat het huis onherstelbaar besmet was. Tante Helen Roe, die in haar rolstoel zat, vond dat het gezuiverd moest worden en in brand gestoken. Grootvader Jordan was zo verontwaardigd over dat voorstel, dat hij keek alsof er elk moment een ader kon springen in zijn nek, ook al wist ik dat dat niet meer mogelijk was. Papa zei niets. Hij glimlachte slechts en schudde zijn hoofd naar mama, terwijl de anderen zaten te redetwisten. Ik wist wat hij dacht. *Je hebt een krankzinnige familie, Sarah. Dat heb ik je altijd al gezegd.*

Mama was degene die besloot dat als ik met twee witte kaarsen door het hele huis ging en de muren schoonmaakte met de rook van de kaarsen, dat voldoende zou zijn. Dat lokte een discussie uit over het aantal kaarsen dat nodig was en of er kaarsen moesten blijven branden in de kamers. Mama gaf toe en zei: 'Oké, als ze de muren heeft schoongemaakt, moet ze kaarsen neerzetten in alle kamers en ze aansteken en twee dagen en nachten laten staan.'

Tante Sophie zei dat drie nachten beter zou zijn. Per slot was drie een magisch getal.

Mama stemde toe, ook al keek ze of ze het niet geloofde. Ik denk dat ze toegaf om een eind te maken aan de discussie.

Grootvader Jordan was blij dat er een andere oplossing was gevonden dan het in brand steken van het huis. Ze omhelsden me allemaal, zoenden me en wensten me veel succes voor ze weggingen, en toen ging ik hun aanwijzingen opvolgen.

Meneer Bogart zag onmiddellijk de brandende kaarsen en vroeg ernaar. Ik legde uit waarom ik het had gedaan en hij knikte, en toen, nadat hij naar mama had geïnformeerd, ging hij naar boven, en ik volgde hem. Hij zag zelfs in de gang brandende kaarsen en knikte naar me. Toen ging hij naar mama's kamer en een paar ogenblikken later hoorde ik hem met dominee Austin telefoneren. Daarna gingen meneer Bogart en ik bij de kinderen kijken, en vervolgens naar beneden om op de dominee te wachten, die zich haastte om te komen. Zodra hij binnenkwam, vertrok zijn gezicht alsof de geuren hem echt pijn deden.

Toen hij mij zag, glimlachte hij verward en keek snel naar meneer Bogart. 'Wie is dit?' vroeg hij.

'Dit is Celeste,' zei meneer Bogart. 'Altijd geweest.'

De dominee sperde zijn ogen open, maar hij zei niets onaangenaams.

'Ik leg het je later wel uit,' zei meneer Bogart, waarmee de dominee zich tevredenstelde.

Vervolgens informeerde hij naar de kinderen.

'Ze slapen allebei,' zei ik.

'Het gaat goed met ze,' zei meneer Bogart. 'We hebben het er straks wel over.'

Meneer Bogart wilde met de dominee naar mama's kamer. Terwijl ze boven waren, was Baby Celeste wakker geworden en riep hen. Meneer Bogart had haar in zijn armen toen ze weer beneden kwamen. Baby Celeste keek woedend, de dominee verbluft en verward.

'Waar is de telefoon beneden?' vroeg meneer Bogart aan mij.

Ik legde uit waarom mama de telefoon in de la had gesloten om hem bij Betsy vandaan te houden, en toen vroegen ze waar Betsy was. Ik antwoordde dat ze weg was, maar Baby Celeste vertelde hun, met een woedende blik op mij, dat ze in de tuin was.

'In de tuin?' vroeg de dominee. 'Ik heb niemand gezien toen ik hierheen reed.'

Hij en meneer Bogart keken elkaar aan en toen liepen ze de tuin in, meneer Bogart nog steeds met Baby Celeste in zijn armen. Terwijl ze buiten waren, kwamen papa, Noble en mama bij me in de zitkamer om samen met mij te wachten.

298

'Het is in orde,' zei papa. 'Je hebt het heel goed gedaan.'
'Natuurlijk heeft ze dat,' zei mama. 'Het huis is weer gewijd.'
'Als je hier klaar bent, wil ik ridders en draken spelen,' zei Noble tegen mij. 'Je hebt het beloofd,' bracht hij me streng in herinnering.

'Ik zal het doen,' zei ik, maar hij bleef me net zo wantrouwend en ongeduldig aankijken als vroeger.

De dominee en meneer Bogart kwamen terug. De dominee zag bleek. Hij bleef aan zijn boord trekken, alsof zijn nek dikker was geworden en hij stikte. Meneer Bogart zette Baby Celeste neer en ze liep regelrecht naar de bank en ging als een beleefd klein dametje met haar handen op haar schoot zitten.

Meneer Bogart zei dat alles in orde zou komen, dat alles goed was, en ik glimlachte.

Dat wist ik al nog voordat ze kwamen. Hij ging weer naar boven naar mama's kamer om te telefoneren.

Niet lang daarna kwamen twee politieauto's voorgereden en de politieagenten spraken buiten met meneer Bogart en de dominee. Baby Celeste en ik keken naar hen door het raam. Ze praatten met elkaar en de dominee wees naar de tuin en toen naar het huis. De langste politieman nam zijn pet af en schudde zijn hoofd. Hij liep terug naar zijn auto en gebruikte zijn autoradio. Toen liepen ze gezamenlijk de tuin in.

'Een hoop gedoe om niks, als je het mij vraagt,' zei grootvader Jordan. Ik had me niet gerealiseerd dat hij in de kamer was. Hij knikte naar me en ging toen naar buiten om te zien wat ze van plan waren. Mama kwam naast me zitten. 'Het is in orde,' zei ze, en hield mijn hand vast.

Niet lang daarna reed er nog een auto voor, en een kleine, kale man in pak en das stapte uit met een vrouw die gekleed was als verpleegster.

'Ze *is* een verpleegster,' zei papa die samen met mij naar buiten keek. Het verbaasde me altijd weer dat hij zo goed mijn gedachten kon lezen.

'Wat doet een verpleegster hier?' vroeg tante Roe afkeurend. Ze reed haar rolstoel naar ons toe en tuurde door het raam. Ze rimpelde haar neus en trok haar wenkbrauwen samen. 'Te veel vreemden die zich met onze zaken bemoeien.'

'Amen,' zei oudoom Samuel, die achter haar ging staan. 'Iedereen is een bemoeial tegenwoordig.'

De politieagenten en de man in het pak en de verpleegster stonden buiten met elkaar te praten, tot er weer een auto, en een andere vrouw en man in pak verschenen. Deze vrouw droeg een grijs jasje en rok met een witte blouse en had kort bruin-en-grijs haar. Ook zij stonden met elkaar te overleggen, en toen kwam iedereen binnen.

'Hallo,' zei de kale man in het pak tegen mij. 'Ik ben dr. Levy. En wie is dit mooie kleine meisje?' vroeg hij met een blik op Baby Celeste.

'Ik ben Celeste,' zei ze met een ernstige en volwassen uitdrukking op haar gezicht.

'Ook hallo jij,' zei hij. 'Dit is mevrouw Newman. Je kunt haar Patty noemen,' ging hij verder tegen mij, de verpleegster voorstellend. 'Zij is ook hier om je te helpen.'

'Waarmee?' vroeg ik snel.

'O, om het je comfortabel te maken. We moeten je meenemen naar mijn kliniek,' zei hij tegen me, 'zodat ik je weer op de been kan helpen.'

'Ik bén al op de been.' Ik stond op om het te demonstreren.

Hij glimlachte en keek naar Patty Newman, die ook glimlachte en haar hoofd schudde.

'Waar is het andere kind?' vroeg de vrouw in het grijze pakje, en deed een stap naar voren. Ze keek ongeduldig. De dominee stond in de deuropening achter hen. Hij vertelde dat Panther boven in zijn wieg lag, en ze hield haar zakdoek voor haar gezicht en liep haastig de trap op.

'Ik wil dat je een tijdje met me meegaat,' zei dr. Levy tegen mij.

'Ik kan het huis en de kinderen niet alleen laten.'

'O, er zal goed voor gezorgd worden,' beloofde hij. 'En de politie is er nu. Zij zullen erop letten dat het huis beschermd wordt.'

'Dit huis wordt altijd beschermd,' zei ik glimlachend. 'Daar hebben we de politie niet voor nodig.'

'Daar ben ik van overtuigd,' zei hij, zijn wenkbrauwen optrekkend. 'En ik wil heel graag van je horen hoe je dat weet.'

Ik keek naar mama, die haar hoofd schudde. Ze zat op de bank.

'Wat moet ik doen?' vroeg ik haar.

Ze gaf geen antwoord.

'Je moet met ze meegaan,' zei papa. 'Dat zal ook beter zijn voor de kinderen.'

'Maar ze heeft beloofd met me te spelen,' kermde Noble.

'Ik moet met mijn broer spelen,' zei ik tegen dr. Levy.

'Vraag hem om mee te gaan,' zei hij. 'Ik heb van alles om mee te spelen op mijn kantoor.'

Ik keek naar Noble. Hij leek nieuwsgierig. Per slot kon hij hier niet zo vaak weg.

'Zijn daar nog andere jongens en meisjes?' vroeg ik. Ik wist dat hij dat zou willen weten.

'O, ja.' Dr. Levy richtte zich tot Patty Newman. 'Patty zorgt ook voor hen, nietwaar, Patty?'

'O, ja,' zei ze. 'Je zult een hoop te doen hebben.'

Ik keek weer naar Noble. Hij knikte heel wat enthousiaster.

'Oké dan,' zei ik langzaam. 'Maar ik moet later weer terug om het eten klaar te maken.'

'Ik begrijp het,' zei dr. Levy. Hij draaide zich om naar Patty. 'Mevrouw Newman, zullen we de kinderen helpen met hun vertrek?'

'Kom mee, lieverd,' zei Patty. Ze stak haar hand naar me uit. Ik keek naar mama.

Ze staarde naar de grond. Papa zat met zijn arm om haar heen.

'Het komt allemaal goed met haar,' zei hij. 'Met allebei.'

We liepen naar buiten. De vrouw in het grijze pakje droeg Panther in haar armen, en de man die bij haar was, knielde op de grond voor Baby Celeste en fluisterde tegen haar. Ze keek langs hem heen naar mij. Ze was nog steeds kwaad op me, dacht ik. Misschien zou dit helpen. Ze knikte na iets wat hij zei en keek tevreden.

'Je bent een heel intelligent meisje,' zei hij.

We liepen de veranda op.

Heb ik al verteld wat een prachtig weer het was? Er was geen wolkje te bekennen en het blauw van de lucht was een kruising tussen diep blauwgroen en turkoois, het turkoois voornamelijk aan de horizon. Schaduwen trilden in het bos, en de wereld was zo stil en rustig, dat ik meende in de verte het geklater van de beek te horen, waarin het water rond en over de stenen spoelde. Een grote zwarte kraai verhief zich van een lange tak en zweefde omhoog naar de zon.

Noble en ik gingen achter in dr. Levy's auto zitten. Noble was opgewonden. Het was ook al zo lang geleden dat hij voor het laatst in een auto had gereden.

Ik keek achterom en zag dat Baby Celeste en Panther naar een andere auto werden gebracht. In de tuin waren twee politiemannen aan het graven. Ik hoopte dat ze de planten niet zouden beschadigen.

Voor we wegreden kwam er nog een ambulance. Twee paramedici stapten uit met een stretcher en liepen naar de voordeur, waar een andere politieman op hen stond te wachten. Ik zag dat hij ze naar de trap en naar mama's kamer wees.

Patty Newman stapte achterin met Noble en mij, en dr. Levy ging achter het stuur zitten en startte de motor.

'Gaat het goed met je, kindlief?' vroeg Patty me.

'Ja,' zei ik. 'Prima.'

Noble schoof onrustig heen en weer. Hij kon nooit lang stilzitten en begon ongeduldig te worden.

Langgeleden, toen ik nog zo jong was als Noble, besloot papa ons mee te nemen naar een stuk land waarop hij en zijn partner een nieuw huis aan het bouwen waren en waar hij iets heel bijzonders had ontdekt. Mama ging niet mee, maar dat was niet ongewoon. We gingen vaak alleen met papa op stap.

Toen we bij het stuk land kwamen, stapten we uit en hij liep naar de achterkant van de fundering die zijn mannen onlangs hadden gelegd. Hij bracht ons naar een grote omgevallen boomstam waaronder een gat was gegraven en waaromheen met duidelijke zorg wat gedroogd gras was gelegd. In het hol lagen jonge veldmuisjes, nog roze en blind. Ze werden gezoogd door de moeder. Noble wilde er een oppakken, maar papa zei dat de moeder dan zou schrikken en bang worden. We moesten rustig blijven staan en mochten er een tijdje naar kijken.

'Binnenkort,' zei hij, 'zullen ze kunnen zien en dan zijn ze oud genoeg om voor zichzelf te kunnen zorgen.'

'Wat gebeurt er met hun huis?' vroeg ik.

'Dat is straks niet belangrijk meer. Ze maken hun eigen huis en daarin krijgen de vrouwtjes hun eigen baby's.'

'Waarom komen ze niet gewoon hier terug?' vroeg ik.

'Ze willen hun eigen huis,' antwoordde papa. 'Soms moeten we verder om onze eigen weg te zoeken. We zijn allemaal anders en we hebben iets nodig dat van onszelf is, niet iets dat van onze voorouders was, maar iets dat we zelf hebben opgebouwd.'

'Jij bouwt huizen voor mensen.'

Hij knikte. 'Ja, dus je ziet, als iedereen in het huis bleef waarin hij is opgegroeid, zou ik geen werk meer hebben.'

'Mama wil dat we voorgoed op de farm blijven,' zei Noble. Net als mama kneep hij zijn ogen halfdicht.

'Ik weet het,' zei papa. 'Maar op een goede dag zul je weggaan. Het zal gewoon in je zitten om het te doen. En je moet niet bang zijn.'

'Ik wil niet weg,' zei Noble koppig.

'We zullen zien,' zei papa met een stem vol wijsheid. Hij knipoogde naar mij.

Waar zouden we naar toegaan, Noble en ik? vroeg ik me af.

Ik keek toen naar de bergen in de verte.

Dat deed ik nu ook.

En met een glimlach dacht ik aan papa die onze handen vasthield en ons terugbracht naar de auto, terwijl de wind opstak en zijn mooie haren deed wapperen, en zijn ogen vol hoop waren voor ons.

En ik wist onmiddellijk wat hij zei.

Misschien zouden we op een dag ons huis verlaten.

Maar we zouden elkaar nooit verlaten.

Nooit.